beck ^Ische **reihe**

b ^{sr}

Edition der
Carl Friedrich von Siemens
Stiftung

Friedrich Wilhelm Graf und
Heinrich Meier (Hg.)

Politik und Religion

*Zur Diagnose der
Gegenwart*

Mit Beiträgen von
Giorgio Agamben
Robert C. Bartlett
Hillel Fradkin
Gregory L. Freeze
Friedrich Wilhelm Graf
Hans Ulrich Gumbrecht
Jürgen Habermas
Hans Joas
Heinrich Meier
Peter Schäfer

Verlag C.H.Beck

Redaktionelle Mitarbeit: Hannes Kerber

Originalausgabe

© Verlag C.H.Beck oHG, München 2013
Satz: Druckerei C.H.Beck, Nördlingen
Druck und Bindung: GGP Media GmbH, Pößneck
Umschlaggestaltung: Konstanze Berner, München
Printed in Germany
ISBN 978 3 406 65297 4

www.beck.de

INHALT

FRIEDRICH WILHELM GRAF
Einleitung
7

HANS ULRICH GUMBRECHT
Religion und Politik in den Vereinigten Staaten
Über die Geschichtlichkeit einer
kulturellen Invariante
47

GREGORY L. FREEZE
Von der Entkirchlichung zur Laisierung
Staat, Kirche und Gläubige in Rußland
79

HILLEL FRADKIN
Die lange Suche nach dem Islamischen Staat
Religion und Politik im Islam und die
Dynamik der Gegenwart
121

ROBERT C. BARTLETT
Religion und Politik in der klassischen
politischen Wissenschaft
163

PETER SCHÄFER
Theokratie: Die Herrschaft Gottes als
Staatsverfassung in der jüdischen Antike
199

GIORGIO AGAMBEN
Archäologie des Befehls
241

HANS JOAS
Sakralisierung und Entsakralisierung
Politische Herrschaft und religiöse Interpretation
259

JÜRGEN HABERMAS
Politik und Religion
287

HEINRICH MEIER
Epilog
Politik, Religion und Philosophie
301

Über die Autoren
315

FRIEDRICH WILHELM GRAF

Einleitung

Versuche gelehrter Deutung von Gegenwartsreligion haben
Hochkonjunktur. Nach langen Jahren eines relativ breiten so-
zialwissenschaftlichen Konsenses, daß infolge des Prozesses
der Aufklärung, also durch Rationalisierung und Verwissenschaftlichung immer weiterer Lebenssphären, und durch
die fortschreitende «Modernisierung» moderner Gesellschaften Religion zunehmend marginal und allmählich absterben
werde, beschwören nun zahlreiche Kultur- und Sozialwissenschaftler das «Ende der Säkularisierungsthese». Auch wenn
einige wenige akademische Zeitdiagnostiker das Säkularisie-
rungskonzept verteidigen, ist die neue Einmütigkeit durch die
revisionistische Annahme bestimmt, daß viele moderne Gesellschaften keineswegs durch «Säkularisierung», sondern, genau
umgekehrt, durch eine bleibende Vitalität des Religiösen und
die Rückkehr religiöser Akteure in den öffentlichen Raum geprägt seien. Jürgen Habermas bezeichnet auch offene westliche
Gesellschaften seit 2001 gar als «postsäkular». In der Tat lassen sich selbst in den nord- und westeuropäischen Gesellschaften, die aufgrund der Krisen der überkommenen christlichen
Volkskirchen als besonders stark «säkularisiert» galten und
oft noch gelten, mannigfaltige religiöse Aktivitäten beobachten. Eine neue religiöse Vielfalt und die damit verbundenen Di-
stinktionskämpfe zwischen miteinander rivalisierenden Glau-
bensakteuren dürften mit der erhöhten medialen Aufmerksamkeit für die Religionsthematik auch das wissenschaftliche
Deutungsinteresse gestärkt haben. Doch wie auch immer die
religiöse Lage in den verschiedenen europäischen Gesellschaften jeweils zu beschreiben ist – kein seriöser Gegenwartsdia-
gnostiker bestreitet mehr, daß religiöser Glaube auch zu einem

wichtigen Thema politischer Diskurse und Entscheidungs-
prozesse geworden ist. Denn die oft zu hörende Rede, man
könne Religion und Politik trennen, ist falsch. Wenig überzeugend ist auch die nicht selten mit einiger Arroganz vorge-
tragene Behauptung, daß die demokratischen Staaten «des
Westens» und ihre Bürger im Unterschied zu anderen – womit
dann zumeist «die Muslime» und die politischen Institutio-
nenordnungen dominant islamisch geprägter Gesellschaften
gemeint sind – Religion und Politik erfolgreich unterschieden
hätten. Das war und ist keineswegs der Fall. Darum soll es in
dieser Einleitung in fünf unterschiedlich langen Schritten gehen: Als entschieden liberaler theologischer Anwalt von Aufklärung und weltanschaulich neutralem Staat skizziere ich
zunächst den Eigensinn religiösen Bewußtseins, seine unaufhebbare Ambivalenz und seine notorische Gefährlichkeit. Sodann geht es um die religionspolitische «Governance» des säkularen Staates. Drittens beschreibe ich die hohe institutionelle
Vielfalt des liberalen Trennungsmodells in Europa. Viertens
weise ich kurz auf die theokratische Versuchung hin, die sich
derzeit keineswegs nur bei muslimischen oder orthodox-jüdi-
schen Akteuren, sondern auch bei einer wachsenden Zahl von
christlichen Religionsintellektuellen beobachten läßt. Fünftens
geht es dann noch um die großen Schwierigkeiten frommer
Unbedingtheitsüberzeugter, den säkularen Staat zu akzeptieren, und um das Alternativprogramm liberaler Religion.

*1. Der Eigensinn der Religion, ihre unaufhebbare Ambivalenz
und ihre notorische Gefährlichkeit*

Moderne Religion zu deuten, ist eine voraussetzungsreiche
und analytisch komplexe Aufgabe. Denn moderne Religion
ist äußerst vielgestaltig, schillernd und in sich widersprüchlich. Oft fehlen uns Gegenwartsdiagnostikern trennscharfe Begriffe, um den Gestaltwandel religiöser Organisationen und
die Transformationen von Glaubensweisen prägnant zu erfassen. Sehr Vieles, vielleicht Entscheidendes in Sachen «moder-

ner Religion» liegt im dunkeln, etwa mit Blick auf die Politisierung religiöser Symbolsprachen und die vielen diffusen Legierungen von «Herrschaft und Heil» (Jan Assmann). Deutlich ist jedoch: Die vielen neuen Formen politisierter Religion, etwa die diversen protestantischen Fundamentalismen oder islamistischen Bewegungen und Gruppen, sind genuin moderne Phänomene – nicht selten Reaktionen auf Erfahrungen von schnellem, als zerstörerisch erlittenem sozialen Wandel, Verwissenschaftlichung und Emanzipation des Individuums aus traditionalen Rollen und Gemeinschaftsbindungen.

Georg Wilhelm Friedrich Hegel hat in seinen Berliner *Vorlesungen über die Philosophie der Religion* von der besonderen mythopoietischen Produktionskraft des religiösen Bewußtseins gesprochen. Religiöses Bewußtsein sei, so Hegel, im Unterschied zum philosophischen Denken in klaren Begriffen nun einmal ein nur «vorstellendes Bewußtsein», das in Bildern schwelgt, Mythen bildet und selbst das Absolute veranschaulicht. Bei Hegel und anderen Klassikern der Religionstheorie um 1800 läßt sich lernen: Religion ist nicht nur Ritus, Kult und dadurch erzeugte Vergemeinschaftung, sondern auch rational kaum kontrollierbare Neigung zum Phantastischen, die außergewöhnliche Fähigkeit von Menschen, sich in heiligen Geschichten, Legenden und Mythen eine ganz andere Wirklichkeit als die hier und jetzt gegebene vorzustellen. Religiöse Mythen handeln vom Ursprung des Lebens oder Anfang der Welt und führen alles Seiende auf göttliche Schöpfung zurück. Sie stiften Ordnung, indem sie zwischen Himmel und Erde unterscheiden, und begründen etwa in Erzählungen von Sündenfall und Vertreibung aus dem Paradies den Unterschied von gut und böse. Zugleich begründen religiöse Mythen starke Ordnungen der Zeit, etwa durch die Grundunterscheidung von Zeit und Ewigkeit. Heilige Tage oder Stunden der Gottesverehrung, der Sabbat oder Sonntag, und religiöse Festtage erlauben eine heilsame Unterbrechung des Alltags. In religiösen Weltbildern wird mit Blick auf den einen Gott, das Subjekt unüberbietbar letzter Allgemeinheit, oder auch viele Götter alle Unbestimmtheit in Bestimmtheit überführt, ein krisenresistent stabiler Ordnungsrahmen für den Einzelnen und das Zusammenleben der Vielen definiert und dem Frommen eine alle Negativitätserfahrungen des endlichen Lebens integrierende tragende Gewißheit zu erschließen versucht. Religion erlaubt es, sich auch dem ganz Negativen, dem Tod, zu stellen, ohne in Mutlosigkeit, Depression und Angst zu versinken. Darin liegt im gelingenden Fall ihre spezifische Leistungskraft.

Religiöse Symbolsprachen sind außerordentlich interpretationsoffen, ähnlich wie ästhetische Sprachen. Wer hier nach Eindeutigkeit oder gleichsam geometrischer Klarheit sucht, geht in die Irre. Zentrale Vorstellungen religiösen Bewußtseins wie etwa Gott, das Absolute, der weltenschaffende Geist und die Schöpfung lassen sich höchst unterschiedlich auslegen und vergegenwärtigen. Analog gilt dies für Vorstellungen von Heil, Erlösung, Rechtfertigung, Gnade und Errettung einerseits, Verderben, Verdammnis, letztem Gericht und Höllenqual andererseits. Nicht nur lassen sich zwischen unterschiedlichen religiösen Deutungskulturen, also etwa zwischen Judentum, Christentum und Islam, höchst gegensätzliche Auslegungen solcher Vorstellungen beobachten. Vielmehr wird auch innerhalb der diversen religiösen Überlieferungen fortwährend über die Auslegung der jeweiligen heiligen Texte, Symbole und Grundvorstellungen gestritten. Die Vorstellung, es gebe so etwas wie «das Judentum», «das Christentum», «den Islam», «den Buddhismus» oder «den Hinduismus», ist naiv. «Das Judentum» gibt es nur in Gestalt ganz unterschiedlicher Judentümer, die ein breites Spektrum höchst divergenter Glaubensüberzeugungen, Frömmigkeitsweisen und religiös geprägter Lebensentwürfe umfassen. Analog ist «das Christentum» nur ein abstrakter, blasser Oberbegriff für eine in sich äußerst spannungsreiche, von vielfältigen Konflikten geprägte Pluralität ganz unterschiedlicher Christentümer, die in je eigenen Konfessionskirchen, kleineren Gesinnungsgemeinschaften, Zirkeln von mystisch Erleuchteten oder abertausenden Formen hoch individualisierter Frömmigkeit Gestalt gewinnen. Zudem sind auch die großen christlichen Konfessionskirchen und Konfessionsfamilien in sich noch einmal vielfältig differenziert und individualisiert. Gewiß, man kann die römisch-katholische Kirche dank ihrer transnationalen zentralistischen Organisationsstrukturen und mit Blick auf den seit dem frühen 19. Jahrhundert fortwährend verschärften Primat und Führungsanspruch des Papstes (mit seiner römischen Kurie) als eine «Weltkirche» bezeichnen. Aber die vielen nationalen Katholizismen sind jeweils in sich plurale religiöse Organisationen. Man kann dies gut am Beispiel des Katholizismus in der Bundesrepublik sehen. Trotz einer Personalpolitik, die in den Pontifikaten von Johannes Paul II. und Benedikt XVI. gezielt auf die Förderung eines neukonservativen, dezidiert antiliberalen Klerus zielte, und trotz der gerade vom deutschen Papst gern beschworenen Klarheit und dogmatischen Eindeutigkeit des genuin Römisch-Katholischen ist der deutsche Katholizismus auf allen Ebenen seiner hierarchischen Selbstorganisation, von der Deutschen Bischofskonferenz bis hin zu den Kirchengemeinden und Pfarrverbünden, durch hohe religiöse Vielfalt mit nicht selten auch aggressiv ausgetragenen kirchenpolitischen Internkonflikten bestimmt. Zudem halten die sogenannten Laien zu einem erheblichen Teil die vom Lehramt für verbindlich erklärten Moralvorstellungen ihrer Kirche für falsch und leben nach ganz anderen, selbst definierten normativen Prinzipien. Analoges gilt für «den Islam», der nicht nur durch den fundamentalen und konfliktreichen Gegensatz von Schiiten und Sunniten, sondern auch durch eine bunte, in sich äußerst spannungsreiche Vielfalt von Sonderströmungen, Frömmigkeitsbewegungen und vergleichsweise jungen, erst im späten 19. oder frühen 20. Jahrhundert entstandenen Reformgruppen geprägt ist. Die religionsklassifikatorischen Begriffe «Schiiten» und «Sunniten» sind abstrakt und differenzierungsblind.

Zwar lassen sich religiöse Symbolsprachen mit Blick auf ihre ordnungsstiftenden Leistungen auch als Lebensentwürfe lesen, die in aller Regel die Lebensführung der Frommen mehr oder minder stark prägen. Der gläubige Mensch soll dem Willen Gottes, wie er, im Falle von Judentümern und Christentümern, etwa in den Zehn Geboten der Sinaioffenbarung erklärt ist, folgen. Aber dies bedeutet nicht, daß es in den verschiedenen Religionen und Konfessionen mit Blick auf religiöse Ethik große Einstimmigkeit oder gar Homogenität gibt. Auch hier läßt sich extrem starke, konfliktreiche Vielfalt beobachten. Zwar werden in den heiligen Texten der Schriftreligionen Grundunterscheidungen von Heil und Verderben, gut und böse, Tugend und Sünde eingeschärft. Aber dies bedeutet nicht, daß all jene Akteure, die sich mit Blick auf dieselben heiligen Texte definieren, dieselben Vorstellungen guten Handelns vertreten. Auch Gottesferne, Sünde und Verderben sind Glaubensvorstellungen, die sehr unterschiedlich gedeutet werden können. Selbst die verschiedenen christlichen Konfessionskirchen, die sich alle auf das Alte Testament und das Neue Testament beziehen, haben ganz unterschiedliche Ethiken entwickelt. Dies gilt nicht nur mit Blick auf die orthodoxen Christentümer, den Katholizismus und die diversen Protestantismen. Vielmehr lassen sich auch innerhalb der einzelnen Konfessionsfamilien in Sachen Ethik noch einmal tiefgreifende Unterschiede und diverse Sonderwege beobachten. Das dafür bekannteste Beispiel sind die schon im deutschen Vormärz von protestantischen Theologen intensiv diskutierten fundamentalen ethischen Differenzen zwischen Calvinismus und Luthertum. Sie treten, wie Karl Bernhard Hundeshagen und Matthias Schneckenburger damals zeigten, vor allem in der politischen Ethik zutage.

Die hohe Interpretationsoffenheit religiöser Symbolsprachen betrifft gerade auch das spannungsreiche Themenfeld von Politik und Religion. Oft wurden Herrschaft und Heil in einen so engen Zusammenhang gebracht, daß «das Politische» sakralisiert und religiös überformt wurde. Die europäische Religionsgeschichte war bekanntlich durch vielfältige Auseinandersetzungen darüber geprägt, ob den Inhabern religiöser Ämter, allen voran dem Papst, nicht eine Prärogative gegenüber den politischen Herrschaftsträgern, etwa dem Kaiser, zukomme. Zwar sind nicht in allen religiösen Überlieferungen eigene Ethiken des Politischen entwickelt worden. Aber für die drei großen monotheistischen Religionsfamilien gilt, daß in ihren heiligen Texten viel von irdischen Dingen und den rechtlichen wie moralischen Regeln des Zusammenlebens der Menschen die Rede ist. Was mit Blick auf religiös codierte Ethiken insgesamt gilt, trifft insbesondere für die in vielen religiösen Traditionen sich findenden Vorstellungen von guter Herrschaft und wohlgeordneten weltlichen Institutionen zu. Selbst die europäischen Christentümer haben unterschiedliche «Soziallehren», speziell Ethiken des Politischen und Vorstellungen guten Lebens in der Gemeinschaft, entwickelt.[1]

In der hohen Interpretationsoffenheit religiöser Symbolsprachen liegt die spezifische Faszinationskraft, aber auch die notorische Ambivalenz allen Glaubensbewußtseins. Religiöse Symbolsprachen sind eine Art mentaler Software, die sowohl Gutes und Wunderbares als auch Furchtbares, Grausames und Böses bewirken kann. In religiösen Mythen wird von hilfreichen Engeln und vorbildlichen Heiligen erzählt. In heiligen Schriften finden sich Geschichten von wundersamer Heilung und Errettung aus höchster Not. Religiöse Mythen handeln aber auch von Teufelswesen, Dämonen, Tieren aus dem Abgrund und zerstörerischen Mächten. Mit Blick auf Gott oder in Ehrfurcht vor dem Schöpfer kann religiöses Bewußtsein der Selbstbegrenzung des Menschen dienen und Wahrnehmungssensibilität, Aufmerksamkeit für die Fragilität endlichen Lebens und die Verletzlichkeit des Individuums stärken. Indem religiöser Glaube solche Demut fördert, vermag er Empathie mit den Schwächeren, Leidenden, Armen und sonstwie Marginalisierten zu fördern und den Mut zu erzeugen, sich mit traurig stimmenden Gesellschaftszuständen nicht zufriedenzuge-

---

1 Dazu grundlegend Ernst Troeltsch: *Die Soziallehren der christlichen Kirchen und Gruppen* (Gesammelte Schriften Band 1). Tübingen 1912.

ben. Religiöse Bildsprachen haben immer auch dem sozialen Protest gegen ungerechte Verhältnisse und tyrannische Herrschaft gedient. Sie haben hier zugleich eine oft kontrafaktische Hoffnung auf Emanzipation, Freiheit und besseres Leben gestärkt. Denn der Transzendenzbezug religiösen Bewußtseins, wie er am überweltlich vorgestellten Gott (oder an vielen innerhalb und außerhalb des Kosmos agierenden Göttern) und in der starken Unterscheidung von Diesseits und Jenseits sich ausdrückt, läßt sich immer auch als eschatologischer oder utopischer Überschuß über den Status quo konkretisieren. Religion kann atomistisch vereinzelte Solipsisten und harte Egozentriker in Mitmenschen verwandeln, die in frommer Vergemeinschaftung, etwa in Riten der Überwindung von Entfremdung, einander als Brüder und Schwestern verstehen und begegnen wollen. In ihren Symbolen kann sie jenseits der üblichen sozialen Grenzlinien von Stand, Klasse, Geschlecht und Nation Nächstenliebe stärken und Solidarität stiften. Sie kann resignativ Verstummten wieder eine Stimme geben, Verängstigten Mut machen und Trauernden Trost bieten.

Religiöser Glaube kann aber auch ganz anders, genau gegenläufig wirken. Er kann im Haß auf Andersdenkende und Andersgläubige Gestalt gewinnen, Menschenverachtung und Intoleranz stimulieren, äußerst starre, dogmatistisch harte Weltbilder erzeugen und in fromme Arroganz münden. Die Tendenz zum Unbedingten, die emotional stark bindende Orientierung an Gott, die für religiöses Bewußtsein mindestens in monotheistischen Religionssystemen konstitutiv ist, ist ambivalent und bleibend gefährlich. Sosehr Religion den Menschen humanisieren kann, so sehr kann sie ihn auch barbarisieren, und die eine religiöse Bewußtseinsgestalt kann sehr schnell in die andere umschlagen; auch sind die Übergänge fließend. Gewaltbereiter oder gewalttätiger Gottesglaube ist dabei kein Spezifikum einer bestimmten Religion, etwa «des Islam» im Unterschied zum Judentum und Christentum. Narrative von grausamer Gewalt und sakralisiertem, als vor Gott gerechtem oder von ihm gefordertem Töten finden sich in den

heiligen Schriften aller drei monotheistischen Weltreligionen –
und keineswegs nur, wie manche Christen in der Gegenwart
gern behaupten, in der Hebräischen Bibel oder dem Alten Testament, sondern auch in einigen Büchern des Neuen Testa-
ments, insbesondere in der Johannesapokalypse.

Gewaltbereite oder gewalttätige Religiosität findet sich keineswegs nur in monotheistisch geprägten Religionskulturen,
sondern auch in multireligiösen polytheistischen Glaubens-
welten. Das vor allem von dem Heidelberger Ägyptologen Jan
Assmann entwickelte Konzept der «Mosaischen Unterscheidung»,[2] dem zufolge ein besonders enger Zusammenhang
zwischen forderndem Eingottglauben und Religionsgewalt
bestehe, ist empirisch gesehen falsch. Gewiß, im ersten Gebot
heißt es: «Ich bin der Herr Dein Gott, Du sollst keine anderen
Götter haben neben mir.» Jahwe verlangt von seinem Volk,
dem erwählten Partner seines Bundes, exklusive und unbedingte Verehrung. Diese mosaische Rhetorik von Allmacht,
Unbedingtheit und Bundestreue mag eine starke Identität des
auserwählten Volkes im Gegensatz zu den anderen, den fremden Völkern und Heiden mit ihren vielen Göttern gestiftet und
immer neu gestärkt haben. Aber Assmanns Vorstellung von
einem besonders engen, gar notwendigen Zusammenhang
zwischen exklusivem Monotheismus und Religionsgewalt läßt
sich weder religionshistorisch noch mit Blick auf die gegenwärtige religiöse Lage begründen. Aus den Religionsgeschichten der Menschheit, die oft Geschichten von grausamer Gewalt, brutaler Zerstörungswut und aggressivem Haß sind,
lassen sich viele Beispiele dafür nennen, daß auch polythei-
stisch orientierte religiöse Akteure mit hoher Gewaltbereitschaft agierten. Gern wird in den aktuellen europäischen und
speziell deutschen Islamdebatten darauf hingewiesen, daß die

2 Jan Assmann: *Die Mosaische Unterscheidung oder Der Preis des Monotheismus.* München 2003; ders.: *Monotheismus und die Sprache der
Gewalt.* Wien 2006.

Religion des Propheten einst mit kriegerischer Gewalt verbreitet wurde. Doch dies gilt auch für den Buddhismus, der etwa in Tibet mit äußerst brutaler Zwangsgewalt durchgesetzt wurde. Viele blutige Religionskonflikte werden in multireligiösen Gesellschaften zwischen Akteuren ausgetragen, die gerade keinen monotheistisch grundierten Glauben vertreten. Exemplarisch genannt seien die harten Kämpfe zwischen radikalnationalistischen Hindus und Buddhisten in Teilen Indiens oder die brutalen Angriffe buddhistischer Mönche auf Angehörige der muslimischen Minderheit in Myanmar. Sicher gibt es gotterregte muslimische Fromme, die christliche Kirchen überfallen oder anzünden – etwa im Norden Nigerias oder in Ägypten, wo sich die Kopten seit der Revolution von 2011/2012 einer wachsenden Aggressivität politisch radikaler Islamisten konfrontiert sehen. Auch sind aus einigen afrikanischen Gesellschaften christliche Akteure bekannt, die muslimische Dörfer überfallen, Moscheen zerstören, die Häuser von Muslimen in Schutt und Asche legen. Darf man dies auf die «mosaische Unterscheidung» zurückführen? Zweifel sind geboten. Denn gewaltsame Vertreibung der jeweils anderen, Ermordung von Vertretern der Minderheit und die Zerstörung der heiligen Stätten von Andersgläubigen sind auch aus multireligiösen Gesellschaften mit dominant polytheistischen Religionsstrukturen bekannt. Zudem bietet Assmanns Konzept keine Erklärung für die hohe Gewaltbereitschaft, die seit dem ausgehenden 20. Jahrhundert neureligiöse Tatapokalyptiker mit ihren Versuchen, endlich das gottgewollte Weltende mit ihrer dann kommenden Errettung zu erzwingen, erkennen lassen. Das dafür wichtigste Beispiel ist Ōmu Shinrikyō, die sogenannte Aum-Sekte, deren Anhänger 1995 einen Giftgasanschlag auf die Tokioer U-Bahn verübten. Mit monotheistischem Unbedingtheitswillen oder der Exklusivitätsfixierung auf den einen Gott läßt sich dies nicht erklären.

2. Der säkulare Staat und seine religionspolitische «Governance»

Ist Religion ambivalent und potentiell gefährlich, hat der für den Rechtsfrieden und die öffentliche Ordnung zuständige Staat ein starkes Interesse daran, religiösen Glauben unter Kontrolle zu halten. In den Sprachspielen der Politikwissenschaftler, die sich in Deutschland seit der disziplinären Autonomisierung des Faches in den frühen 1950er Jahren gern als Demokratiewissenschaftler verstehen, ist neuerdings deshalb von religionspolitischer «Governance» als einer zunehmend wichtigeren Aufgabe des Staates die Rede. *When Governance meets Religion. Governancestrukturen und Governanceakteure im Bereich des Religiösen* – das ist der Titel einer für diesen Trend repräsentativen kleinen Studie des Staatsrechtslehrers und Verwaltungswissenschaftlers Gunnar Folke Schuppert.[3]

«Governance» ist ein Wortsignal, das anzeigen soll, wie schwierig die unübersichtlichen, weil äußerst komplexen Verhältnisse in modernen funktional differenzierten Gesellschaften geworden sind – man muß sie erst durchschauen, bevor man steuernd eingreifen kann.[4] Es sind in der Geschichte der politischen Theorie schon stärkere, analytisch prägnantere Begriffe für Herrschen, Regieren und Steuerungskraft entfaltet worden. Aber das neue Interesse der deutschen Staatsrechtslehrer und Politologen am Thema «Governance» von Religion läßt erkennen, daß die neue religiöse Vielfalt

---

3 Gunnar Folke Schuppert: *When Governance meets Religion. Governancestrukturen und Governanceakteure im Bereich des Religiösen* (Schriften des Münchner Centrums für Governance-Forschung Band 6). München 2012.

4 Zur «Governance»-Debatte siehe Gunnar Folke Schuppert (Hg.): *Governance-Forschung. Vergewisserung über Stand und Entwicklungslinien.* Baden-Baden 2005, ²2006. Wichtig auch Gunnar Folke Schuppert/Andreas Voßkuhle (Hg.): *Governance von und durch Wissen* (Schriften zur Governance-Forschung Band 12). Baden-Baden 2008.

für den demokratischen Verfassungsstaat zu einem Problem zu werden droht. Denn in aller Regel gilt: Mehr Verschiedenheit bedeutet potentiell mehr Konflikt. Die weiter wachsende Zahl miteinander konkurrierender religiöser Akteure macht es für den parlamentarisch-demokratischen Rechtsstaat jedenfalls nicht leichter, den schnell entzündlichen Mentalstoff «Gottesglaube» unter bürokratisch-rationaler Kontrolle zu halten. Spannungen und Konflikte zwischen den Repräsentanten der weltlichen, politischen Institutionen und religiösen Akteuren bilden eine feste Konstante in den Religionsgeschichten der Menschheit. Auch wenn der Streit um Religion und Politik in Europa, gerade in Deutschland, derzeit vor allem mit Blick auf den Islam geführt wird, hat er doch eine lange christliche Geschichte. Keine der religionspolitischen Herausforderungen, mit denen sich der demokratische Verfassungsstaat angesichts der erwünschten Integration oder besser: Inklusion muslimischer Bürgerinnen und Bürger derzeit konfrontiert sieht, ist neu.

Daß entschieden Fromme die Geltungskraft positiven, also staatlich gesetzten Rechts bestreiten, sie die Anerkennung des demokratischen Rechtsstaats unter einen Naturrechtsvorbehalt stellen, sie gegen Kantischen «prozeduralen Formalismus» – der von ihnen gern als «Rechtspositivismus» denunziert wird – auf materiale Wertrationalität, «Substanz» und «ethischen Gehalt» setzen und deshalb unter demokratischen Bedingungen für «die ganz gewichtigen, ethisch fundamentalen Entscheidungen» wie über den «Nachrüstungsbeschluß» zur Stationierung amerikanischer Mittelstreckenraketen, die «Bewahrung der Schöpfung» oder den «Schutz menschlichen Lebens» das Mehrheitsprinzip relativieren, ist nicht nur aus der Christentumsgeschichte generell, sondern speziell auch aus der Zeitgeschichte der Bundesrepublik Deutschland hinreichend bekannt. Will man sich nicht am gefährlichen Geschäft der polarisierungsstarken Dramatisierer und Feindbildproduzenten beteiligen, tut deshalb gelassene Historisierung gut.

Zunächst ist an die alte deutsche Lehre von der obrigkeitlichen «Religionspolizei» zu erinnern.[5] Im 17. und 18. Jahrhundert schrieben Hunderte von zumeist protestantischen Staatsrechtslehrern an den Universitäten des Alten Reiches Lehrbücher über die Aufgabe des Staates, für eine gute «Polizei», also für öffentlichen Frieden, Rechtssicherheit, wirtschaftlichen Wohlstand und «Glückseligkeit» der Bürger zu sorgen. Sie konnten sich dabei auf die interdisziplinäre Kooperation mit prominenten protestantischen Aufklärungstheologen und hier insbesondere den Vertretern der «Neologie» bzw. «neuen Lehrart» stützen. Diese bestritten der politischen Obrigkeit das Recht, in das Innerliche der Religion einzugreifen, und betonten mit Nachdruck die vom Staat zu respektierende Glaubens- und Gewissensfreiheit eines jeden Staatsbürgers. Theologen und Juristen stimmten in den Zweckbestimmungen, die sie dem Staat gaben, weithin überein: Der Staat habe «Ruhe und Sicherheit», «Ruhe und Wohlfahrt», «Sicherheit und Bequemlichkeit» und mehr noch «allgemeine Glückseligkeit» zu garantieren und zu fördern.[6] Dazu müsse er neben einer generellen «Sicherheits- und Wohlfahrtspolizei» auch eine je spezifische «Feuer-, Wasser-, Straßen-, Lebensmittel-, Gesundheits- u.s.w. Polizei» einrichten[7] – und nicht zuletzt eine eigene «Religionspolizei», die die mögliche Bedrohung des öffentlichen Friedens und des gemeinen Wohls aller durch fanatisierte, gemeingefährliche Religion abwehren

---

5 Dazu grundlegend Christof Dipper: *Volksreligiosität und Obrigkeit im 18. Jahrhundert*, in: Wolfgang Schieder (Hg.): *Volksreligiosität in der modernen Sozialgeschichte* (Geschichte und Gesellschaft. Zeitschrift für Historische Sozialwissenschaft Sonderheft 11). Göttingen 1986, S. 73–96.
6 Zu diesen umfassenden Staatszielbestimmungen der spätabsolutistischen Polizeilehren siehe Dipper: *Volksreligiosität*, S. 78.
7 Dieser Katalog findet sich im Artikel *Polizei*, in Wilhelm Traugott Krug (Hg.): *Allgemeines Handwörterbuch der philosophischen Wissenschaften nebst ihrer Literatur und Geschichte*. Leipzig 1828, Bd. 3, S. 259–261, 259.

soll. Für die klassischen «Polizeilehren» des spätabsolutistischen Staates ist also die Vorstellung leitend, daß es zu den genuinen Aufgaben des Staates gehöre, den Gottesglauben zu beobachten und zu kontrollieren sowie gegen gefährlich werdende Religion einzuschreiten. Die Polizeiwissenschaftler des 18. und frühen 19. Jahrhunderts betonen aber auch den möglichen gesellschaftlichen Nutzen und das politisch Zweckdienliche von Religion. So erklärte der Göttinger Polizeidirektor Johann Heinrich Gottlieb von Justi in der 1782 erschienenen dritten Auflage seiner *Grundsätze der Policeywissenschaft* zu Beginn des sechzehnten Hauptstücks «Von der Aufsicht auf die Religion und das Kirchen-Wesen» zum «sittlichen Zustande der Unterthanen»: «Hier verdient nun die Religion zuerst in Betracht gezogen zu werden. Die Mitglieder eines gemeinen Wesens werden dadurch ungleich geschickter gemacht, ihre bürgerlichen Pflichten desto besser zu erfüllen; und ein Staat kann schwerlich alle Glückseligkeit erreichen, deren er fähig ist, wenn nicht ein äusserlicher Gottesdienst darinnen eingeführet ist. Je mehr dieser Gottesdienst mit der Natur und dem Wesen der Menschen und dem Endzwecke der Republiken übereinstimmet, desto vorzüglicher wird er seyn, und desto fähiger wird er die Bürger des Staates machen, an der gemeinschaftlichen Wohlfahrt zu arbeiten.»[8] Der Staat habe um der Sicherung der öffentlichen Ordnung und der Erreichung seiner Glückseligkeitsziele willen ein starkes Eigeninteresse daran, daß seine Bürger fromm und tugendsam seien. «Die Religionspolicey ist berechtigt und verpflichtet, darauf zu sehen, daß religiöse Verbindungen vorzüglich dazu benutzt werden, den Mitgliedern derselben Ehrfurcht gegen die Gottheit,

---

8 Johann Heinrich Gottlieb von Justi: *Grundsätze der Policeywissenschaft in einem vernünftigen, auf den Endzweck der Policey gegründeten, Zusammenhange und zum Gebrauch Academischer Vorlesungen abgefasset. Dritte Ausgabe mit Verbesserungen und Anmerkungen von Johann Beckmann, ordentlichem Professor der Oekonomie in Göttingen.* Göttingen 1782, S. 235 f.

Gehorsam gegen die Gesetze, Treue gegen den Staat und sitt-
lichgute Gesinnungen gegen ihre Mitbürger einzuflößen, zu
diesem Ende Religionsgrundsätze, welche von Staatsbürgern
angenommen und befolgt werden, zu prüfen, und deren mündliche und schriftliche Verbreitung entweder zu verstatten oder
zu untersagen.»[9] Analog betonte der in Wien lehrende ordent-
liche öffentliche Professor Joseph von Sonnenfels in seinen
*Grundsätze(n) der Polizey-, Handlung- und Finanzwissen-
schaft* zur Religion: «Der Regent muß also diesen Leitriemen
in seinen Händen nicht vernachlässigen und seine Sorgfalt
muß darauf gerichtet sein, daß jeder Bürger Religion habe.»[10]
Der bekannte Merkantilist Johann Friedrich von Pfeiffer, seit
1784 Professor für Kameralistik an der Universität Mainz,
erkannte im ersten Teil seiner *Natürlichen aus dem Endzweck
der Gesellschaft entstehenden allgemeinen Policeiwissenschaft*
der Obrigkeit eine weitgehende religionspolizeiliche Rege-
lungskompetenz zu. Denn es sei «endlich nicht zu läugnen,
daß die Religion zur Vollkommenheit der bürgerlichen Verfassung viel beitragen» könne, der Staat hier also ein konstruktives
Interesse an der Förderung von Religion habe. Doch noch im
selben Satz fügte er warnend hinzu: «allein, auch einen höchst
nachteiligen Einfluß in das gemeinschaftliche Beste haben
kann».[11] «Fanatischer Religionseifer» habe «ganze Nationen
zum Mißvergnügen gegen die Regierung» aufgewiegelt, «den
Zunder zu den heftigsten Gärungen» gelegt und «den besten
Verfügungen der Regenten einen bösen Anstrich» gegeben.
Der Hannoveraner Kanzleirat und Ministerialkonsulent
Günther Heinrich von Berg zitiert in seinem 1799 bis 1809

---

9 Günther Heinrich von Berg: *Handbuch des Teutschen Policeyrechts*,
  Teil 2. Hannover 1802, S. 294.
10 Joseph von Sonnenfels: *Grundsätze der Polizey-, Handlung- und Fi-
  nanzwissenschaft*. Wien ³1777, Bd. 1, S. 78.
11 Johann Friedrich von Pfeiffer: *Natürliche aus dem Endzweck der Gesellschaft entstehende allgemeine Policeiwissenschaft*. Frankfurt 1779,
  S. 410.

erschienenen *Handbuch des Teutschen Policeyrechts* zustimmend den bekannten lutherischen Kirchen- und Dogmenhistoriker Heinrich Philipp Konrad Henke, der in einer führenden juristischen Zeitschrift die «Religionspolicey» des Staates zugunsten des bonum commune auf die Formel gebracht hatte, daß es «ein doppeltes Recht des Staats in Absicht der Religion» gebe: «ein negatives, Schaden zu verhüten, der aus Religion entstehen mag; ein positives, allen Vorteil sich anzueignen, der aus ihr sich ziehen läßt».[12] Den Zweck der Religionspolizei definiert von Berg deshalb als Gefahrenabwehr: «Die Religionspolicey hat den Zweck, die Nachtheile und Gefahren, die aus Religionsmeynungen und Religionsgesellschaften, so wie aus Unglauben und Irreligiosität für den Staat entstehen können, zu verhüten und abzuwenden.»[13] So soll der Staat die Geistlichen überwachen und die «Disziplin der Klerisei»[14] sicherstellen, für «Ruhe und Stille» in den Kirchen sorgen, gefährliche religiöse Gesinnungen wie «Fanatismus», «Intoleranz» und «Religionshass» bekämpfen und überhaupt dafür Sorge tragen, daß gelebte Religion dem Gemeinwesen dient.

Oft äußerten die Polizeiwissenschaftler die Sorge, daß religiöse Vielfalt Konflikte provozieren und die innere Einheit des Gemeinwesens bedrohen könne: «da die Menschen für nichts so stark eingenommen sind, als für Dinge, von welchen sie glauben, daß darauf ihre ewige Glückseligkeit beruhet; so kann die Verschiedenheit der Glaubens-Meinungen zu grossen Unruhen in dem Staate ausschlagen und dessen gänzliche Zerrüttung nach sich ziehen.»[15] «Man verstehet unter dem Zwiespalte der Religion die öffentliche Ausübung eines gegenseitigen Gottesdienstes, der solchergestalt ausgebreitet wird, daß dadurch zwey entgegen gesetzte Partheyen unter dem Volke

---

12 von Berg: *Handbuch des Teutschen Policeyrechts*, S. 289.
13 von Berg: *Handbuch des Teutschen Policeyrechts*, S. 288.
14 Sonnenfels: *Grundsätze*, S. 83.
15 von Justi: *Grundsätze der Policeywissenschaft*, S. 236.

erwachsen. Der Haß und die Verbitterung, die dadurch unter den Unterthanen entstehen, haben in vielen Staaten schon so unglückliche Folgen gehabt, daß man einen solchen Zustand der Religion auf alle Art vermeiden muß.»[16]

Die mit umfassender Religionspolizei verbundene Hoffnung, sich zugunsten des Staates «allen Vorteil» der Religion aneignen zu können, bezeichnet eine religionspolitische Leitlinie, die deutsche Debatten über Religion, Staat und Politik bis in die unmittelbare Gegenwart hinein prägt. Jedenfalls lassen sich erstaunliche ideenpolitische und begriffliche Kontinuitäten von der Religionspolizei des 18. Jahrhunderts bis in die heutigen Debatten über «Governance» von Religion und Religionsgemeinschaften beobachten. Exemplarisch genannt sei nur Ernst-Wolfgang Böckenfördes bekannte These, daß vor allem die Religionsgemeinschaften jene sozialmoralischen Ressourcen pflegten und erzeugten, ohne die der freiheitliche Rechtsstaat auf Dauer nicht bestehen könne – etwa Bürgertugend, Gemeinsinn, moralische Sensibilität für Deformationen der Institutionen und Pathologien der politischen Kommunikation. In dieser Sicht des Verhältnisses von Staat und Religion steckt noch ein letzter Rest der von Hegel im berühmten Paragraphen 270 seiner *Grundlinien der Philosophie des Rechts* entfalteten These, daß Religion das den Staat «für das Tiefste der Gesinnung integrierende Moment» sei; der Berliner Meisterdenker hatte deshalb dem Staat das Recht zuerkannt, von allen Staatsbürgern die aktive Teilnahme an «einer Kirchengemeinde» zu fordern – und zwar an «irgendeiner, denn auf den Inhalt» des Glaubens, «insofern er sich auf das Innere der Vorstellung bezieht, kann sich der Staat nicht einlassen».[17]

Ein anderes Beispiel für die longue durée der alten Religionspolizei ist die Religionspolitik, die die Bundesregierung in

---

16 von Justi: *Grundsätze der Policeywissenschaft*, S. 238.
17 Georg Wilhelm Friedrich Hegel: *Grundlinien der Philosophie des Rechts oder Naturrecht und Staatswissenschaft im Grundrisse* (Theorie Werkausgabe Band 7). Frankfurt a. M. 1970, S. 420.

den Jahren der Großen Koalition mit Blick auf die neuen muslimischen Minderheiten im Lande begann: Der deutsche Staat
setzt hier auf eine Art Tauschhandel. Die Muslime sollten sich
mit ihren Moscheevereinen und Dachverbänden irgendwie kir-
chenanalog organisieren, dann könnten sie rechtliche Privilegien, insbesondere den Status einer Körperschaft des öffentlichen Rechts, und wie die Kirchen, Synagogengemeinden und
andere anerkannte Religionsgemeinschaften Staatsleistungen
erhalten. Dafür sollen die Muslime mit der Zusicherung bür-
gerlicher Loyalität zum Staat des Grundgesetzes danken. Hier
wird, ganz in den Traditionen der Religionspolizei, stark etati-
stisch, in tendenziell autoritären Mustern einer Integration
pluralistischer religiöser Lebenswelten von oben gedacht.

Man muß keiner Politisierung des Religiösen das Wort
reden, um die Vorstellung, Religion und Politik ließen sich
schiedlich-friedlich scheiden, für eine Illusion zu erklären. Religiöses und politisches Feld haben sich nicht nur in der Vergangenheit in zahlreichen Gesellschaften vielfältig und intensiv durchdrungen, sondern tun dies auch in der europäischen
Moderne in neuer Intensität. Schon in den heftigen politischen
Ideenkämpfen um die Legitimität der «Ideen von 1789» ist auf
allen Seiten religiöse Symbolsprache politisiert worden. In die
neuere politische Geschichte der europäischen Nationalstaaten gehören vielfältige Formen der Verschmelzung von politischen Ordnungskonzepten und religiösen Ideen. Schon
die modernen Nationsideen sind, wie insbesondere Adrian
Hastings, Dieter Langewiesche und Martin Schulze-Wessel gezeigt haben,[18] zumeist religiös legitimiert worden, weil der in

---

18 Adrian Hastings: *The Construction of Nationhood: Ethnicity, Religion and Nationalism.* Cambridge 1997. Dieter Langewiesche: *Nation, Nationalismus, Nationalstaat in Deutschland und Europa.* München 2000. Heinz-Gerhard Haupt/Dieter Langewiesche (Hg.): *Nation
   und Religion in Europa. Mehrkonfessionelle Gesellschaften im 19.
   und 20. Jahrhundert.* Frankfurt a. M. 2001. Speziell mit Blick auf
   Deutschland siehe Heinz-Gerhard Haupt/Dieter Langewiesche (Hg.):
   Nation und Religion in der deutschen Geschichte. Frankfurt a. M.

aller Regel im Krieg entstehende Nationalstaat eine unbedingte Hingabebereitschaft des Individuums, die Bereitschaft, das eigene Leben für die Nation zu opfern, braucht – deshalb viel Sakraltransfer von der communio sanctorum auf die idealisierte Gemeinschaft der Volksgenossen. Auch haben sich zahlreiche moderne Emanzipations- und Freiheitsbewegungen altehrwürdige religiöse Ressourcen zu eigen gemacht – genannt seien nur die Reichsgottessemantik in den diversen Frühsozialismen im deutschen Vormärz oder die Rhetorik der unverfügbaren Schöpfungsordnungen bei katholischen Restaurationstheoretikern oder konservativen Kulturlutheranern. Zur Politikgeschichte der Moderne gehören protestantische Pfarrer, die, wie beispielsweise Friedrich Naumann, eine Partei gründen, und römisch-katholische Kleriker, die als Wertemanager ihres katholischen Sozialmilieus auch dessen Partei, das Zentrum, führen wollen. Die politische Geschichte Europas nach dem Ende des Zweiten Weltkriegs war entscheidend durch Parteien geprägt, die sich in programmatischer Absicht religiös, als «christlich-demokratische Parteien» legitimierten, und durch eine Selbstkritik einer einst entschieden säkularistischen bzw. antiklerikalen politischen Linken, die nun, wie etwa die deutschen Sozialdemokraten im Godesberger Programm von 1958, auch auf religiöse, genauer: christliche Wurzeln ihres «demokratischen Sozialismus» verwies. Kaum eine relevante politische Debatte in Deutschland bleibt ohne die Interventionen führender Kleriker, die ein «Wächteramt» gegenüber Staat und Gesellschaft in Anspruch nehmen und sich, wie sie dies gern nennen, fortwährend ins Politische «einmischen» – von der Sozialpolitik und hier speziell Familienpolitik bis hin zur Biopolitik oder zur Frage, ob denn die Bundeswehr auch bewaffnete Aufklärungsdrohnen kaufen und gegebenenfalls einsetzen soll.

2001. Martin Schulze-Wessel (Hg.): *Nationalisierung der Religion und Sakralisierung der Nation im östlichen Europa*. Stuttgart 2006.

So wird kirchliche Religion stark politisiert, und umgekehrt suchen politische Akteure ihre parteipolitischen Positionen nicht selten mit religiöser Symbolsprache zu legitimieren. Selbst Glaubensferne und Kirchendistanzierte reden von der «Bewahrung der Schöpfung», wenn es doch nur um Mülltrennung geht. Religionssemantik kann Herrschaft ebenso wie Herrschaftskritik legitimieren. Man mag um allgemeiner Bürgerfreiheit willen Staat und Religionsgemeinschaften voneinander trennen, und es ist nur gut, die religiös-weltanschauliche Neutralität des freiheitlichen Rechtsstaates ernster zu nehmen, als dies im deutschen Diskurs bisweilen der Fall ist. Der Staat des Grundgesetzes ist kein christlicher Wertestaat, und eine offene, pluralistische Gesellschaft der vielen Verschiedenen braucht zwar Bürgertugend und Anerkennung der Verfassung, aber keinerlei «Leitkultur», erst recht keine kulturreligiös definierte. Aber dies ist nicht gleichbedeutend mit der Trennung von Religion und Politik. Staat und Kirchen oder Religionsgemeinschaften lassen sich institutionell trennen, nicht aber das Religiöse und das Politische. Denn «reine Religion», so hat Ernst Troeltsch das Problem bezeichnet, gebe es nur für einige wenige ganz tief empfindende Fromme. «Das ‹Rein-Religiöse› existiert nur für den Theoretiker und für wenige innerlich tief empfindende Seelen.»[19] Der Regelfall aber sei, daß das Religiöse immer schon mit höchst heterogenen weltlichen Interessen verknüpft und vermischt sei. «Auf dem Markt des Lebens gibt es kein Interesse, das nicht durch Verkoppelung mit der Religion geschützt und gestärkt würde, und wenig Religionshaß, der nicht in der Religion eigentlich andre, von ihr wirklich oder angeblich geschützte Dinge haßte.»[20]

19 Ernst Troeltsch: *Religion*, in David Sarason (Hg.): *Das Jahr 1913. Ein Gesamtbild der Kulturentwicklung.* Leipzig/Berlin 1913, S. 533–549, 534.
20 Troeltsch: *Religion*, S. 534.

3. Die institutionelle Vielfalt der liberalen Entkoppelungs-modelle

Aufklärungsbewußte Bürgerinnen und Bürger westlich libe-raler, pluralistisch offener Gesellschaften sehen in der religiös-weltanschaulichen Neutralität oder Säkularität des modernen Verfassungsstaates eine große freiheitsdienliche Errungen-schaft. Eine Begriffsgeschichte zur Formel «religiös-weltan-schauliche Neutralität des modernen Verfassungsstaates» fehlt allerdings ebenso wie eine Klärung der Frage, wer wann mit welchem Interesse die wohl jüngere Formel von der «ethischen Neutralität»[21] des Staates in Umlauf gebracht hat. Gewiß haben die programmatischen verfassungshisto-rischen Aufsätze Böckenfördes, allen voran der 1967 ver-öffentlichte Aufsatz *Die Entstehung des Staates als Vorgang der Säkularisation*[22] bei der Durchsetzung der Rede von der «religiös-weltanschaulichen Neutralität» des modernen Ver-fassungsstaates eine wichtige Rolle gespielt. Die dezidierte Rede von der «ethischen Neutralität» begegnet bisher deutlich seltener. Hier wie dort geht es um eine programmatische Ab-sage an jene Traditionen politischen, speziell staats- und ver-fassungsrechtlichen Denkens, die über prozedurale Integra-tion durch Recht hinaus das Gemeinwesen «tiefer», in ir-gendwelchen Kulturwerten oder einer (dann zumeist christlich definierten) Sittensubstanz verankert sehen wollten. Zudem lassen sich beide Formeln als elementare Distanznahme zu al-len Versuchen deuten, «politische Gemeinschaft» durch deren Remythisierung in irgendeiner «Politischen Theologie» aus prärationaler Offenbarung zu begründen. Neutralität bedeu-tet: Der Staat ist zur strikten «Nichtidentifikation» mit einer

---

21 Stefan Huster: *Die ethische Neutralität des Staates. Eine liberale Inter-pretation der Verfassung.* Tübingen 2002.
22 Neu zugänglich in Ernst-Wolfgang Böckenförde: *Der säkularisierte Staat. Sein Charakter, seine Rechtfertigung und seine Probleme im 21. Jahrhundert.* München 2007, S. 43–72.

bestimmten Weltanschauung oder Religion verpflichtet.[23] Er
«darf Freiheitseinschränkungen für alle nicht allein deswegen
statuieren, weil sie den Anschauungen und Glaubenssätzen einer bestimmten religiösen oder weltanschaulichen Gruppe
entsprechen. Das für alle geltende Gesetz muß von einer Begründung getragen bzw. in einer Weise begründbar sein, daß
es allgemein akzeptiert werden kann, ohne die weltanschaulichen oder religiösen Prämissen einer partikularen Gruppe
teilen zu müssen.»[24]

Die Weltlichkeit oder Neutralität des freiheitlichen Staates
kann institutionell im einzelnen sehr unterschiedlich gestaltet
werden. Das zeigt Europa im Vergleich mit den USA, aber
auch die hohe Vielfalt der religionsrechtlichen Verhältnisse
innerhalb der Europäischen Union. In nichts unterscheiden
sich die Rechtsordnungen der EU-Mitgliedsstaaten so sehr wie
im Staatskirchenrecht oder besser: Religionsverfassungsrecht.
Irgendeinen europäischen Normalfall gibt es nicht, sondern
nur sehr viele Sonderwege, in denen sich ganz unterschiedliche
Antworten auf die konfessionelle Pluralisierung des lateinischen Christentums im 16. Jahrhundert und die damit verbundenen frühneuzeitlichen Religions- bzw. konfessionellen
Bürgerkriege spiegeln.

Man findet in der Europäischen Union strikten Laizismus,
also eine Trennung von Staat und Religion, die auf die entschiedene Zurückdrängung religiöser Akteure aus dem öffentlichen Raum und die gewollte Privatisierung des Religiösen
hinausläuft – das ist das französische Modell. Es hat gerade
unter den Bedingungen des neuen religiösen Pluralismus eine
fatale Folgewirkung entfaltet: Fromme Menschen, die sich in
staatlichen Institutionen wie öffentlichen Schulen durch sicht-

---

23 Zur «Nichtidentifikation» grundlegend Herbert Krüger: *Allgemeine
Staatslehre*. Stuttgart 1964, S. 178 ff.
24 Horst Dreier: *Bioethik. Politik und Verfassung*. Tübingen 2013, S. 17.
Siehe auch Stefan Huster: *Der Grundsatz der religiös-weltanschaulichen Neutralität des Staates – Gehalt und Grenzen*. Berlin 2004.

bare Zeichen, etwa Kopftücher, zu ihrem Glauben bekennen wollen, erfahren den angeblich religiös neutralen Staat primär als eine religionsfeindliche Unterdrückungsagentur. So erzeugt der laizistische Staat, der im Wissen um die mögliche Sprengkraft starken religiösen Glaubens und zur Vermeidung von Religionskonflikten Glaubensakteure aus der Öffentlichkeit in die Privatsphäre abdrängen wollte, paradox genug nur vielfältige neue öffentliche Religionskonflikte. Zudem stärkt er gegen seine Intention religiösen Glauben: Eine wachsende Zahl von jungen muslimischen Mädchen in Frankreich besucht inzwischen katholische Privatschulen – wo sie ihr Kopftuch tragen dürfen.

Dem laizistischen Staat Frankreichs stehen in der Europäischen Union Mitgliedsstaaten gegenüber, die an klassisch staatskirchlichen Modellen einer engen Verbindung von Staat und überkommener christlicher Volkskirche festhalten – allen voran sind hier Griechenland, Dänemark und Malta zu nennen. Blicken wir genauer nach Dänemark. Zwar hatten die dänischen Sozialdemokraten, die 1924 zur stärksten Partei wurden, seit dem ausgehenden 19. Jahrhundert eine entschiedene Trennung von lutherischer Volkskirche und Staat gefordert, dies aber schon in den 1930er Jahren nicht mehr öffentlich vertreten. Beim Ausbau des dänischen Wohlfahrtsstaates wurde die Volkskirche zu einer vielfältig anerkannten «festen gesellschaftlichen Institution, auf die nicht verzichtet werden konnte. Ihr heutiger Zustand scheint stabil zu sein, keine der großen polit. Parteien will eine völlige Trennung von Kirche und Staat.»[25] Von den 5,6 Millionen Dänen gehörten am 1. Januar 2013 79,1 Prozent der «Folkekirken» an, und 80 Prozent aller Dänen lassen ihre Kinder lutherisch taufen. Katholiken, nicht-lutherische Protestanten und Juden bilden kleine Min-

---

25 Martin Schwarz Lausten: *Dänemark*, in: *Religion in Geschichte und Gegenwart. Handwörterbuch für Theologie und Religionswissenschaft.* Vierte, völlig neu bearbeitete Auflage. Tübingen 1999, Bd. 2, Sp. 548–555, 554.

derheiten: Nur 35 000 Dänen sind Katholiken, die Hälfte von ihnen Einwanderer aus Polen, Vietnam, den Philippinen und anderen Ländern. Die dänische Baptistengemeinschaft hat nur 5 800 Mitglieder, und die jüdische Gemeinde nur 2 500 – obwohl im Lande ca. 7 000 Juden leben. Derzeit gibt es in Dänemark ca. 165 000 Muslime – das sind knapp 3 Prozent der Bevölkerung. Eine institutionelle Trennung von Staat und «Folkekirken» oder eigene kirchliche Selbstverwaltungsorgane existieren nicht. Für die innere Ordnung der Kirche ist das staatliche Parlament zuständig, und zu ihrer Administration besteht ein eigenes Kirchenministerium. Oberhaupt der Kirche ist der Monarch bzw. derzeit die Königin. Die lutherische Volkskirche ist die einzige Religionsgemeinschaft, die vom Staat unterstützt wird, und ihre Pfarrer sind Staatsbeamte. So gilt: «Das dänische Grundgesetz (1849) gewährt Religionsfreiheit, aber nicht Religionsgleichheit. Die Tatsache, daß die Volkskirche durch ihren Sonderstatus das amtliche Melderegister verwaltet und das dänische Beerdigungswesen betreibt, hat zu einer Debatte über die Wünsche der Muslime nach staatlicher Anerkennung der isl. Gemeinden und eigenen Friedhöfen geführt.»[26] Auch wenn dänische Verfassungsrechtler und Theologen mit Blick auf die «Folkekirken» nicht gern von «Staatskirche» reden, ist das dänische Modell de facto doch ein klassisch staatskirchliches.

Wieder ganz anders und historisch individuell sind die religionsrechtlichen Verhältnisse in Großbritannien. Hier ist zunächst zwischen Schottland, England und Wales zu differenzieren. Schottland besitzt eine Staatskirche, «the Kirk», in reformierter Tradition, die aber, auch weil der Staat sehr schwach ist, seit dem Church of Scotland Act von 1921 «keiner bürgerlichen Gewalt untertan ... in allen Angelegenheiten von Lehre, Gottesdienst, Leitung und Disziplin in der Kirche» völlig autonom entscheidet. Sehr lange waren Juden und Ka-

---

26 Martin Schwarz Lausten: *Dänemark*, Sp. 555.

tholiken in England Bürger minderer Klasse. Noch immer haben die römisch-katholische Kirche und die protestantischen Freikirchen in England keinen eigenen Rechtsstatus. Die eng mit der Monarchie verbundene Church of England ist insoweit Staatskirche, als die Queen als formelles Oberhaupt bzw. oberste Schutzherrin der Kirche auf Vorschlag des Premierministers Erzbischöfe, Bischöfe und Inhaber anderer höherer kirchlicher Ämter ernennt. Auch sind die beiden Erzbischöfe und vierundzwanzig Bischöfe Mitglieder des House of Lords. Der Act of Settlement von 1700 schließt denjenigen von der Thronfolge aus, der «ausgesöhnt ist oder sich aussöhnen wird, oder Gemeinschaft hält mit dem Stuhle oder der Kirche Roms oder wer die papistische Religion bekennt oder sich mit einem Papisten vermählt». Auch wäre ein katholischer Prime Minister von der Beratung der Königin in allen kirchlichen Belangen ausgeschlossen. Da nur noch 12 Prozent der in Großbritannien Neugeborenen anglikanisch getauft werden, bestreitet niemand, auch die kirchliche Funktionselite nicht, daß hier erheblicher Reformbedarf besteht. Aber die Wege, dem neuen religiösen Pluralismus gerecht zu werden, sind mit hoher Emotionalität bei allen Beteiligten umstritten.

Zum Abschluß das Modell der deutschen Religionsverfassung: Im Staat des Grundgesetzes gelten die religionsbezogenen Artikel der Weimarer Reichsverfassung – keine Staatskirche, aber auch keine radikale Trennung mit der Folge eines laizistischen Staates, sondern «hinkende Trennung». Im Sinne einer positiven Religionsfreiheit erhielten die Kirchen 1919 den besonderen Status von Körperschaften des öffentlichen Rechts, was ihnen mancherlei Sonderrechte und staatliche Transferleistungen garantiert. Zudem verpflichtete sich der religiös-weltanschaulich neutrale Staat, der die gleiche Freiheit aller zu achten hat, in zahlreichen Verträgen und Konkordaten auf eine enge Zusammenarbeit mit beiden großen Kirchen und später auch mit anderen religiösen Akteuren, etwa den jüdischen Landesverbänden und auch diversen christlichen wie nichtchristlichen Organisationen, die nach und nach als Körperschaften des öffentlichen Rechts anerkannt wurden.

So gilt: *Das* liberale Modell der institutionellen Entkoppelung von Staat und Religionsgemeinschaften gibt es in Europa jedenfalls nicht. Vielmehr lassen sich ganz unterschiedliche Ausformungen der institutionellen Verselbständigung des demokratischen Staates gegenüber jenen religiösen Akteuren beobachten, mit denen er traditionell eng verbunden war. Auch im Grad der selbst definierten Säkularität zeigen sich erhebliche Unterschiede.

Wer vom «Westen» und seinem liberalen Modell spricht, kann von den USA nicht schweigen. Hier ist das Verhältnis von Staat und Religion entscheidend durch das First Amendment zur Verfassung der Vereinigten Staaten aus dem Jahr 1791 bestimmt. «Congress shall make no law respecting an establishment of religion, or prohibiting the free exercise thereof; or abridging the freedom of speech, or of the press; or the right of the people peaceably to assemble, and to petition the Government for a redress of grievances.» Die damit gegebene strikte Neutralität des Staates gegenüber den Religionsgemeinschaften hat in Verbindung mit der nachdrücklich betonten Religionsfreiheit die Entstehung eines pluralen religiösen Marktes befördert, auf dem zahlreiche untereinander konkurrierende Anbieter für ihre Sinnprodukte mit bemerkenswerter Effizienz werben. Ob sich in diesem breiten religiösen Pluralismus ein zivilreligiöser, von allen frommen wie nichtreligiösen Bürgern geteilter Glaube an genuin US-amerikanische Werte wie Freiheit, gottgegebene Gleichheit, Recht auf Glück und Auserwähltsein von God's own country finden läßt, wird kontrovers diskutiert. Doch ist gerade aus europäischer Perspektive deutlich, daß sich religiöses und politisches Feld in den USA sehr viel stärker überlagern als in anderen westlichen Gesellschaften. Das Neutralitätsgebot des First Amendment betrifft den Staat, aber nicht die Arenen, in denen um politische Macht und um Einfluß gekämpft wird. In keiner anderen westlichen Demokratie wirken sich die religiösen Überzeugungen der Bürger so stark auf das politische Engagement und speziell das Wahlverhalten aus wie in den USA. Vor allem seit der Politisierung der diversen konservativen, evangelikalen Protestantismen in den 1970er Jahren und der dadurch erfolgenden Bildung einer neuen «Christian Right» dreht sich die Innenpolitik der USA zunehmend stärker um moralpolitische Konfliktthemen wie Abtreibung, Stammzellforschung, Legalisierung gleichgeschlechtlicher Partnerschaften und all jene «Werte», die die konfessions- wie religionsübergreifende, aber dezidiert religiöse «moral majority» schützen und stärken wollte: «pro life», «pro family», «pro traditional morality», «pro America», «pro Israel». Der starke Einfluß, den die «Religious Right» insbesondere auf die Politik George W. Bushs gewonnen hatte, verstärkte allerdings auch die vielfältigen Polarisierungstendenzen in den religiösen wie politischen Öffentlichkeiten der USA – bis hin zu auf allen möglichen Gerichtsbühnen inszenierten «culture wars» in den so nicht mehr Vereinigten, sondern «Divided States of America».[27]

Hier ist nicht der Ort, evangelikale Politik im einzelnen zu beschreiben. Doch muß vor einer in der deutschen Öffentlichkeit oft geäußerten Fehldeutung gewarnt werden: Entschiedene Politisierung des Glaubens zugunsten «konservativer Werte» stärkt die Republikaner. Aber die moralpolitische Konkretion oder Übersetzung von Religion findet sich keineswegs nur in der Republikanischen Partei. Politisierte Frömmigkeit prägt vielmehr auch die politische Agenda der Demokraten, wie nicht zuletzt irritierend viel Glaubenspathos in den Reden Barack Obamas zeigt – Obama hatte in den Reden seines ersten Präsidentschaftswahlkampfs nicht wenige rhetorische Figuren, Metaphern und Pathosformeln seines schwarzen Gemeindepfarrers Reverend Jeremiah Wright übernommen. Als

27 Carry Sabato (Hg.): *Divided States of America. The Slash and Burn Politics of the 2004 Presidential Election.* New York 2005.

dieser wegen strukturell rassistischer Äußerungen mitten im
Wahlkampf in die medial vielfältig verstärkte Öffentlichkeits-
kritik geriet, ging Obama in einer programmatischen Rede in
Philadelphia über Religion und Rasse zu ihm auf politische
Distanz. Dies zeigt, wie sehr auch die Demokraten in den USA
mit Religion befaßt sind.

4. Die theokratische Versuchung

Eine normative Theorie des freiheitlichen Verfassungsstaates
tut gut daran, allzu schnelle Entgegensetzungen von westlicher
philosophischer Theorie einerseits und historisch relativieren-
dem Blick andererseits zu vermeiden. Ein ideenhistorisch diffe-
renzierteres Bild der Genese und der Durchsetzung von Menschenrechten und parlamentarischer Demokratie ist hilfreich,
um die Kritik zu verstehen, die jetzt von politisch-religiösen
Radikalen am westlichen, liberalen Modell geübt wird. Die
gegenwärtige Kritik ist nichts Neues, sondern spiegelt die
harten ideenpolitischen Auseinandersetzungen im Europa des
ausgehenden 18. und 19. Jahrhunderts. Wer mit Kant für
das liberale Modell argumentiert, darf von Louis-Gabriel-Am-
broise de Bonald, Joseph Marie de Maistre, Friedrich Julius
Stahl und manchen Rechtshegelianern nicht schweigen. Ihre
Kritik von individueller Bürgerfreiheit und liberalem Staat
lief im Kern auf ein Argument hinaus: Die Institutionen des
liberalen Staates seien zu schwach, um die Marktdynamiken
einer kapitalistischen Tauschgesellschaft begrenzen oder gar
steuern zu können. Liberal gedachte Freiheit löse alle Gemeinschaftsbindungen auf und befördere die Perversion der
Gesellschaft zu einem Kampfplatz, dessen freie Konkurrenz
nur auf die unkontrollierbare Herrschaft weniger starker Ge-
winner über viele schwache Verlierer hinauslaufe. Deshalb
werden von diesen oft sehr frommen Sozialkonservativen Ge-
genmächte neuer bindender Vergemeinschaftung beschwo-
ren – allen voran die Macht der Religion. Das Gemeinwesen
müsse religiös, durch eine gemeinschaftliche und verbindliche

Idee des gottgewollten Guten integriert werden, um nicht der
Herrschaft derer ausgeliefert zu werden, die in sündhafter
Egozentrik immer nur ihr eigenes Wohl und Glück maximie-
ren wollten. Wo die Liberalen nur Eigeninteresse und Nut-
zenkalkül beschwörten, müsse wieder Nächstenliebe und
Gemeinsinn herrschen. Von hier aus erklärt sich auch die
Kritik des Vernunftbegriffs, die revolutionskritische Frühkon-
servative wie Edmund Burke oder die Theoretiker der Restau-
ration in ihrer Kritik an Aufklärung und frühliberalem Kon-
stitutionalismus vortrugen: Es scheine ja prima facie durchaus
rational, nichts als sein blankes Eigeninteresse zu verfolgen.
Aber Zweckrationalität allein reiche nicht, um ein Gemeinwesen zu begründen und in der Gesellschaft friedliche Verhältnisse zu sichern, es bedürfe auch materialer Wertrationalität.
Die Einzelheiten des seit dem ausgehenden 18. Jahrhundert
immer neu geführten Grundlagenstreits um die Vernunft und
ihre Grenzen sollen hier nicht erzählt werden. Aber dieser
harte Ideenstreit zwischen den Liberalen und ihren Gegnern,
vor allem den konservativen Theoretikern eines starken, in
aller Regel christlich fundierten Kultur- und Sittenstaats
läßt erkennen: Die theokratische Versuchung ist Teil unserer
eigenen europäischen Ideengeschichte. Hoffnungen, durch
eine religiös fundierte Sittensubstanz oder irgendwelche «Werte» politische Integration stärken zu können, prägen bis in
die unmittelbare Gegenwart hinein die politischen Debatten
in vielen westlichen Gesellschaften. Insofern klingen die Stimmen aus dem Diskurs über den muslimischen Staat, die Hillel
Fradkin in seinem Beitrag in diesem Band vernehmbar macht,
ähnlich wie die bisweilen lauten Töne derer, die in unseren
Werte- oder Grundwertedebatten wahre Substanz gegen bloße
Form ausspielen. Noch gibt es keine Studien zum systematischen Vergleich der im deutschen Vormärz vertretenen
Konzepte des «christlichen Staates» mit den aktuellen Debatten um den «muslimischen Staat», aber die gedanklichen
Wahlverwandtschaften und argumentativen Parallelen sind
evident. Dies ließe sich insbesondere an den Konzepten von

Freiheit zeigen, die christlich Konservative und muslimische Theoretiker eines Koran-Staates jeweils vertreten. In ihrer Polemik gegen den liberalen Individualismus, der gern als Atomismus denunziert wird, und den Begriff der Autonomie setzten konservative Christen wie Muslime auf «Theonomie»: Wahre Freiheit erschließe sich allein im dankbaren Wissen darum, das eigene Leben als Geschenk Gottes empfangen zu haben, und in der sittlichen Bindung an jene elementaren Schöpfungsordnungen, die aller Selbstbestimmung immer schon vorauslägen: der Familie, der Glaubensgemeinschaft, dem Staat.

Nie zuvor in der neueren europäischen Rechtsgeschichte sind vor Gericht vergleichbar viele religionsbezogene juristische Streitfälle ausgetragen worden wie in den letzten Jahren. Gerichte sind zu Schaubühnen für Kulturkampftheater geworden. Solche Prozesse sind aus der Presse gut bekannt: Es geht um Kreuze in bayerischen Grundschulzimmern, das Kopftuch muslimischer Schülerinnen im laizistischen Frankreich, Tierschutz und Schächten, in mehreren europäischen Gesellschaften um die Beschneidung, die für deutsche Juden nach 1945 verstärkt an Bedeutung gewonnen hatte. Angesichts sich weiter beschleunigender Migration darf man die Prognose wagen, daß religiöse und weltanschauliche Verschiedenheit in vielen EU-Mitgliedsstaaten weiter wachsen wird. Insofern scheint es eine realistische Annahme, daß uns Spannungen zwischen staatlicher Rechtsordnung einerseits und partikularen religiösen Vorstellungen guten, gottwohlgefälligen Lebens andererseits weiter begleiten und angesichts wachsender religiöser Vielfalt wohl noch an Intensität gewinnen werden. Das zwingt zu immer neuen Aushandelungsprozessen über mögliche Grenzen des Grundrechts auf «Religionsfreiheit» und zu Debatten über die allzu diffuse Rede vom «Selbstbestimmungsrecht» der Religionsgemeinschaften.

Natürlich sollen sich religiöse Akteure aufgrund ihrer je eigenen ethischen Traditionen in zivilgesellschaftlichen Kontroversen etwa um biopolitische Fragen zu Wort melden dürfen. Auch dürfen sie dies in religiöser Symbolsprache tun, wenn sie meinen, daß auch andere, und seien es nur die Frommen anderer Religionsgemeinschaften, diese Sprache (noch) verstehen. Aber religiöse Akteure äußern sich nicht selten so, daß sie den Vorrang staatlichen, positiven Rechts in Frage stellen und den schließlich gefundenen rechtlichen Kompromiß denunzieren. Die «schrille Polyphonie der aufrichtigen Meinungen», von der Jürgen Habermas in seinen konzeptionellen Überlegungen spricht, läßt sich auch als eine diskursive Lage beschreiben, in der religiöse Akteure fortwährend ihre je eigenen Sittlichkeitsvisionen gegen die nur prozedurale Legitimität des liberalen Rechtsstaates ausspielen. Man sollte deshalb keinen allzu emphatischen Begriff der Bürgergesellschaft ausbilden und bei aller Bereitschaft zu Diskurs und Verständigung mit Blick auf Religionsgespräche auch an mögliche Grenzen der «kommunikativen Vernunft» erinnern. Ich selbst jedenfalls kenne durchaus fromme Menschen, bei denen mir ein modus vivendi reicht. Zur Bürgerfreiheit gehört es auch, auf Distanz zu Zeitgenossen gehen zu dürfen, deren Weltbilder nun einmal nicht diskursiv veränderbar erscheinen.

Der europäische Sozialstaat hat schon ökonomisch bessere Zeiten gesehen. Und Solidarität ist, wie Habermas zu Recht betont, in Gesellschaften unseres Typs eine sehr knappe Ressource. Deshalb will Habermas die Religionsgemeinschaften auch dafür in Anspruch nehmen, dem fortwährend von Desintegration und Entsolidarisierung bedrohten liberalen Staat neue Solidaritätsressourcen zur Verfügung zu stellen. Mit der Rede vom «sakralen Komplex» betont er – hier eher in den Bahnen Emile Durkheims als der klassischen deutschen Religionssoziologie eines Max Weber, Georg Simmel oder Ernst Troeltsch – die sozialintegrative Funktion von Religion. Das ist ein sozialtheoretisch informierter Umgang mit Religion, der sich gleichsam ihre gemeinschaftsbildende Kraft zunutze machen will. Aber es ist ein höchst riskantes, hoch ambivalentes Projekt, das die opake Sperrigkeit, bisweilen auch gespenstische Absonderlichkeit religiösen Bewußtseins vorschnell abzublenden droht. Niemand ist ernsthaft fromm, weil es sozialen Nutzen für ihn selbst oder gar fürs Gemeinwesen abwirft. Ein frommer Mensch definiert sich zumeist über – dies sind zwei Formeln Paul Tillichs – «das, was mich unbedingt angeht,» bzw. «ultimate concern».[28] Religiöses Bewußtsein gibt es jedenfalls in den drei großen monotheistischen Religionsfamilien nicht ohne Transzendenzbezug und eine Dimension des Unbedingten. Das darin liegende Risiko für alle gegebene weltliche Ordnung wird man nicht los, wenn man durch Religion soziale Integration fördern will. Denn dieselbe Religion kann immer auch desintegrativ wirken. Beachtung verdient zudem, daß sehr viele religiöse Gemeinschaften, von den Hindus über die Zoroastrier bis hin zur römisch-katholischen Kirche und den sunnitischen Fundamentalisten, in sich hierarchisch und patriarchalisch strukturiert sind. Auch manche evangelikale Gruppen pflegen eine entschieden patriarchalische Frömmigkeitskultur, die zu den Gleichheitsidealen der parlamentarischen Demokratie in Spannung steht. Welche Solidaritätsressourcen können aus entschieden autoritärer, patriarchalischer Religion zugunsten einer demokratisch verfaßten Zivilgesellschaft gewonnen werden? Anders gefragt: Ist Religion als solche, wegen ihrer Gemeinschaftsstiftung durch Kult und Ritus, eine mögliche starke Ressource für die Stärkung zivilgesellschaftlicher Solidarität? Oder muß man mit Blick auf die erwünschten Solidaritätsressourcen zwischen den Religionen bzw. Frömmigkeitskulturen unterscheiden, also die These vertreten, daß sich bestimmte Religionen für die Generierung von Solidarität möglicherweise sehr viel besser eignen als andere?

5. Das liberale Modul

Der große Liberale John Rawls war in seiner akademischen Jugend ein durchaus faszinierter Leser deutscher und schwei-

---

28 Paul Tillich: *Dynamics of Faith*. New York 1957.

zerischer Dialektischer Theologen, vor allem des in Zürich
lehrenden Schweizers Emil Brunner, der in den 1920er Jahren
in antiliberaler Kampfgemeinschaft mit Karl Barth und Friedrich Gogarten eine dogmatisch steile, darin faszinierende
Wort-Gottes-Theologie entwickelt hatte – eine Offenbarungs-
theologie, die bei deutschen Lesern nicht wenig zur ideenpolitischen Delegitimierung der Weimarer Republik beigetragen
hat.[29] Diese Lektüre mag Rawls später für die bleibende Gefährlichkeit religiösen Bewußtseins sensibilisiert haben.[30]
Rawls' Modul-Lösung, die Habermas in seinem Beitrag in diesem Band kurz skizziert, hat mindestens zwei religionstheo-
retisch komplexe Voraussetzungen:

a) Im Medium der religiösen Symbolsprache muß die Differenz zwischen weltlicher Ordnung und religiösem Ethos entwickelt werden können. Anders formuliert: In religiöser Sprache ist selbst eine Vorstellung der legitimen, freiheitsdienlichen
Säkularität des Staates zu entfalten. Aber wie kann das gehen:
durch und in Religion einzusehen, daß der Staat nicht religiös
bestimmt sein darf? Das schwierige Problem läßt sich an einer
Formel des politisch entschieden liberalen und in der Weimarer Republik bewußt republikanischen protestantischen Neu-
testamentlers Rudolf Bultmann deutlich machen: Gott sei «die
alles bestimmende Wirklichkeit». Wie kann es dann sein, daß
Gott den Staat nicht bestimmt oder nicht bestimmen soll? Und
wie soll der Gottesgläubige dies einsehen können?

b) Der Fromme muß zur Selbstbegrenzung der eigenen
Glaubensgewißheiten imstande sein. Er muß zwischen dem,
was im demokratischen, um der gleichen Freiheit aller willen

---

29 Dazu siehe Friedrich Wilhelm Graf: *Der Heilige Zeitgeist. Studien zur
Ideengeschichte der protestantischen Theologie in der Weimarer Republik.* Tübingen 2011.

30 John Rawls: *Über Sünde, Glaube und Religion.* Hg. von Joshua
Cohen und Thomas Nagel. Berlin 2010. Jürgen Habermas hat dazu
ein Nachwort beigesteuert: *Das «gute Leben» eine «abscheuliche
Phrase». Welche Bedeutung hat die religiöse Ethik des jungen Rawls
für dessen Politische Theorie?*, in: Rawls: *Über Sünde*, S. 315–336.

religiös weltanschaulich neutralen Staat für alle gilt und gelten soll, also der Verfassung und dem positiven Recht, und dem, was er nur für sich und seine Glaubensgenossen gelten lassen will, seinem partikularen Glaubensethos und dem für seine Glaubensgemeinschaft kennzeichnenden religiösen Weltbild, unterscheiden können. Man kann dies gleichsam als eine interne Selbstbegrenzung religiöser Geltungsansprüche, als Selbstbegrenzung im religiösen Symbolsystem selbst beschreiben.

Wie es zu einem solchen demokratiekompatiblen religiösen Lernprozeß kommt, weiß ich nicht. Entscheidend dürfte dabei weniger sein, *was* jemand glaubt, sondern *wie* er glaubt – etwa ob er oder sie Elemente reflexiver Selbstbegrenzung in seine oder ihre Überzeugungen zu integrieren vermag. Wenn dies zutrifft, werden viele Debatten über «Religion und Demokratie», «Christentum und Demokratie» und speziell «Islam und Demokratie» falsch, weil allzu essentialistisch geführt. Keine Religion ist als solche demokratienah, gewiß auch die diversen Christentümer nicht. Und keine ist als solche demokratiefern. Denn so wie manche – keineswegs schon alle! – christliche Kirchen trotz fundamentaler antiliberaler Mentalitäten und einer oft aggressiven Demokratiekritik in langen, äußerst konfliktreichen und schwierigen Anpassungsprozessen gelernt haben, die parlamentarische Demokratie und die Idee vorstaatlicher Freiheitsrechte des Individuums anzuerkennen, so können dies auch muslimische Akteure – weil die parlamentarische Demokratie Freiheitsräume zu selbstbestimmtem «guten Leben» eröffnet. Man muß den deutschen Muslimen freilich Zeit lassen, den Staat des Grundgesetzes schätzen zu lernen. Die Evangelische Kirche in Deutschland hat sich nach langjährigen extrem harten internen Kontroversen über die Westintegration der Bundesrepublik und die Bonner parlamentarische Demokratie erst 1985 – also 36 Jahre nach der Verabschiedung des Grundgesetzes – dazu bereit gefunden, den Staat des Grundgesetzes als eine relativ vorzügliche freiheitliche Ordnung anzuerkennen: in der von der «Kammer für öffentliche Ordnung» unter dem Vorsitz des Münchner Sozialethikers Trutz Rendtorff erarbeiteten Denkschrift *Evangelische Kirche und freiheitliche Demokratie. Der Staat des Grundgesetzes als Angebot und Aufgabe.* Freilich, die Erarbeitung von «Denkschriften» der EKD durch «Kammern» und deren Annahme durch den «Rat der EKD» sind alles andere als demokratisch legitimierte Prozesse.[31] «Kirchenführer» wie der einstige Heidelberger Sozialethiker Wolfgang Huber, von 1994 bis 2009 Bischof der Evangelischen Kirche Berlin-Brandenburg-schlesische Oberlausitz und von 2003 bis 2009 Ratsvorsitzender der EKD, haben das demokratietheoretisch gewichtige Problem zu bagatellisieren versucht: «Daß den Denkschriften der EKD eine demokratische Legitimation fehlt, läßt sich pragmatisch gut plausibel machen.»[32] In der Denkschrift selbst war allerdings erklärt worden: «Auch innerhalb der Kirche soll die Mitverantwortung für die Demokratie auf demokratische Weise, in Achtung von Pluralität und Wahrung der Toleranz wahrgenommen werden.»[33]

Die römisch-katholische Kirche hat auch in den einschlägigen Texten des Zweiten Vatikanischen Konzils ihre Akzeptanz der Demokratie immer mit einem Naturrechtsvorbehalt verknüpft; in vielen Lehrtexten spricht sie deshalb von «wahrer Demokratie», d. h. einer Demokratie, die den Vorrang (des

---

31 Auf dieses im Fall der «Demokratiedenkschrift» besonders absurde Legitimationsdefizit hat zu Recht hingewiesen: Klaus Tanner: *Organisation und Legitimation. Zum internen Stellenwert politischer Stellungnahmen der Evangelischen Kirche in Deutschland,* in: Heidrun Abromeit/Göttrik Wever (Hg.): *Die Kirchen und die Politik. Beiträge zu einem ungeklärten Verhältnis.* Opladen 1989, S. 201–216.

32 Wolfgang Huber: Rez.: Abromeit, Heidrun, u. Göttrik Wever (Hg.), *Die Kirchen und die Politik. Beiträge zu einem ungeklärten Verhältnis.* Opladen 1989, in: Theologische Literaturzeitung 118 (1993), Sp. 450–452, 452.

33 *Evangelische Kirche und freiheitliche Demokratie. Der Staat des Grundgesetzes als Angebot und Aufgabe.* Gütersloh 1985, S. 46.

allein «der Kirche» in Fülle erschlossenen) Naturrechts aner-
kennt. Noch bei seiner Rede vor dem Deutschen Bundestag
hat Papst Benedikt XVI. diesen Naturrechtsvorbehalt auch
durch eine argumentativ wenig überzeugende Kritik des sogenannten Rechtspositivismus geltend gemacht. Zudem ist Fun-
damentalkritik an der Aufklärung des 17. und 18. Jahrhunderts (und deren späterer Radikalisierung auf den Wegen von
«Hegel zu Nietzsche» und auch zu Freud und zur Frankfurter
Schule) eine bis heute prägende Konstante im theologischen
Diskurs der großen christlichen Konfessionskirchen. «Die
Aufklärung war das Gegenteil von Vernunft, es war reine Propaganda gegen das Christentum» – das hat man nicht etwa
in irgendeiner obskuren Vereinsschrift einer fundamentalistischen Sekte, sondern 2012 in «zur debatte», der Zeitschrift
der Katholischen Akademie in Bayern, lesen können – verbunden mit dem Hinweis, daß die «Selbstbezeichnung ‹Aufklärung›» nur ein «Propagandatrick» oder «Kampfbegriff» sei.[34]
Fundamentale Kritik am liberalen, als «westlich» denunzier-
ten Menschenrechteindividualismus und an der parlamentarischen Demokratie äußern zudem zahlreiche orthodoxe
Kirchen,[35] allen voran die russisch-orthodoxe Kirche, in der
dezidiert autoritäre «Politische Theologien» entwickelt werden.[36] Es ist insoweit falsch, *dem* Christentum eine besondere
Nähe zur Demokratie zuzuschreiben.

34 Daniel von Wachter: *Hat die Aufklärung viel geleistet?*, in: zur debatte. Themen der Katholischen Akademie in Bayern 1 (2012), S. 10.
35 Belege bei Elizabeth Prodromou: *The Ambivalent Orthodox*, in: Carry
Diamond/Marc F. Plattner/Philip J. Costopoulos (Hg.): *World Reli-
gions and Democracy*. Baltimore/London 2005, S. 132–145; Vjeko-
slav Perica: *The Politics of Ambivalence: Europeanization and the
Serbian Orthodox Church*, in: Timothy A. Byrues/Peter J. Katzenstein
(Hg.): *Religion in an Expanding Europe*. Cambridge/New York 2006,
S. 176–203.
36 Dazu siehe Konstantin Kostzuk: *Der Begriff des Politischen in der russisch-orthodoxen Tradition. Zum Verhältnis von Kirche, Staat und
Gesellschaft in Rußland*. Paderborn u. a. 2005.

Wie lassen sich in religiöse Symbolsprachen Elemente reflexiver Selbstbegrenzung integrieren? Als Theologe vermute
ich: Man kann die Einsicht in gebotene Unterscheidungs-
leistungen den entschieden Religiösen nicht von außen ande-
monstrieren. Man kann für die Vorzüge des liberalen Modells
werben, aber man verfügt mit Blick auf harte Religion nicht
über die argumentative Kraft, die ganz Frommen mit Gründen
der Vernunft zu überzeugen. Insofern bleibt das liberale Modell des säkularen Staates trotz aller rationalen demokratie-
theoretischen Begründung dauerhaft prekär und gefährdet.
Das bedeutet, jedenfalls für mich: Es gibt in einer religiös pluralistischen Gesellschaft mit Blick auf den liberalen Staat auch
gute Gründe dafür, Traditionen einer Religion zu pflegen, die
«das religiöse Bewußtsein einer Modernisierung von innen»[37]
geöffnet haben. Religion kann nur durch Religion überwunden werden. Die Bürgergesellschaft bedarf deshalb auch des
freien Diskurses über die Auslegung religiöser Symbole und
Überlieferungen. Sie braucht argumentativ ausgetragenen
Glaubensstreit. Wer den dogmatisch Starren, Harten, den sogenannten Fundamentalisten, oder den diversen konservativen Advokaten neuer «Politischer Theologie» nicht das religiöse Feld überlassen will, muß mit ihnen streiten und zu reden
versuchen – gerade über Glaubensfragen. Wer das Projekt der
Aufklärung politisch verteidigen und fortschreiben will, muß
auch in Sachen Religion für freie Öffentlichkeit und das Recht
auf Kritik religiösen Glaubens eintreten. Religiöse Symbolsprachen sind, wie schon betont, äußerst interpretationsoffen.
Man kann «Gott», um nur das zweifellos wichtigste Glau-
benssymbol zu nennen, als Inbegriff absoluter, unbedingt bindender Autorität verehren und die ihm traditionell zugeschrie-
bene souveräne Allmacht gegen den demokratischen Souverän,
das Volk, auszuspielen versuchen. Man kann «Gott» aber

---

37 Dazu siehe Jürgen Habermas: *Zwischen Naturalismus und Religion.
Philosophische Aufsätze.* Frankfurt a. M. 2005, S. 323 u. ö.

auch als eine Transzendenzchiffre für jene innerweltliche
Transzendenz des Individuums deuten, die die Einsicht erlaubt, daß jeder und jede in der Gesellschaft nicht restlos auf-
geht, die ihn oder sie prägt und bestimmt, daß jeder und jede
einzelne noch sehr viel mehr und anderes ist oder sein kann,
als was er oder sie aus sich selbst gemacht hat und andere
an ihm oder ihr wahrzunehmen vermögen. Man muß kein
«Schmittianer» sein, um zu sehen: Die Deutung religiöser Vorstellungen und «theologischer Begriffe» hat unausweichlich
politische Implikationen. Dann darf man, salopp formuliert,
die Deutung von Religion und die Arbeit am theologischen
Begriff nicht den falschen, antidemokratischen Glaubensleu-
ten überlassen.

Die Fortschreibung des unvollendeten Projekts der Aufklärung bedeutet auch Arbeit an liberaler Religion. «Freie Lehrart», «liberaler Glaube», «freier Protestantismus», «liberale
Religion» sind Neologismen aus dem letzten Drittel des
18. Jahrhunderts. In ihnen verschafft sich das Interesse vieler
zunächst protestantischer, dann auch katholischer aufge-
klärter Theologen, Philosophen und überhaupt Gelehrter einschließlich prominenter Vordenker eines reformierten Judentums wie Moses Mendelssohn Geltung – statt radikaler Reli-
gionskritik, wie sie einige Aufklärer in England und Schottland sowie viele Aufklärer in Frankreich vertraten, und eines
aggressiven Kampfes gegen die überkommenen Konfessionskirchen und ein orthodoxes Judentum –, religiöse Vorstellungen und Symbole so neu zu deuten, daß sie für die gleichsam
transzendente Stärkung «freier Persönlichkeit» in Anspruch
genommen werden können. Die spannungsreiche Geschichte
liberaler Religion in Deutschland seit dem 18. Jahrhundert,
speziell die Geschichten von Reformjudentum, Kulturprote-
stantismus und katholischem Modernismus, sind hier nicht zu
erzählen. Doch wer im politisch-theologischen Streit der Gegenwart «das religiöse Feld» nicht von vornherein kampflos
den ganz Harten, Antiliberalen überlassen will, sollte sich
auch der Traditionen liberaler Religion erinnern. Das ist eine

Gestalt von Religion, die im gelingenden Fall vier Leistungen erbringt: Sie hält im Dauerstreit der Bürgergesellschaft das Wissen um die Fragilität demokratischer Institutionen und prozeduraler Problemlösungen präsent – um der Stärkung dieser Institutionen willen. Sie unterscheidet in religiöser Sprache strikt zwischen Moralität und Legalität und trägt so zur Legitimität des vermeintlich bloß Legalen bei. Sie leistet einen Beitrag zur Stärkung und Erneuerung von «knappen Ressourcen der Sinn- und Identitätsstiftung»[38] durch das «Transzendenzparadox religiöser Liberalität»[39]. Schließlich: Sie pflegt das Wissen um die Fehlbarkeit des Menschen als eines endlichen Vernunftwesens, eines Wesens, das in all seiner Vernünftigkeit fortwährend auch zur Selbstverabsolutierung neigt, aber der Selbstbegrenzung bedarf, um in einer freiheitlichen Ordnung auch mit ganz Andersglaubenden und -denkenden vergleichsweise friedlich zusammenleben zu können.

38 Jürgen Habermas: *Nachmetaphysisches Denken II. Aufsätze und Repliken.* Berlin 2012, S. 327.
39 Dazu siehe Karsten Fischer: *Die Zukunft einer Provokation. Religion im liberalen Staat.* Berlin 2009, S. 185–213.

HANS ULRICH GUMBRECHT

Religion und Politik
in den Vereinigten Staaten

Über die Geschichtlichkeit einer
kulturellen Invariante

Zum europäischen intellektuellen Standard und zu den Kon-
ventionen der sich als anspruchsvoll ansehenden Medien gehört eine entschlossene, meist negative Meinung zum Verhältnis von Religion und Politik in den Vereinigten Staaten. Doch
eine ernsthafte Analyse des Phänomens muß – ganz unabhängig von Beistimmung oder Ablehnung – mit dem Verweis einsetzen, daß die solchen Meinungen zugrundeliegenden Urteile
fast immer die Komplexität der Lage unterschätzen, die sie ins
Auge fassen. Amerikanische Wahlkämpfe vor allem geben in
Europa oft Anlaß zur Sorge oder gar Entrüstung angesichts
des Eindrucks, daß die religiöse Orientierung von Bewerbern
einen sachfremden Ausschlag bei politischen Entscheidungen
geben könnte. Noch im Frühjahr 2012 wurden im Blick auf
die republikanischen Präsidentschaftsvorwahlen die Erfolge
des früheren Senators Rick Santorum, eines radikal-konserva-
tiven Katholiken, bei den evangelikalen Wählern der Südstaa-
ten international immer wieder hervorgehoben, bis sich herausstellte, daß Santorum gerade an der Mehrheit der katho-
lisch-republikanischen Wähler scheiterte, die den politisch und
religiös viel gemäßigteren Mormonen Mitt Romney unter-
stützten; und kaum hatten in den ausländischen Kommenta-
ren die ebenfalls durch seinen Glauben bedingten Bedenken
gegen Romney zu dominieren begonnen, als deutlich wurde,
wie sich ausgerechnet die Religion als eine Belastung für den
Herausforderer von Barack Obama auswirkte.

Wenn sich allerdings europäische Befürchtungen über religiösen Extremismus als politische Erfolgsbedingung in den Vereinigten Staaten kaum je erfüllen, bedeutet dies nicht schon, daß
die einschlägigen amerikanischen Verhältnisse denen in Europa
ähneln. Zwar dokumentiert die Erhebung «Beliefs About God
Across Time and Countries» des International Social Survey
Program, daß der Glaube an Gott zwischen 1991 und 2008
auch in Amerika – wie in den allermeisten christlich geprägten
Ländern – zurückgegangen ist. Doch er lag dort erstens mit
80,8 Prozent (gegenüber etwa 54,2 Prozent in Westdeutschland
und 13,2 Prozent in Ostdeutschland) weiterhin in einer prak-
tisch-politisch ganz anderen Dimension der Wirksamkeit;
zweitens – und ich werde auf diese Beobachtung im Detail
zurückkommen – sieht ein auffällig großer Teil der gläubigen
Amerikaner das eigene Verhältnis zu Gott als eine persönlich
geprägte Beziehung an (67,5 Prozent gegenüber 32 Prozent in
Westdeutschland und bloß 8,2 Prozent in Ostdeutschland).
Wie unangefochten der Gottesglaube weiterhin als eine solide
Mehrheitsbedingung im amerikanischen Alltag fungiert, wird
etwa an der Vielzahl von säkularen Ritualen spürbar, die – ganz
ohne an potentielle Minderheiten gewandte Ankündigungen
oder gar Vorwarnungen – mit Gebeten zu einem (eher vage um-
schriebenen) monotheistischen Gott beginnen, von akademischen Jahresabschlußfeiern bis zu Meisterschaftsempfängen im
Berufssport. Kein Präsident der Vereinigten Staaten oder Gou-
verneur eines Bundesstaates könnte es sich in diesem Klima leisten, Zweifel an der eigenen oder an der christlichen Sonntags-
praxis seiner Familie unwidersprochen aufkommen zu lassen.
    Dem aus europäischer Perspektive potentiell beruhigenden,
weil «normalisierenden» Eindruck, daß zumindest die christliche Mehrheit in der amerikanischen Gesellschaft von der Säkularisierung erfaßt wurde und daß politischer Extremismus
also gerade nicht – jedenfalls nicht mehr – eine politische Erfolgsbedingung ist, stehen aber Grundsatzentscheidungen des
amerikanischen Rechtssystems aus der jüngeren Vergangenheit gegenüber, die für eine wachsende Bereitschaft sprechen,

religiösen Institutionen politische Sonderbedingungen einzuräumen. Im Januar 2012 etwa bestätigte der Oberste Gerichts-
hof – gegen die Equal Employment Opportunity Commission
der Bundesregierung – das Recht der lutherischen Hosanna
Tabor Kirche in Redford, Michigan, eine Lehrerin mit Teilzeit-
verpflichtungen im Religionsunterricht zu entlassen, weil sie
die inhaltlichen Erwartungen der Gemeinde nicht erfüllte. Zu
schützen sei, schrieb Chief Justice John G. Roberts, «das Recht
religiöser Gruppen auf die Entscheidung, wer ihren Glauben
predigen und ihre Sendung erfüllen könnte».[1] Zwar unterstrich
Douglas Laycock, ein Rechtsprofessor der University of Virginia, der die Kirche aus Michigan vor dem Obersten Gerichts-
hof vertreten hatte, daß dieses Privileg religiöser Schulen nicht
auf deren Lehrer in ausschließlich säkularen Fächern anwend-
bar sei, doch die Entscheidung hatte die über mehr als zwei
Jahrzehnte dominierende einschlägige Tendenz der Rechtsprechung (im Sinne eines von der Glaubensposition unabhängigen
Schutzes individueller Angestellter gegenüber religiösen Institutionen) umgekehrt – und wurde deshalb als Symptom eines
neuerdings (oder weiterhin) wachsenden politischen und rechtlichen Einflusses der religiösen Institutionen bewertet. Insgesamt steht außer Frage, daß sich das Verhältnis von Religion
und Politik in den Vereinigten Staaten langfristig von europäischen Normalerwartungen entfernt hat, doch über den Grad
und die Konsequenzen dieses Unterschieds sowie über seine
möglichen konvergenten oder weiter divergenten Dynamiken
unserer Gegenwart besteht durchaus Unklarheit. Vor allem die
besondere Geschichtlichkeit dieser bemerkenswerten Invariante in der amerikanischen Kultur ist erst noch zu ermitteln.

Zugleich aber wächst die Komplexität in der europäischen
Einschätzung des schon intern von neuen Spannungen aufge-
ladenen Verhältnisses zwischen Religion und Staat in Amerika

---

1 Adam Liptak: *Religious Groups Given ‹Exception› to Work Bias Law*,
in: The New York Times, 11. Januar 2012.

deshalb, weil sich schon seit einigen Jahrzehnten die amerikanische Situation nicht einfach mehr in deutlichen Kontrast zu einer linear fortschreitenden Säkularisierung in Europa (zumal in Deutschland) setzen läßt. Jene profunde, aber längst noch nicht definitiv beschriebene Veränderung des gesellschaftlichen Stellenwerts religiöser Positionen und Praktiken, von der die meisten europäischen Nationen erfaßt worden sind, hat nicht allein Auswirkungen auf den Vergleich zwischen Europa und Amerika – sie verändert auch die hermeneutischen Voraussetzungen für die europäische Analyse des amerikanischen Verhältnisses zwischen Politik und Religion. Dies bedeutet, daß meine Aufgabe, nämlich vor allem für deutsche Leser eine differenzierte Darstellung des Verhältnisses zwischen Religion und Politik in den Vereinigten Staaten zu liefern, ohne Berücksichtigung der europäischen Entwicklung gar nicht zu leisten ist (auch wenn ich selbst, was die Perspektive vielleicht nicht allein komplizierter, sondern auch angemessener macht, vor zwölf Jahren die deutsche Staatsangehörigkeit abgelegt und die amerikanische angenommen habe).

Wieviel sich tatsächlich (zumal aus intellektueller Perspektive) verändert hat und auf welchen Fluchtpunkt verschiedene Teilentwicklungen in dieser Bewegung hinauslaufen, wird durch einen Blick auf die «Politik» und «Religion» betreffenden Artikel in dem von Joachim Ritter begründeten *Historischen Wörterbuch der Philosophie* deutlich, dessen erster Band 1971 erschienen ist. Durchgehend unterstellten die Autoren dort noch die fortgesetzte Dynamik eines Prozesses der Modernisierung, zu dessen zentralen Wirkungen eine deutliche Spur der Säkularisierung gehörte. Säkularisierung aber bedeutete fortschreitende Ersetzung von Religion als Ausrichtung des Lebens an transzendenten Orientierungen durch «Politik», verstanden als Bestimmung des Lebens möglichst vieler durch möglichst viele andere Menschen. Die funktionale Beschreibung von Religion reduzierte sich daher vor dreißig oder vierzig Jahren weitgehend auf ihre damals sehr beliebte – und offenbar unmittelbar einleuchtende – Beschreibung als «Mechanismus der Kontingenzbewältigung». Schließlich wurden Philosophen, für deren Denken Religion eine substantiellere Rolle spielte, wie etwa Carl Schmitt oder Leo Strauss, in gegenüber heute gängigen Relevanzkriterien erstaunlich peripherer Position erwähnt.

Daß sich gegenüber jenem vergangenen Status quo die Faszination der Religion unter europäischen Intellektuellen inzwischen intensiviert hat, steht außer Frage. Weniger deutlich ist vorerst, auf welche Veränderungen im gesellschaftlichen Alltag die neue Faszination reagiert. Zentral innerhalb der einschlägigen Gemengelage ist der Eindruck, daß eine «schwach modellierte Vernunftmoral» im Sinne der Aufklärungstradition weniger Motivationskraft für Verhalten und Handeln entfaltet, als man es noch vor wenigen Jahrzehnten selbstverständlich unterstellt hatte. Der darauf reagierende Versuch, alternative religiöse Motivationsressourcen zugunsten staatsbürgerlichen Verhaltens freizusetzen und zu nutzen, ist keineswegs identisch, geht aber einher mit einer «freiflottierenden Sehnsucht nach Verbindlichkeit» – und vor allem in den jüngeren Generationen mit einer Sehnsucht nach Situationen kollektiver religiöser Erfahrung, etwa anläßlich von Papstbesuchen oder Kirchentagen, aber tendenziell außerhalb der traditionellen konfessionellen Rituale. Daß mittlerweile auch die europäischen Rechtssysteme begonnen haben, auf Tendenzen der «Repolitisierung von Religion» zu reagieren, steht außer Frage.[2]

---

2 Vgl. Dieter Grimm: *Conflicts Between General Laws and Religious Norms*, in: Cardozo Law Review 30:6 (2009), S. 2369–2382, hier S. 2369 f.: «With the disappearance of the East-West-divide, which had pushed all other conflicts into the background, religion and religious communities reappeared on the public scene and began to insist more vigorously on respect for their belief and on living according to the commandments of their creed. As has often been observed, a process of re-politicization of religion is taking place that goes along with a corresponding process of de-secularization of society. Religious issues play an increasing role in the public debate. This development does not leave the law unaffected.»

Solange ihre vorherrschende Selbstreferenz die europäischen Gesellschaften auf einem linearen Weg der Säkularisierung sah, lag es nahe, die traditionell starke Rolle der Religion
in der Politik der Vereinigten Staaten als Relikt einer noch
nicht überwundenen Vergangenheit zu identifizieren – und
ganz aus den Konfigurationen möglicher eigener Zukunftsori-
entierungen auszuschließen. Ebendieses Selbstverständnis ist
nun aber durch die jüngeren europäischen Entwicklungen erneut in Bewegung gekommen. Nicht allein scheint die Frage
wieder denkbar, ob die Nähe zwischen Religion und Politik
eine Struktur der europäischen Vergangenheit war (und zugleich eine Struktur der amerikanischen Gegenwart und Zukunft), zu der man – in Europa – zurückkehren sollte; damit
wird zugleich eine Repolitisierung der Religion vorstellbar –
oder auch: eine der amerikanischen ähnliche Situation, die
man als mögliche Zukunft Europas entweder begrüßen oder
ablehnen kann.[3]

Der außergewöhnlichen Komplexität, welche in der Aufgabe liegt, die Gegenwart und besondere Geschichtlichkeit des
Verhältnisses zwischen Politik und Religion in den Vereinigten
Staaten zu beschreiben, welche ohne Berücksichtigung der
jüngsten europäischen Entwicklungen gewiß nicht zu bewälti-
gen ist, steht eine ebenso außergewöhnliche Relevanzchance
gegenüber. Nicht nur stellt die kontrastierende Beschreibung
eine größere Differenzierung und Klarheit im Verständnis von
beiden Seiten in Aussicht. Sie schließt darüber hinaus die Möglichkeit ein, erste Anhaltspunkte für eine praktisch-politische
Beurteilung der Lage herauszuarbeiten, das heißt, Zugänge
zur Diskussion der Frage, ob die westliche (und mittlerweile

---

3 Ich orientiere mich hier an der These von Claus Offe, daß in den letzten
   zweieinhalb Jahrhunderten die Vereinigten Staaten prinzipiell aus vier
   verschiedenen europäischen Perspektiven gesehen werden konnten: als
   (positiv oder negativ bewertete) Zukunft oder als (positiv oder negativ
   bewertete) Vergangenheit. Vgl. *Reflections on America: Tocqueville,
   Weber and Adorno*. London 2005.

globale) Kultur im Prozeß der Modernisierung zu weit gegangen ist, so daß Schritte «zurück» angesagt sein könnten.[4]

Dem so durch eine erste einleitende Vermessung erschlossenen Thema möchte ich in fünf Argumentationsschritten gerecht werden, deren erster und letzter sich sowohl auf die amerikanische als auch auf die europäische Situation beziehen, während die Teile zwei bis vier ausschließlich auf das Verhältnis zwischen Politik und Religion in den Vereinigten Staaten eingehen. Am Beginn steht die begründete Vermutung (I), daß die spezifischen gegenwärtigen Rollen der Religion in den Vereinigten Staaten wie in Europa und ihre mögliche Konvergenz in Zusammenhang stehen könnten mit einer Transformation der zentralen gesellschaftlichen Konstruktion von Zeitlichkeit, wie sie sich in der zweiten Hälfte des zwanzigsten Jahrhunderts vollzogen hat. Im zweiten Abschnitt entfalte ich nun vor allem bezüglich des achtzehnten Jahrhunderts eine historische Erklärung (II) für den Ursprung des nach seiner Grundstruktur invariablen Verhältnisses zwischen Religion und Politik in den Vereinigten Staaten. Daran schließt sich eine Phänomenologie der spezifisch amerikanischen Religiosität (III) an, vor allem hinsichtlich der Besonderheit ihres Verhältnisses zur Politik. Diese invariable Struktur der religiösen Praxis und ihres Verhältnisses zur Politik in der amerikanischen Gesellschaft hat jedoch, davon wird in Abschnitt (IV) die Rede sein, aufgrund sich wandelnder Reaktionen im amerikanischen Rechtssystem eine eigene Geschichtlichkeit entwickelt. Das Verständnis ebendieser besonderen Geschichtlichkeit wird dann zu der abschließenden Frage nach den Konvergenzen und Divergenzen in den jüngsten amerikanischen und europäischen Entwicklungen des Verhältnisses zwischen Politik und Religion führen (V). Ihre Beantwortung soll weitab von den

---

4 Vgl. als einen Beleg zu dieser Tendenz den Band von Joshua Landy/ Michael Saler (Hg.): *The Re-Enchantment of the World: Secular Magic in a Rational Age*. Stanford 2009.

üblichen in doppelter Weise einseitigen Beschreibungen und Meinungen liegen.

Am Ende dieser Eröffnungsreflexion anzumerken, daß das skizzierte Programm meine eigene Sachkompetenz – und wohl die Sachkompetenz jedes einzelnen Autors – bei weiten überschreitet, ist mehr als eine banale Floskel intellektueller Bescheidenheit. Die gestellte Frage hat schon aufgrund ihrer Komplexität eine evidente intellektuelle Faszination, aber auch praktische Bedeutung – und ihre Beantwortung verweist auf eine Konfiguration von geforderten Kompetenzen, die eigentlich nur in einem interdisziplinären Forschungsprojekt zusammenzubringen sind: europäische und amerikanische Geschichte der Neuzeit; Religionssoziologie und Theologie; politische Wissenschaft und Verfassungsrecht. Der Organisation eines solchen Projekts, meine ich, sollte ein erster Versuch vorausgehen, das Thema in seiner Komplexität zu durchdenken – und genau dies zu tun, ist mein Ziel. Gerhard Casper und Dieter Grimm, zwei im Hinblick auf die einschlägigen europäischen und amerikanischen Situationen herausragende Rechtsgelehrte, haben mich dazu durch ihre Beratung ermutigt.

I

Wenn man nach möglichen Konvergenzphänomenen innerhalb der jüngeren Entwicklungen der Beziehung zwischen Politik und Religion in den Vereinigten Staaten und in Deutschland fragt (und eine Antwort liegt keinesfalls auf der Hand), dann kommen auf beiden Seiten Abstriche gegenüber der Dominanz jenes menschlichen Selbstbildes in den Blick, das wir «transzendentales Subjekt» nennen und mit der cartesianischen Beschreibungs-Formel des «cogito ergo sum» identifizieren. Dem Menschen als «Subjekt», als Bewußtsein in seiner vollen funktionalen Potentialität (und unter Ausschluß des Körpers), war seit dem späten achtzehnten Jahrhundert und im Kontext des sogenannten «historischen Weltbilds» die Rolle und Potenz zugesprochen worden, prinzipiell alle Fortschrittsversprechungen der Aufklärung einlösen zu können.

Doch gerade die Historisierung des seit der Mitte des neunzehnten Jahrhunderts meist als metahistorisch angesehenen sogenannten «historischen Weltbildes», so wird uns erst heute bewußt, in dem das transzendentale Subjekt seinen epistemologischen Ort gefunden hatte, war ein zentraler Konvergenzpunkt vielfältiger kultureller und intellektueller Veränderungen in der Zeit zwischen dem Ende des Zweiten Weltkriegs und dem Ende des Kalten Kriegs. Reinhart Koselleck hat als erster das historische Weltbild historisierend beschrieben als jene soziale Konstruktion von Zeitlichkeit, in der das Subjekt davon ausging, daß das Durcharbeiten und Hintersichlassen der Vergangenheit (erstens) Bedingung des Fortschreitens in eine Zukunft war, welche sich (zweitens) als Horizont von Möglichkeiten präsentierte, aus denen in einer zum bloßen Moment des Überganges verkürzten «modernen» Gegenwart (drittens) auszuwählen war. So erschien die Gegenwart als epistemologischer und zugleich pragmatischer Ort (viertens) des Subjekts, das auf der Grundlage von an die Gegenwart angepaßten Erfahrungen aus der Vergangenheit unter den Möglichkeiten der Zukunft auswählte – und also jene Verhaltenssequenz vollzog, die wir «Handlung» nennen. Erst durch das Handeln des Subjekts in diesem Sinn wurde die «historische Zeit» (fünftens) zu einer Dimension notwendiger, weil angeblich unaufhaltsamer – also «fortschrittlicher» – Veränderung der Welt.

Seit den siebziger Jahren des zwanzigsten Jahrhunderts – und die damals kurzzeitige Allgegenwart des Begriffs der «Postmoderne» läßt sich in dieser Hinsicht als ein Symptom deuten – hatte sich das historische Weltbild als zunehmend fragil erwiesen. Ich bin überzeugt, daß es im institutionellen Alltag der globalen Kultur heute längst durch eine andere Konstruktion von Zeitlichkeit abgelöst worden ist, sosehr die akademischen Beschreibungen der Gegenwart bis heute am «historischen Weltbild» festhalten.[5] Im alltäglichen Erleben ist die Zukunft längst aus einem (gestaltendes Handeln einladenden) offenen Horizont der Möglichkeiten zu einem geschlossenen Szenario geworden, das von sich unaufhaltsam auf uns zubewegenden Drohungen erfüllt ist, von Erderwärmung über die demographische Entwicklung bis zur Erschöpfung der Rohstoff- und Energieressourcen. Zugleich überfluten (gestützt und beschleunigt durch elektronische Erinnerungskapazitäten) die verschiedensten Vergangenheiten unsere Gegenwart, statt hinter ihr wie im «historischen Weltbild» zurückzubleiben, und zwischen jener verschlossenen Zukunft und dieser aggressiven Vergangenheit ist aus der kaum wahrnehmbar kurzen «geschichtlichen» Gegenwart des Übergangs eine sich verbreiternde Gegenwart der Simultanitäten geworden.

In dieser breiten Gegenwart der Simultanitäten haben sich die Rahmenbedingungen individueller und kollektiver menschlicher Existenz offenbar in mindestens drei Hinsichten verändert, die auch für das Verhältnis von Politik und Religion relevant sind. Erstens entfaltet sich Zeit zwischen der neuen blokkierten Zukunft und einer aggressiv wirkenden Vergangenheit, die präsent bleibt, nicht mehr als Bewegung des Fortschritts (mit anderen Worten: die Zeitlichkeit des Fortschritts, die ja auch die Zeitlichkeit der Säkularisierung war, ist gebrochen). In der sich verbreiternden Gegenwart wird aus dem Subjekt (also: aus der dominanten menschlichen Selbstreferenz als reinem Bewußtsein), welches die Welt der Dinge als ontologisch anderes von außen beobachtete, nun wieder eine Selbstreferenz, die den Körper einschließen und sich so (statt exzentrisch

---

5 Die These von der Ablösung des «historischen Weltbildes» durch eine andere Konstruktion der Zeitlichkeit habe ich in zwei Büchern ausführlich begründet und beschrieben: *Unsere breite Gegenwart*. Berlin 2010, und *Nach 1945. Latenz als Ursprung der Gegenwart*. Berlin 2012. Aus den vielfachen Perspektiven von Beobachtern, die jüngeren Generationen angehören, wird dieser Ansatz diskutiert in Klaus Birnstiel/Erik Schilling (Hg.): *Literatur und Theorie seit der Postmoderne*. Stuttgart 2012.

zu sein) wieder als Teil der Welt (und mithin auch als Teil der
«Schöpfung») sehen kann. Für diese neue menschliche Selbstreferenz muß sich die Zeit (anders als die «historische Zeit»)
nicht mehr permanent verändernd bewegen, was die Rückkehr
religiöser Werte und ihrer Orientierungskraft plausibler macht
und also erleichtert.

Solche Transformationen in der sozialen Konstruktion von
Zeit vollziehen sich heute nicht ideologisch explizit, sondern
eher über vorbewußte Umschichtungen alltäglichen Verhaltens – und sie mögen sich in Europa und in den Vereinigten
Staaten sehr wohl jeweils anders auf das gegenwärtige und zu-
künftige Verhältnis zwischen Politik und Religion auswirken.
In Europa könnten sie eine Bedingung sowohl für die neue intellektuelle Faszination religiöser Orientierungen sein als auch
für die Rückkehr einer populären Sehnsucht nach religiösem
Erleben. Diese beiden Dispositionen waren aus der amerikanischen Alltagskultur nie geschwunden. Doch vielleicht erklärt die Transformation unserer dominanten Zeitlichkeit und
Selbstreferenz auch, warum sich der amerikanische Staat und
das Rechtssystem der USA als früher deutlich säkularisierende
Institutionen gerade in jüngster Vergangenheit dem religiösen
Alltag angenähert und die religiösen Institutionen deutlich unterstützt haben.

II

In ihrer quantitativ belegbaren Breite und Intensität wie in ihren besonderen Frömmigkeitsformen geht die amerikanische
Religiosität als historische Invariante auf die Zeit der kolonialen Einwanderung und auf die Jahrzehnte unmittelbar nach
der Unabhängigkeitserklärung von 1776 zurück. Das von dieser institutionellen Struktur als zentraler Voraussetzung nicht
abtrennbare und zugleich weitgehend durch das Rechtssystem
geprägte amerikanische Verhältnis zwischen Religion und Politik hingegen ist wohl erst in den Jahrzehnten nach 1776 aus-

gebildet worden.[6] Zwei historische Vorbedingungen waren für diesen weiten Ursprungskontext ausschlaggebend. Zum einen die Tatsache, daß die ersten und gegen Ende des achtzehnten Jahrhunderts gewiß noch dominierenden Einwanderungswellen vor allem religiöse Extremisten nach Nordamerika brachten, welche der Verfolgung und Diskriminierung in Großbritannien entkommen wollten. Zweitens ist die von dieser Ausgangslage motivierte, bis in den sprachlichen Habitus der amerikanischen Verfassung und der Bill of Rights (ihrer ersten zehn Zusätze [Amendments]) deutliche Tendenz nicht zu überschätzen, sich auf die Festschreibung von Grenzen in den Einflußmöglichkeiten des zentralen Föderalstaats auf die einzelnen Bundesstaaten zu konzentrieren. Dies galt vor allem für die Erhaltung der Dominanz je verschiedener christlicher Gemeinschaften in den meisten der einzelnen Bundesstaaten. Virginia zum Beispiel, der Staat, aus dem die einflußreichsten Politiker des nationalen Gründungsmoments stammten, war beherrscht von Anglikanern, Pennsylvania von Quäkern, Massachusetts von Puritanern und Maryland von Katholiken – doch es gab von Beginn an auch Staaten, wie etwa New York, zu deren Besonderheiten gerade die Absenz einer solchen konfessionellen Vorherrschaft gehörte.

Aber nicht allein in bezug auf Religionsfragen wenden sich der Verfassungstext der Vereinigten Staaten und die Bill of

---

6 Entscheidend für meine Beschreibung dieser beiden Phasen historischer Entwicklung waren die zwei Bände der in ihrer Ausführlichkeit und Argumentationsdichte monumentalen Aufsatzsammlung von Douglas Laycock: *Religious Liberty*, Band I: *Overviews & History*. Grand Rapids, Michigan 2010, und Band II: *The Free Exercise Clause*. Ebd., 2011. Von ähnlicher Bedeutung für rechtshistorische und verfassungsrechtliche Aspekte ist der Band von Douglas W. Kmiec/Stephan B. Presner/John C. Eastman/Raymond B. Marcin (Hg.): *Individual Rights and the American Constitution*. Newark, New Jersey 2009. Als besonders aufschlußreich für ein historisches und philosophisches Verständnis der frühen Verfassungsgeschichte der Vereinigten Staaten soll schließlich ein Buch von Gerhard Casper genannt werden: *Separating Power: Essays on the Founding Period*. Cambridge, Mass. 1997.

Rights, welche zwischen 1787 und 1789 entstanden und nach einem Konsens der Rechtshistoriker die Handschrift des späteren Präsidenten James Madison tragen, vornehmlich an die neuen Behörden und Amtsträger des Zentralstaats – mit vielfachen Verpflichtungen auf Neutralität gegenüber den einzelnen Staaten und auf politische Zurückhaltung hinsichtlich ihrer internen Strukturen und Angelegenheiten. Artikel VI der Bundesverfassung legt dann spezifisch die religiöse Neutralität des zentralen Staats (und weitgehend auch der einzelnen Staaten) dadurch fest, daß alle Senatoren, Abgeordneten und Amtsträger auf Bundes- und auf Einzelstaatsebene ihren Eid allein auf die Bundesverfassung schwören sollen und daß jegliche religiösen Auswahlkriterien und Zugehörigkeitsfestlegungen ausgeschlossen sind: «The Senators and Representatives before mentioned, and the Members of the Several States Legislatures, and all executive and judicial Officers, both of the United States and of the several States, shall be bound by an Oath or Affirmation, to support this Constitution; but no religious Test shall ever be required as a Qualification to any Office or public Trust under the United States.»

Als singulär für die Geschichte der Vereinigten Staaten, weil ausschlaggebend in seinem Einfluß auf die Beziehung zwischen Staat und Religion, Rechtssystem und Religion und deshalb auch zwischen Politik und Religion, sollte sich freilich das erste Amendment herausstellen, dessen Eröffnungssatz auf das Verhältnis zwischen den Abgeordnetenhäusern und der religiösen Praxis eingeht, während der zweite Satz die amerikanische Kultur der Meinungsfreiheit geformt hat: «Congress shall make no law respecting an establishment of religion, or prohibiting the free exercise thereof; or abridging the freedom of speech, or of the press; or the right of the people peaceably to assemble, and to petition the Government for a redress of grievances.» Die den beiden Abgeordnetenhäusern (Congress) auferlegte Neutralität gegenüber religiöser Praxis hat – wie jede Neutralität – zwei Seiten: Sie sollen weder die Einrichtung irgendeiner Form von religiöser Praxis durch Gesetze unterstützen noch irgend-

eine Form religiöser Praxis unterbinden. Die auf den ersten Aspekt bezogenen Worte sind als «Establishment Clause» in die
amerikanische Rechtspraxis und Jurisprudenz eingegangen,
während die auf den zweiten Aspekt bezogenen Worte «Free
Exercise Clause» genannt werden. Dabei hat sich hinsichtlich
der politischen Auswirkungen und der Kommentare[7] die «Free
Exercise Clause» als deutlich produktiver erwiesen, wohl weil
sie – im Moment ihrer Formulierung eher vorbewußt – eine potentiell dynamische Spannung im Sinne der politischen «checks
and balances» erfaßte und kondensierte, das heißt: im Sinne
der Freilegung und Stimulierung einer Konkurrenz und eines
Ausgleichs zwischen verschiedenen Energiequellen politischer
Aktivität. Noch anders formuliert: indem sie den Congress auf
die Unterlassung eines Verbots festlegt, lädt die «Free Exercise
Clause» zugleich die Legislative und Exekutive – indirekt zumindest – ein, positive Impulse (nicht Gesetze!) für die Entfaltung und Erhaltung religiöser Pluralität zu geben. Die Existenz
dieser beiden Tendenzen (Ausschließung des Verbots wie Impuls der Entfaltung) und die Spannung zwischen ihnen lassen
sich schon für die frühesten Jahrzehnte politischer Praxis der
Vereinigten Staaten dokumentieren.

So legten sich die Abgeordneten in dem von Quäkern domi-
nierten Staat Pennsylvania durch ihre Verfassung aus dem Jahr
1776 religiös allein auf «die Güte des großen Herrn des Universums» fest, während sie «dem Volk» alle Freiheit bei der
Ausformung eines spezifischen Verhältnisses zwischen politischen und religiösen Institutionen gewähren wollten: «We,
the representatives of the freemen of Pennsylvania, in general
convention met, for the express purpose of framing such a
government, confessing the goodness of the great Governor of
the universe (who alone knows to what degree of earthly hap-

---

7 Achthundertdreiundfünfzig Seiten mit ausschließlich den sechs Worten
der «Free Exercise Clause» gewidmeten Auslegungen versammelt allein
schon der in der vorigen Fußnote zitierte zweite Band von Douglas Lay-
cocks *Religious Liberty*.

piness mankind may attain, by perfecting the arts of government), in permitting the people of this State, by common consent, and without violence, deliberately to form for themselves such just rules as they shall think best, for governing their future society [...].»[8]

Nur zwei Jahrzehnte später artikulierte George Washington nach der zweiten Amtszeit als Präsident in seiner Farewell Address, bei deren Redaktion wiederum James Madison mitgewirkt hatte, die – der Verfassung von Pennsylvania in ihrer Tendenz genau gegenläufige – Erfahrung und Überzeugung, daß die staatlichen Institutionen selbst Impulse zur Entstehung einer Pluralität von religiösen Praxisformen geben sollten: «Of all the dispositions and habits which lead to political prosperity, Religion and morality are indispensable supports. In vain would that man claim the tribute of Patriotism, who should labor to subvert these great Pillars of human happiness, these firmest props of the duties of Men and citizens. The mere Politician, equally with the pious man ought to respect and to cherish them. A volume could not trace all their connections with private and public felicity. Let it simply be asked where is the security for property, for reputation, for life, if the sense of religious obligation *desert* the oaths, which are the instruments of investigation in Courts of Justice? And let us with caution indulge the supposition, that morality can be maintained without religion. Whatever may be conceded to the influence of refined education on minds of peculiar structure, reason and experience both forbid us to expect, that National morality can prevail in exclusion of religious principle.»[9]

Beide Richtungen in der Auslegung und Anwendung der «Free Exercise Clause», die Neutralität der staatlichen Institutionen gegenüber religiösen Institutionen und ihr Selbstver-

8 Kmiec/Presser/Eastman/Marcin: *Individual Rights and the American Constitution*, S. 47 f.
9 Ebd., S. 51 f.

ständnis als Impulsgeber für eine Pluralität von religiösen Praxisformen innerhalb der politischen Dynamik von «checks
and balances», haben Auswirkungen in der Geschichte der
Vereinigten Staaten gefunden. In ihrer Oszillation und wechselseitigen Dominanzablösung haben sie eine besondere Geschichtlichkeit entfaltet, auf die ich im vierten Abschnitt zurückkommen werde. Schon hier aber ist die gängige europäische Meinung über das spezifisch amerikanische Verhältnis
von Politik und Religion in zweierlei Hinsicht zu korrigieren
und in größere Komplexität zu überführen. Erstens kann man
nicht davon ausgehen, daß die leidenschaftlichen Formen individueller Religiosität in Amerika durch eine absolute, von der
Verfassung vorgeschriebene Neutralität des politischen Systems in Schach gehalten werden (so daß jegliche Nähe zwischen politischer und religiöser Praxis der amerikanischen
Verfassung widerspräche). Vielmehr stand als ursprüngliches
Ziel hinter der Festlegung des Zentralstaates auf religiöse
Neutralität die Erhaltung je spezifischer Ausprägungen von religiöser Kultur in den einzelnen Bundesstaaten. Des weiteren
und vor allem gehört es zu den Funktionen der «Free Exercise
Clause», Impulse des Staats zur Stimulierung vielgestaltiger religiöser Praxisformen freizusetzen. Beide Perspektiven werfen
ein vielleicht ungewohntes, aber jedenfalls erhellendes Licht
auf von außen schwer verständliche Tendenzen im amerikanischen Rechtssystem und in der amerikanischen Politik, zu deren Tradition und inhärenter Logik es gehört, die Freiheit auch
(und gerade) radikaler, religiöser Gruppen zu schützen.

III

So wie religiöse Leidenschaft und ihr zentraler Stellenwert für
die Existenz der frühesten englischen Auswanderer nach Nordamerika eine wichtige, aber doch bei weitem nicht die einzige
ursprüngliche Rahmenbedingung für die Entstehung der amerikanischen Verfassung gewesen ist, für die Herausbildung ei-

nes von ihr geprägten politischen Stils und für dessen Verhältnis zur religiösen Praxis, haben dann bald auch die deutlich
konturierten nationalen Formen der Rechtsprechung und der
Politik weiter formend auf die Entwicklung eines bis heute erstaunlich kohärenten nationalen Stils von Frömmigkeit ge-
wirkt. Es war ein religiöser Stil, der zugleich die Distanz und
die bedingungslose Schutzfunktion des Staates und des Rechtssystems voraussetzte.

Niemand hat ihn wohl je genauer und mit einem differen-
zierteren Gespür für seine sich weit verästelnden Auswirkungen beschrieben als Max Weber nach seiner Nordamerika-
reise im Jahr 1904, vor allem in dem nur selten zitierten Aufsatz *«Kirchen» und «Sekten» in Nordamerika*, der zuerst in
zwei Teilen am 13. und 14. April 1906 in der *Frankfurter Zeitung* veröffentlicht worden ist.[10] Mit den Begriffen «Kirche»
und «Sekte» in seinem Titel visierte Weber ein bis heute sym-
ptomatologisch ausschlaggebendes Strukturphänomen an.
Zentral für das religiöse Zugehörigkeitsgefühl von Mitgliedern der damals überwältigenden (und bis heute massiven)
christlichen Mehrheit von Amerikanern, ja wohl letztlich
zentral für ihre Identität schlechthin, war nicht – und ist bis
in unsere Gegenwart nicht –, was man in Deutschland eine
«Konfession» oder eine «Kirche» nennen würde, sondern die
unvergleichlich engere Sozialform einer jeweiligen Gemeinde.
Weber illustrierte diesen Sachverhalt von der primären Zugehörigkeit zu einer Gemeinde als Zentrum persönlicher Identität, der zunächst in einem eigentümlichen Gegensatz zur offiziellen religiösen Neutralität der Verfassung und des Rechtssystems zu stehen scheint, mit einer Anekdote aus den ersten
Erfahrungen eines in die Vereinigten Staaten ausgewanderten
deutschen Facharztes: «Wie sehr jene amtlich verpönte, priva-

10 Ich zitiere diesen Text nach Max Weber: *Soziologie. Weltgeschichtli-
che Analysen. Politik*. Mit einer Einleitung von Eduard Baumgarten
herausgeben und erläutert von Johannes Winckelmann. Stuttgart
1956, S. 382–397.

tim aber noch immer so bedeutungsvolle Frage nach der
Kirchenzugehörigkeit der homerischen Erkundigung nach
dem Heimatsort und Eltern entspricht, erfuhr ein deutscher
Nasenspezialist, der sich in Cincinnati niedergelassen hatte,
zu seinem nicht geringen Erstaunen, als er von seiten seines
ersten Patienten, auf die Frage nach der Natur seiner Be-
schwerden, vor allem weiteren als *erste* Angabe die Mitteilung
gemacht erhielt: I am from the 2nd Baptist Church in the
X-Street» (S. 383–384).

Solche christlichen Gemeinden (Weber gebrauchte für sie
vor allem, aber nicht ganz konsistent das Wort «Sekten»)
kontrollieren die ethischen Standards in der alltäglichen Lebensführung ihrer Mitglieder und fungieren deshalb als entscheidende Agenturen für deren individuelle Reputation im
sozialen Alltag (einschließlich ihrer Kreditwürdigkeit – dies,
kommentiert Weber, muß wohl der Grund für die über-
raschende Selbstidentifikationsformel des ersten Patienten in
der Praxis des eingewanderten deutschen Arztes gewesen
sein). Aber während christliche Gemeinden in dieser einen so-
zialisierenden Hinsicht enorm effizient sind, wirken sie kaum
kulturell prägend, so daß sich in Amerika eine Tendenz zur
weitgehenden «Neutralisierung» jener Unterschiede beobachten läßt, die man in Europa als «konfessionell» identifizieren
würde.[11] Was sich hingegen vor allem im Rahmen der Gemeinden vollzieht und was sie tatsächlich kontrollieren, das ist die
individuelle Einübung einer «innerweltlichen Askese» (S. 387)
ohne sakramentale Komponenten (S. 393), das sind ein Sozia-

---

11 Die Neutralisierung erklärt, warum Gläubige häufig anläßlich von
Umzügen ihre «Denomination» wechseln – wenn sich am neuen
Wohnort die Gemeinde einer anderen «Denomination» in größerer
Nähe befindet oder einen besseren Kindergarten anbietet. Selbst Geistliche, die – zum Beispiel – eine methodistische Gemeinde geleitet haben, übernehmen ohne weiteres – zum Beispiel – eine presbyteriani-
sche Gemeinde, wenn mit einem solchen Wechsel bessere strukturelle
und finanzielle Bedingungen verbunden sind.

lisationsprozeß und eine soziale Rolle, in denen der Gläubige «mit Gott allein» bleibt (S. 391).

Daß Max Weber solch innerweltliche Askese mit dem Geschäftssinn des okzidentalen Betriebskapitalismus assoziierte, gehört zum allgemeinen Bildungswissen. In seinem Essay über «Kirchen» und «Sekten» aber leuchtete er vor allem die Beziehung dieser Form von Religiosität zum Stil des politischen Alltags in den Vereinigten Staaten weiter aus: «Die Sekten allein haben es fertig gebracht, positive Religiosität und politischen Radikalismus zu verknüpfen, sie allein haben vermocht, auf dem Boden protestantischer Religiosität breite Massen und namentlich: moderne Arbeiter, mit einer Intensität kirchlichen Interesses zu erfüllen, wie sie außerhalb ihrer nur in Form eines bigotten Fanatismus rückständiger Bauern gefunden wird [...]. Nur die Sekten gaben z. B. der amerikanischen Demokratie die ihr eigene elastische Gliederung und ihr individualistisches Gepräge» (S. 392–393). Der Begriff «Radikalismus» bezieht sich hier natürlich nicht auf extreme Positionen an den Rändern des (damaligen) Parteienspektrums westlicher Demokratien. Max Weber scheint eher dieselbe Bereitschaft zur Einfügung in soziale Situationen zu meinen, auf die er auch mit der Formulierung von der «elastischen Gliederung und ihrem individualistischen Gepräge» abzielt. Sie liegt darin, Eigeninteressen in verschiedenen sozialen Kontexten – in der religiösen Gemeinde, der Schulgemeinschaft (einschließlich der «Parent Teacher Associations») oder auch der Baseball- oder Football-Mannschaft – den Interessen der Gruppe unterzuordnen, ohne andererseits die Energie individueller Motivation und Strenge zu drosseln. Genau in dieser Balance zwischen einer Bereitschaft zur Einordnung und einer Erhaltung individueller Energie liegt – oder lag – die Stärke dieser spezifisch amerikanischen Einstellung. Schon Weber war bewußt, daß sich hier viel von dem zeigte, was Europäer – bis heute – am amerikanischen Leben, vor allem am religiösen Leben in den Vereinigten Staaten «abstoßend» finden. Doch, so warnte er seine deutschen Leser, sollte man in bezug auf sie nicht von «Rückständen» sprechen, weil gerade sie die «kräftigsten Komponenten der ganzen Lebensführung» seien, eine «Überlegenheit im Kampf ums Dasein» (S. 382–383).

Weber bewunderte also die vermeintliche amerikanische «Rückständigkeit» und befürchtete, daß eine «rapide Europäisierung» jene «kirchliche Durchdringung des ganzen Lebens, die dem genuinen ‹Amerikanismus› spezifisch war, überall» zurückdrängen würde (S. 382). Seine Prognose hat sich freilich – zum Glück oder Unglück Amerikas und der Welt – im vergangenen Jahrhundert keinesfalls erfüllt. Wenn überhaupt, dann ist die amerikanische Form von Religiosität (und ihr besonderes Verhältnis zur Politik) von der während des vergangenen Jahrhunderts international dominierenden Tendenz zur Säkularisierung nur peripher verändert worden. In einem 1992 veröffentlichten und verdientermaßen sehr einflußreichen Buch über die «Amerikanische Religion»[12] bestätigt Harold Bloom die Diagnose Webers in allen wesentlichen Komponenten (daß Weber dort nicht zitiert wird, deute ich keineswegs als einen milden Fall von Plagiat, sondern als eine sich aus der Konvergenz zweier von einander unabhängiger Interpretationen ergebende, besonders kraftvolle Bestätigung). Was allerdings für Weber vor gut hundert Jahren die Phänomenologie einer national besonderen Form von Religiosität und ihre politische wie wirtschaftliche Erfolgsbilanz war, wird in Blooms Sicht zum Skandal einer gesellschaftlichen, politischen und wirtschaftlichen Pathologie.

Punkt für Punkt erscheinen die Strukturelemente von Max Webers Beschreibung bei Bloom ins Hyperbolische, oft grotesk Wirkende und durchgängig als pathologisch zu Bewertende gesteigert (was sich selbstredend entweder als Spur einer stattgehabten historischen Entwicklung oder als Anzeichen

---

12 *The American Religion*. New York 1992 (ich zitiere nach der um Post-Coda erweiterten Ausgabe von 2006).

von Blooms spezifischem politischen Engagement deuten läßt). Während Weber die amerikanische Form von Religiosität als christlich-protestantisch identifizierte, um dann hervorzuheben, daß innerhalb dieses Spektrums theologische Differenzen weitgehend neutralisiert sind, hebt Bloom zwar immer wieder die Southern Baptist Church und die Church of Mormon als besonders typisch für die «amerikanische Religion» hervor, subsumiert dann aber den Katholizismus und tendenziell sogar das Judentum unter diesen Begriff, um am Ende nur konsequent die Frage zu stellen, ob diese Form von Religion heute überhaupt noch christlich zu nennen sei.[13] Wo Weber amerikanische Frömmigkeit als individuelle Einübung in innerweltliche Askese identifiziert, verwendet Bloom den Begriff der Gnosis, welcher sonst nur für arkane Entwicklungen auf der Basis etablierter Mythologien und Dogmen gebraucht wird, um zu unterstreichen, daß das Strukturelement der individuellen Begegnung und Erfahrung Gottes als «Freundschaft mit Jesus» inzwischen dominant und ausschlaggebend geworden ist für die Funktionen amerikanischer Frömmigkeit.[14] Von «enthusiasm» und «orphism» spricht Bloom in diesem Zu-

13 *The American Religion*, S. 285.
14 Siehe *The American Religion*, S. 284: «No other Western nation […] matches our obsession with religion. The vast majority of us believe in some version of God, and nearly all of that majority actually do believe that God loves her or him, on a personal and individual basis.» – Im Sinn dieses Begriffsgebrauchs von Gnosis erinnere ich mich an ein nicht lange zurückliegendes Gespräch mit einer akademisch herausragenden Studentin im dritten Collegejahr, die ihr Verhältnis zu Gott verglich mit dem exklusiven Zugang zu einer Reihe von Dateien auf der Festplatte ihres Laptops. Ähnlich ist wohl auch die Rede des ehemaligen Präsidenten George W. Bush von Jesus als seinem «Lieblingsphilosophen» zu deuten. Da Bush sehr konsequent ein nichtintellektuelles Image seiner selbst kultivierte (und immer noch kultiviert), konnte es nicht darum gehen, im Ernst auf Jesus als den für ihn wichtigsten aus einer Anzahl von Philosophen zu verweisen. Eher war impliziert, daß das persönliche Verhältnis zu Jesus und die daraus erwachsende persönliche Inspiration Philosophie in Bushs Leben ersetzte – mit der Implikation, daß dies die generell bessere Lebensform sei.

sammenhang, um hervorzuheben, daß eine mit starken Gefühlen überfrachtete Gemeinde-öffentliche (heute natürlich auch
Facebook-öffentliche) Beschreibung aller individuellen Begegnungen mit Gott wachsenden Raum in der religiösen Kultur
Amerikas einnimmt – und möglicherweise Restbestände des
Sakralen und auch des Traditionell-Mythologischen weiter
aushöhlt.[15]

Diese radikale Individualisierung des Verhältnisses zu Gott
(«gnosis») hat ein «atomisiertes» Sendungsbewußtsein und
Prophetentum (S. 303 f.) zur Folge, das allerdings nicht mehr
allein in strikt religiösen Kontexten und Institutionen zur Erfüllung gebracht wird wie etwa in der missionarischen Tätigkeit, welche Jahre im Leben eines jeden Mormonen einnimmt.
Längst sind auch der berufliche Alltag und die nationale Außenpolitik zu Projektionsflächen religiöser Berufung geworden. Auch unter diesem Aspekt bringt Blooms Darstellung
eine von Weber identifizierte Komponente amerikanischer Religiosität zu ihrem oft grotesken – und bedrohlich wirkenden –
Extrem. Denn wenn für Weber innerweltliche Askese als Lebensform die Bedingung für die besondere Ernsthaftigkeit und
«Elastizität» der Amerikaner im Verhältnis zur Politik war, so
deutet Bloom individuelles Sendungsbewußtsein als Reso-
nanzboden einer Außenpolitik, in der er imperialistische Tendenzen entdeckt. Auf der anderen Seite – und vor allem – ist er

---

15 Vor allem werden das Alte und Neue Testament von Geistlichen (zunehmend mit elektronischer Unterstützung) als Sammlungen von
Textstellen benutzt, die bestimmte kanonisierte Formen ethischen Verhaltens illustrieren. Bei der Predigt vor einem College Football Spiel
etwa wurde die mentale Einstellung eines «strong finish» vom zuständigen Pastor (College Football Teams haben im Normalfall einen Pastor) durch mehr als vierzig Bibelstellen veranschaulicht, vor allem
durch den Kreuzestod Christi. Zugleich vermute ich, daß viele enga-
gierte amerikanische Christen der heutigen Generation nicht die theologisch zutreffende Antwort auf die (mythologisch zentrale) Frage zu
geben wüßten, aus welchem Grund der Sohn Gottes am Kreuz sterben
mußte (vgl. Bloom, S. 293, zur schwindenden Bedeutung des Kreuzes
als Symbol in der amerikanischen Religion).

überzeugt, daß religiös motivierte radikale Individualität mittlerweile die Dimension des Sozialen in den Vereinigten Staaten und deshalb auch die Vorbedingung demokratischer Politik zersetzt hat. Als ein Crescendo der Entrüstung belegen die folgenden drei Zitate – vielleicht paradoxerweise – eine Tendenz zum Ekstatischen in Blooms Kritik der amerikanischen Religion als ekstatisch-orphischer Gnosis:

> «The societal consequences of debasing the Gnostic self into selfishness, and the believer's freedom from others into the bondage of others, are to be seen everywhere, in our inner cities and in our agrarian wastelands» (S. 285).

> «The United States, founded upon the secular revelations of the Declaration of Independence and the Constitution, does not seem to me a democracy at this time. You can term it an emulsion of plutocracy and theocracy» (S. 302).

> «The American Religion is so large and national a faith that it proudly flaunts its contradictions. It proclaims: ‹Be rich, demand love from God and from humans, and have faith that death is only for others›» (S. 304).

Keine andere Beschreibung der spezifisch amerikanischen Form von Religiosität ist mir bekannt, welche wie die von Harold Bloom einerseits aus der Innensicht deren Besonderheiten freilegt und erklärt, während sie andererseits die schlimmsten europäischen Befürchtungen (oder sind es heimliche Hoffnungen?) hinsichtlich der gegenwärtigen Entwicklungstendenzen im Verhältnis zwischen Religion, Gesellschaft und Politik bestätigt. Dies bedeutet allerdings nicht – fast bin ich versucht zu schreiben: dies bedeutet gerade nicht –, daß wir mit Blooms Darstellung schon am Ende der Beschreibung des Verhältnisses von Religion und Politik in den Vereinigten Staaten angekommen wären.

IV

Daß sich eine spezifisch amerikanische Form von Religiosität im siebzehnten und achtzehnten Jahrhundert entwickelt hat und dann, seit der Staatsgründung der Vereinigten Staaten zumindest, als kulturelle Invariante weiter ausgeformt wurde, sollte nun außer Frage stehen. Max Weber und Harold Bloom haben sie – zu verschiedenen historischen Momenten – mit deutlich konvergierenden Ergebnissen beschrieben. Als entscheidend stellt sich heraus, wie auf die Unterschiede in ihren Beschreibungen zu reagieren ist, sofern man davon ausgeht, daß sie nicht bloß das Ergebnis individuell verschiedener Beschreibungsperspektiven sind, sondern Anzeichen signifikanter Veränderungen in der amerikanischen Gesellschaft. Bloom faßt – wie selbstverständlich und mehr oder weniger explizit – die Geschichte der Vereinigten Staaten als eine linear-teleologische Geschichte auf, genauer: als eine Dekadenzgeschichte. Rechtshistoriker hingegen – und in besonders prononcierter Weise Douglas Laycock – haben die Geschichtlichkeit des in Amerika über das Rechtssystem vermittelten Verhältnisses zwischen Religion und Politik eher als eine Oszillation aufgefaßt. Die innere Dynamik der «Free Exercise Clause» aus dem ersten Amendment habe es ermöglicht, daß sich Staat und Politik zu gewissen Zeiten in programmatischer Neutralität zurücknahmen, während sie zu anderen Zeiten ihre Funktion als aktiveren Beitrag zur Ermöglichung religiöser Vielfalt auffaßten. Der Unterschied zwischen der teleologischen und der oszillierenden Grundstruktur von Geschichtlichkeit läßt sich natürlich als Reflex je verschiedener Denk- und Darstellungsmuster in der traditionellen Kulturgeschichte («teleologisch») und in der traditionellen Rechtsgeschichte («oszillierend») deuten. Eine andere Reaktion könnte denselben Kontrast in Zusammenhang bringen mit jener Ablösung des «historischen Chronotops» («teleologisch») durch einen Chronotop der «breiten Gegenwart» («oszillierende», «zyklische» Geschichtsbewegung), von der im zweiten Abschnitt die Rede war. Auf die zweite Möglichkeit reagiert mein Vorschlag, die Geschichtlichkeit des Verhältnisses zwischen Religion und Politik in den Vereinigten Staaten nicht teleologisch aufzufassen.

In diesem – oszillierenden – Sinn unterscheidet Douglas Laycock, was das Verhältnis von Religion und Politik in der amerikanischen Geschichte angeht, zwischen vier verschiedenen Phasen («Awakenings»), deren Kontrast in der Selbstauffassung des Staates als entweder neutral oder befördernd gegenüber der Vielfalt religiöser Formen und Institutionen liegt. Auf die aus der ersten dieser vier Phasen stammenden Verfassungstexte und Verfassungsbedingungen sind wir bereits in Abschnitt II eingegangen. Deutlich und kohärent dominierte nach 1776 die Tendenz, dem zentralen Bundesstaat nur eine Rolle religiöser Neutralität zuzugestehen, was in einzelnen Bundesstaaten gewiß gekoppelt war mit der Hoffnung auf Konsolidierung der demographischen und kulturellen Dominanz einzelner Denominationen. Denkbar ist, daß diese einzelstaatlichen Hoffnungen und der Wunsch auf ihre Erfüllung in dem Maß an politischer Bedeutung verloren, wie die Bedeutung «konfessioneller» Differenzen aufgrund ihrer Neutralisierung zurücktrat. Das lange neunzehnte Jahrhundert hingegen, bis zum Vorabend des Ersten Weltkriegs, gilt in der amerikanischen Rechtsgeschichte als eine Zeit des Schutzes und der aktiven Unterstützung religiöser Pluralität. Ohne die zweite Tendenz wären katholisches Christentum und Judentum als Religionsformen der damals dominierenden Einwandererströme aus Süd- und aus Osteuropa permanent politisch benachteiligt geblieben – unter Bedingungen der Politik und der Verfassung, welche ursprünglich an die Erfahrungen und Bedürfnisse protestantischer Extremisten angepaßt waren. In dieser historischen Hinsicht ist es bezeichnend, daß mit John F. Kennedy der bisher einzige katholische Präsident der Vereinigten Staaten erst 1959 gewählt wurde und daß bis heute die Wahl eines Juden zum Präsidenten kaum vorstellbar ist (obwohl beide Sachverhalte in Spannung zu seit langem anhaltenden demographischen Entwicklungen stehen).

Als drittes «Awakening» zeichnen sich in unserer Retro-
spektive dann jene etwa fünfzig Jahre ab, die das zweite und
dritte Viertel des zwanzigsten Jahrhunderts einschließlich des
«Civil Rights Movement» ausmachen. Nach der Integration
der katholischen, jüdischen und ersten islamischen Einwanderungswellen in die Gesellschaft, das politische System und das
Rechtssystem der Vereinigten Staaten zeichnete sich eine neue
Tendenz zur Neutralität der Institutionen gegenüber religiösen
Gemeinschaften ab, die wohl auch zu einer weiteren Differenzierung zwischen den Funktionen dieser Institutionen und
den Folgen ihrer religionsgeschichtlichen Ausgangssituationen
führten. Nachdem die Worte «under God» erst 1954 als Rück-
bezug auf das Staatsverständnis Abraham Lincolns zum Teil
des nationalen Fahneneids («Pledge of Allegiance») wurden
(«one Nation under God with Liberty and Justice for All»),
haben sich seit derselben Zeit die Gerichtsurteile vermehrt,
durch die Gruppen und Individuen von der Verpflichtung zum
Fahneneid befreit wurden.

Die bis heute dominierende, immer wieder internationales
Erstaunen auslösende Tendenz zum Schutz der spezifischen
(oft durchaus exzentrischen) Werte religiöser Minderheiten
etablierte sich dann seit den siebziger Jahren. Laycock deutet
dieses vierte «Awakening» historisch – und viele kritische Beobachter würden gewiß sagen: allzu optimistisch – als eine
temporäre Kompensationsstrategie des Rechtssystems, welche
die Auswirkungen des auch in der amerikanischen Gesellschaft fortschreitenden Prozesses der Säkularisierung und der
Erodierung traditioneller ethischer Positionen (die Legalisierung von Schwangerschaftsabbruch oder Homosexuellenehe
etwa ist nicht mehr unvorstellbar) mittelfristig akzeptabel machen soll. Die einschlägigen amerikanischen Statistiken scheinen für Laycock zu sprechen, das heißt, der Widerstand gegen
solche Säkularisierungsfolgen nimmt insgesamt deutlich ab in
der amerikanischen Gesellschaft, aber der Preis und die mit
dem vierten «Awakening» verbundenen langfristigen Risiken
sind hoch.

Als einer der einflußreichsten rechtswissenschaftlichen Spe-
zialisten für das Verhältnis zwischen Religion und Staat unter
amerikanischen Bedingungen glaubt Douglas Laycock jedenfalls an das vierte «Awakening» als historische Übergangsstra-
tegie, weshalb sich auch zwei Tendenzen seiner Reaktion als
komplementär verstehen lassen, die unter anderen nationalen
Bedingungen einander widersprächen. Laycock hat einerseits,
wie ich eingangs erwähnte, vor dem Supreme Court die ar-
beitsrechtliche Ausnahmestellung einer religiösen Gemeinde –
im Sinne des vierten «Awakening» – verteidigt. Zugleich aber
ist er davon überzeugt, hofft darauf und sucht in der amerikanischen Politik – zum Beispiel in den Präsidentschaftswahlen
von 2008 – nach Anzeichen dafür, daß das vierte bald durch
ein gegenläufiges fünftes «Awakening» abgelöst wird, in dem
sich die staatlichen Institutionen dann wieder verstärkt auf
Positionen religiöser Neutralität zurückziehen werden: «The
Fourth Great Awakening will gradually fade away and come
to an end. It will likely leave important changes behind it –
new universities, new megachurches, new statutes of religious
liberty, new litigating organizations – but the religious inten-
sity of the last generation will not continue. I base this predic-
tion on little more than the fact that the first three Awakenings
all ended. These Awakenings seem to have a life span, and this
one is getting long in the tooth. To this outside and theologi-
cally unsophisticated observer, the movement seems to be dif-
fusing. The lack of a viable socially conservative candidate in
the 2008 Republican primaries is one example.»[16]

---

16 A Conscripted Prophet's Guesses about the Future of Religious Liberty in America, in: Religious Liberty, Vol. I, S. 445–464, hier S. 449.

V

Ausgehend von einer These über die Europa und die Vereinigten Staaten gemeinsam betreffende epistemologische Gegenwart, einer These, welche auf dem Eindruck des Heraufkom-
mens einer neuen dominanten Konstruktion von Zeitlichkeit
beruhte, haben wir aus verfassungsgeschichtlicher, religions-
soziologischer und rechtshistorischer Perspektive ein erstes,
gegenüber dem bisherigen Reflexionsstand hoffentlich diffe-
renzierteres Bild vom Verhältnis zwischen Religion und Politik
in den Vereinigten Staaten erarbeitet – und können nun zur
Frage nach Konvergenzen und Divergenzen in der jüngeren
Entwicklung ebendieses Verhältnisses unter amerikanischen
und unter europäischen Bedingungen zurückkehren. Bei den
ersten Schritten ihrer Beantwortung muß als Prämisse die Betonung einer oft unterschätzten, historisch gewachsenen Differenz im Vordergrund stehen. Wenn heute sowohl in den Vereinigten Staaten als auch in einer Reihe von europäischen Gesellschaften ein akuter Diskussionsbedarf im Hinblick auf die
Beziehung zwischen Religion und Politik besteht, so bedeutet
dies keinesfalls, daß die Diskussionsanlässe und die einschlägigen Problemlagen identisch sind. Ich möchte mit einer diskus-
sionseröffnenden Skizze dieses potentiellen Vergleichs schließen und konzentriere mich dabei auf drei Dimensionen: auf
Formen eines neuen Status von Individualität, auf je verschieden orientierende Bezugsebenen von Individualität und auf
zwei differente Modi des historischen Stellenwerts von Säkularisierung.

Wenn in Europa von einer neuen intellektuellen Faszination
religiöser Orientierungen und von einem neuen, eher populären Bedürfnis nach religiösem Erleben die Rede ist, so scheint
der gemeinsame Anlaß dafür ein überraschendes Ungenügen
in fortgeschritten modernisierten, das heißt: fortgeschritten
säkularisierten Gesellschaften zu sein. Ihre «schwach modellierte Vernunftmoral» scheint nicht mehr auszureichen, um

Bürger im politischen und im gesellschaftlichen Sinn zu dem von ihnen erwarteten Verhalten (zum Beispiel als Steuerzahler) zu motivieren. Zugleich decken der säkularisierte Staat, die säkularisierte Gesellschaft und ihre (in Europa eigentlich überall sozialdemokratisch gehandhabte) Ökonomie offenbar nicht mehr eine für individuelle Bedürfnisse ausreichende Dichte von Ritualen und kollektiven Erlebnissen ab. In diesen beiden – sozial weit voneinander entfernten – europäischen Kontexten, dem der politischen Handlungsmotivation und dem des kollektiven Erlebens, sind während der vergangenen Jahre ihrer Phänomenologie nach ganz unterschiedliche religiöse Bestände (nämlich traditionelle Wertdiskurse und traditionelle Rituale) als potentieller Ersatz für das Vermißte aktiviert worden.

Unter den Sonderbedingungen amerikanischer Religiosität hingegen, die bis heute unvergleichlich weniger von Säkularisierungsfolgen beeinträchtigt war, wirkt das ekstatische persönliche Verhältnis zu Gott (von Harold Bloom «Gnosis» genannt) als ein Medium der Steigerung von Individualität – bis hin zu einer gesellschaftlich kaum mehr akzeptablen Ebene (deshalb spricht Bloom von einer Mischung aus Plutokratie und Theokratie in Amerika, die nicht mehr als Demokratie identifiziert werden kann). Wenn sich in bezug auf die beiden Seiten, die europäische und die amerikanische, von einer Krise der Individualität als Ausgangsproblem sprechen läßt, dann liegt dies daran, daß die europäische Individualität zu «schwach modelliert» (Habermas) und die amerikanische zu «orphisch» (Bloom) ist.

In beiden Fällen scheint die Krise der Individualität mit dem Ausfall oder jedenfalls mit der Schwächung ihrer Bezugshorizonte zu tun zu haben. Während der vergangenen europäischen Jahrzehnte ist Kultur – in der Form von Ideologien, von nationalen Kulturen oder von einer bürgerlichen Kultur im Singular – sowohl als Orientierung als auch in der Funktion von Ritualen und säkularen Formen der Sozialität mehr und mehr ausgefallen. Ganz anders liegt die Dimension des Pro-

blems in den Vereinigten Staaten, wo es über die politische
Kultur des «citizenship» hinaus wohl noch nie eine dominante
nationale Kultur oder die dominierende Kultur einer Klasse
gegeben hat. Dort aber sind die Konsequenzen und Wirkungen eines orphisch gesteigerten religiösen Individualismus vor
allem deshalb außer Kontrolle geraten, weil das vierte «Awakening» ihn als Bezugshorizont und Tendenz zur Unterstützung
des religiösen Extremismus nicht nur nicht gedämpft, sondern
bestärkt und intensiviert hat.

Daraus ergibt sich ein je verschiedener Stellenwert für Modernisierung als Säkularisierung im Blick auf das Verhältnis
zwischen Religion und Politik unter europäischen und unter
amerikanischen Vorzeichen. Offenbar trifft die Diagnose einer
Säkularisierung, welche in ihren Konsequenzen über die Öko-
logie der Individualpsyche hinausgeschossen ist, allein – oder
jedenfalls vor allem – auf bestimmte europäische Situationen
zu. Unter amerikanischen Verhältnissen aber war der Prozeß
der Säkularisierung, wie allgemeine Statistiken zeigen, nie
ganz aufgehoben. Er ging jedoch einher mit jener – weit spek-
takuläreren – Tendenz des vierten «Awakening», die Freiheit
religiöser Ekstatiker gegen Säkularisierungsfolgen zu schützen, was dann den zunehmend dramatischen Gegensatz der
Lebensformen erklären mag, der sich heute durch die amerikanische Gesellschaft zu ziehen scheint und in regelmäßigen Ab-
ständen die Innenpolitik zu lähmen droht. Ermutigend sind
demgegenüber für die Vereinigten Staaten solche Situationen,
in denen religiös konservative Wähler auf Distanz zu religiösem Extremismus gehen oder zu Positionen, welche alle sozialen Verpflichtungen aufheben möchten. Im Gegensatz zu dem
tiefen Antagonismus in der amerikanischen Gesellschaft, dem
ein fünftes «Awakening» tatsächlich entgegenwirken könnte,
mag das Problem Europas in einer erstaunlich allgemeinen
und erstaunlich weit fortgeschrittenen politischen, gesellschaftlichen und wirtschaftlichen Nivellierung der Religion
liegen. Wie zum Beispiel sollten religiöse Orientierungen als
neue politische Motivationsressourcen gesellschaftlich zum

Tragen kommen, wenn religiöse Rituale und Institutionen unter europäischen Verhältnissen nur noch individuelle Bedürfnisse innerhalb einer in all ihren Segmenten säkularisierten Gesellschaft bedienen? Und von wo könnte die Energie zu einer Veränderung ausgehen, wenn alle Bürger – mehr oder weniger – mit dem Staat als Verteilungsagentur zufrieden sind?

Vor allem können die beiden Seiten, können Europa und die Vereinigten Staaten für ihre je spezifischen politischen und kulturellen Krisen nichts – oder jedenfalls nur sehr wenig – voneinander lernen. Nichts wäre überflüssiger in Europa als ein Aufruf an den Staat, zum Prinzip religiöser Neutralität zurückzukehren; nichts braucht Amerika andererseits weniger als jene Vermittlung religiöser Orientierungen mit individuellen Handlungsmotivationen, nach der sich so erstaunlich viele Europäer heute sehnen.

GREGORY L. FREEZE

Von der Entkirchlichung zur Laisierung

Staat, Kirche und Gläubige in Rußland

Vergleicht man gegenwärtige westeuropäische und russische Statistiken zum Thema Religion, gelangt man zu einem höchst paradoxen Ergebnis. In Westeuropa sieht man einen deutlichen Rückgang sowohl der Gläubigen als auch des Kirchenbesuchs; der Anteil der Nichtgläubigen ist entsprechend gestiegen. In Deutschland beispielsweise ist der Anteil derjenigen, die sich selbst als gläubig beschreiben, von 78,1 Prozent im Jahr 1990 auf 42,9 Prozent im Jahr 2006 gefallen; der Anteil der regelmäßigen, wöchentlichen Kirchgänger von 18,6 auf 7,1 Prozent. Nach mehr als zwei Jahrhunderten gradueller «Säkularisierung», die im 18. Jahrhundert begonnen, sich aber seit den 1960er Jahren beschleunigt hat,[1] sind Mitglieder christlicher

---

1 Diese «Säkularisierung», die man früher als unausweichlichen und universellen Prozeß verstanden hatte, steht seit den 1970er Jahren in der Kritik. Die neueste Forschung lehnt diesen Begriff ab und hat Annahmen sowohl bezüglich der grundsätzlichen Dynamik als auch der Geschwindigkeit religiösen Wandels weitgehend revidiert. Siehe Hugh McLeod/Werner Ustorf (Hg.): *The Decline of Christendom in Western Europe, 1750–2000.* Cambridge 2003; Hugh McLeod: *The Religious Crisis of the 1960s.* Oxford 2007; David Nash: *Reconnecting Religion with Social and Cultural History: Secularization's Failure as a Master Narrative,* in: Cultural and Social History 1 (2004), S. 302–325; Philip Gorski und Ateş Altinordu: *After Secularization?,* in: Annual Review of Sociology 34 (2008), S. 55–85; Alasdair Crockett und David Voas: *Generations of Decline: Religious Change in Twentieth-Century Britain,* in: Journal for the Scientific Study of Religion 45 (2006), S. 567–584; Jonathan C. D. Clark: *Secularization and Modernization: The Failure of a ‹Grand Narrative›,* in: The Historical Journal 55 (2012), S. 161–191.

Kirchen in den Gebieten, von denen einst die Kreuzzüge ausgingen, zu einer kleinen Minderheit geworden.[2] Das postsozialistische Rußland ist dagegen einem anderen Muster gefolgt. Anders als in Westeuropa ist der Anteil der nach Selbstbeschreibung Gläubigen nicht gesunken, sondern in die Höhe geschnellt (von 43,8 Prozent im Jahr 1990 auf 73,6 Prozent im Jahr 2006); der Anteil der Atheisten ist von 56,2 auf 3,9 Prozent gefallen (mit weiteren 23,4 Prozent Agnostikern). In diesem Sinn repräsentiert Rußland das genaue Gegenteil von Westeuropa. Allerdings bleibt Rußland in bezug auf Kirchenmitgliedschaft und -besuch «unkirchlich»: Nur 4,5 Prozent besuchen wöchentlich eine Kirche – trotz einer Verfünffachung der Kirchengemeinden.[3] Obwohl viele Beobachter die russische Religiosität betonen (eine Moskauer Zeitschrift machte jüngst mit der Schlag-

2 World Values Survey (http://www.worldvaluessurvey.org/index_findings, zuletzt am 1. August 2012 abgerufen; sämtliche im folgenden zitierten Internetadressen wurden ebenfalls zuletzt an diesem Datum geprüft). In Deutschland ist die Beteiligung am Abendmahl stark gesunken: von 58,5 Prozent (1862) auf 37,4 Prozent (1914), danach auf 17,0 Prozent (1940). Siehe Lucian Hölscher (Hg.): *Datenatlas zur religiösen Geographie im protestantischen Deutschland.* Berlin 2001, Bd. 4, S. 696–697. Vgl. auch die hilfreiche statistische Übersicht bei Thomas Smith: *Religious Change Around the World* (2009): S. 26–346 (http://news.uchicago.edu/static/newsengine/pdf/religionsurvey_20091023.pdf).

3 World Values Survey. Zweifelsohne bedürfen diese Statistiken in bezug auf Zuverlässigkeit und (räumliche und zeitliche) Vergleichbarkeit sehr sorgfältiger und kritischer Auswertung. Vgl. Callum Brown: *The Secularization Decade: What the 1960s Have Done to the Study of Religious History,* in: Hugh McLeod/Werner Ustorf (Hg.): *The Decline of Christendom in Western Europe 1750–2000.* Cambridge 2003, S. 29–46. Daten zu Rußland sind besonders für die sowjetische Periode oft problematisch, da die Berichterstatter daran interessiert waren, die Zahlen zu über- oder unterschätzen. Aggregierte Statistiken sind äußerst fraglich; häufig sind sie unvollständig und sogar widersprüchlich. Jedenfalls sollte man die offiziellen Zahlen nicht einfach fraglos benutzen, wie z. B. Laurence Iannaccone: *Looking Backward: A Cross-National Study of Religious Trends* (http://www.religionomics.com/archives/archive/34/looking-backward-a-cross-national-study-of-religioustrends).

zeile auf, daß «Rußland Europas frömmste Nation» sei),[4] ist diese religiöse Erweckung sehr viel komplexer und könnte besser als «believing without belonging», also als «Glaube ohne Kirchenbindung» beschrieben werden.[5]

Wie können diese «unkirchliche» religiöse Wiederbelebung und ihr Einfluß auf Religion und Politik im heutigen Rußland erklärt werden? Meine These ist, daß der «Glaube ohne Kirchenbindung» aus einem Konflikt zwischen der Amtskirche und der Gemeindekirche, zwischen offizieller Orthodoxie und Volksorthodoxie herrührt. Diesen Konflikt kann man bis ins zaristische Rußland zurückverfolgen, aber er erlangte neuen Schwung in der Sowjetära, als der Staat versuchte, den «konterrevolutionären» Klerus und den «Aberglauben» auszumerzen, zuallererst durch eine Attacke auf die Amtskirche. Dieser erste Angriff sollte die Amtskirche zerschlagen und den Klerus neutralisieren, indem «alle Macht der Gemeinde» übertragen und die Laien über den Klerus gestellt wurden; von 1917 bis 1929 war – de iure *und* de facto – die Pfarrgemeinde die Kirche. Der Machtzuwachs der Gemeinden und die Furcht vor einer religiösen Renaissance brachte das stalinistische Regime in den 1930er Jahren zu einer Attacke nicht nur gegen die Amtskirche und den Klerus, sondern auch gegen die Pfarrgemeinde und Laienvertreter. (Letztere machten gut 60 Prozent der Opfer des Großen Terrors aus.) Wenngleich der Staat ein eng kontrolliertes Kirchenskelett während des Zweiten Weltkrieges wiedererstehen ließ, überlebte die Volksorthodoxie im wesentlichen außerhalb der Kirche – entweder als privatisierter Glaube oder in der Untergrund- oder Katakombenkirche. Das sowjetische Regime versuchte, Säkularisierung durch Entkirchlichung zu erreichen, aber das langfristige Ergebnis war nicht Entchristiani-

---

4 A. Odynova: *Poll Suggests Russia Is Europe's Most Pious Nation,* in: Moscow Times, 6. Mai 2011.

5 Der Begriff «believing without belonging» wurde von Grace Davie vorgeschlagen: *Religion in Britain since 1945: Believing without Belonging.* Oxford 1994, S. 93–116.

sierung, sondern Laisierung, eine Befreiung der Volksorthodoxie von klerikaler Kontrolle und die Grundlage für eine ent-
kirchlichte religiöse Renaissance im postsowjetischen Rußland.
Die Masse der Gläubigen, innerhalb (*vocerkovlennye*)[6] und
außerhalb der Kirche, kritisiert die Amtskirche immer stärker
wegen der Entmachtung der Gemeindemitglieder, wegen Be-
stechlichkeit und Korruption und wegen ihres engen Verhältnisses zu dem Regime von Wladimir Putin. Ohne die Unterstützung der Gläubigen hat sich die Amtskirche (und insbesondere
die Kirchenführung) immer stärker politisiert; sie sucht die Unterstützung des Staates (z. B. durch Restitution konfiszierten
Besitzes, Zuschüsse für die Errichtung neuer Kirchen und Religionsunterricht an Schulen) und unterstützt im Gegenzug das
Regime. Das hat zu einer erbitterten Debatte über die orthodoxe Kirche und ihre Rolle in der Putin-Ära geführt.

Vorrevolutionäre Ursprünge

Die Laisierung der russischen Orthodoxie hatte ihre Ursprünge
im späten Zarenreich und ging den antireligiösen Kampagnen
der Sowjetzeit voraus. Die Kirche selbst ermutigte die Entwicklung eines Gemeindeaktivismus, zum Teil, um zu versuchen,
ähnliche Schritte in den europäischen Kirchen nachzuahmen,[7]
wenngleich mit anderen Beweggründen: Es ging nicht darum,

---

6 Der Begriff *vocerkovlennye* (die «Verkirchlichten») beschreibt diejenigen, die glauben und dazugehören – d. h., daß sie aktive Mitglieder einer Pfarrgemeinde sind, regelmäßig den Gottesdienst besuchen und an
  Sakramenten wie dem Abendmahl teilnehmen.
7 Die Russisch-Orthodoxe Kirche beobachtete nicht nur theologische,
  sondern auch institutionelle Entwicklungen in den westlichen Kirchen,
  insbesondere deren Maßnahmen gegen die Entchristlichung. Zur Rolle
  der evangelisch-lutherischen Kirchenräte bei den Gemeindereformen in
  den 1860er Jahren vgl. Gregory Freeze: *The Parish Clergy in Nineteenth-Century Russia: Crisis, Reform, Counter-Reform*. Princeton
  1983, S. 252–253.

einer Entchristianisierung entgegenzuwirken (Beichten und Kommunionen zum Beispiel erreichten nach wie vor die phänomenal hohe Rate von 90 Prozent), sondern der Verbreitung verschiedener heterodoxer Religionen (Altgläubige und diverse Sekten) entgegenzuwirken.[8] Um Laienfrömmigkeit zu mobilisieren und organisieren, schlugen Kirchenreformer in den 1860er Jahren vor, den Gemeindemitgliedern größere Verantwortung einzuräumen, Gemeinderäte als effektive Organisationsstrukturen einzusetzen und ihnen größere Autorität zuzugestehen. Durch die Einbindung des religiösen Eifers der Laien hoffte die Kirche, Priestern größere Unterstützung zukommen zu lassen, um Gemeindeschulen zu eröffnen und um wohltätige Aktivitäten zu fördern.

Der Prozeß der Ermächtigung der Gemeinden endete allerdings kontrovers und enttäuschend. Einerseits nutzten die Mitglieder die Gemeinde nicht so, wie der Klerus erhofft hatte: Viele Kommunen weigerten sich, einen Gemeinderat einzurichten, und wenn sie es doch taten, gelang es ihnen oft nicht, neue Finanzquellen aufzutun. Andererseits waren die Gemeindemitglieder zwar nicht generöser, aber artikulierten ihre Meinung nachdrücklicher, insbesondere in bezug auf zwei Fragen: zum einen die Ernennung von Priestern, zum anderen die Überweisung von Gemeindegeldern zum Nutzen der Diözese. Bischöfliche Kontrolle bei der Ernennung von Geistlichen war tatsächlich eine relativ moderne Erscheinung, die sich erst in der Mitte

8 Anders als in Westeuropa, wo ein drastischer und weitverbreiteter Einbruch an Religiosität zu verzeichnen war, blieben die Gläubigen der Kirche im späten Zarenreich in außerordentlich hohem Maße treu, wie z. B. die Teilnahme am Abendmahl (etwa 90 Prozent – um ein Vielfaches höher als in Westeuropa) andeutet. Vgl. Gregory Freeze: *Critical Dynamic of the Russian Revolution: Irreligion or Religion,* in: Daniel Schönpflug/Martin Schulze Wessel (Hg.): *Redefining the Sacred: Religion in the French and Russian Revolutions.* Frankfurt a. M. 2012, S. 51–82. Siehe auch meine Fallstudie zu einer typischen zentralen Diözese *A Pious Folk? Religious Observance in Vladimir Diocese, 1900–1914,* in: Jahrbücher für Geschichte Osteuropas 52 (2004), S. 323–340.

des 18. Jahrhunderts entwickelte. Zuvor hatten die Gemeindemitglieder einen Kandidaten gewählt, der dann vom Bischof
ordiniert wurde. Mit der Errichtung eines Netzwerks von Prie-
sterseminaren im 18. Jahrhundert etablierte sich die Praxis, daß
der Bischof diese gut ausgebildeten Kandidaten unabhängig
vom Willen der Gemeinde ernannte.[9] Dies führte dazu, daß der
Priester vom Bischof und nicht von der Gemeinde abhängig
und dementsprechend weniger bereit war, heterodoxe volksre-
ligiöse Praktiken zu tolerieren.[10] Im späten 19. Jahrhundert
wurden die nun ermutigten Gemeinden deutlich aggressiver
und versuchten, unerwünschte Priester durch Verweigerung der
Unterstützung oder durch Anzeigen wegen angeblichen Fehl-
verhaltens zu vertreiben. Das zweite große Problem war ein fi-
nanzielles: Die Diözesanautoritäten erhoben hohe Abgaben
von den Gemeinden, um bischöfliche Projekte und insbesondere um die Unterhaltung der bischöflichen Priesterseminare zu
finanzieren. Nach der Säkularisation der Kirchenländereien
1764 blieb der Kirche, die vom Staat nur einen kleinen Etat erhielt, keine andere Möglichkeit, als Gelder von den Gemeindemitgliedern einzutreiben. Diese Abgaben waren beträchtlich –
bis zu 94 Prozent eines Gemeindeetats.[11] Bei den Laien stieß
diese Abführung knapper Mittel für die kostenfreie Ausbildung
des Nachwuchses des kastenartigen, verheirateten weißen Klerus auf großen Unmut. Die Abgaben waren um so unbeliebter,
weil die Mehrheit der Seminarabsolventen Anfang des 20. Jahrhunderts keine geistliche, sondern eine säkulare Karriere ver-
folgte. Die Rechtfertigung, daß die Gemeinde die Ausbildung

---

9 Gregory Freeze: *The Russian Levites: Parish Clergy in the Eighteenth
   Century.* Cambridge 1977.
10 Zu der systematischen Kampagne, die Volksorthodoxie zu transformieren, siehe Gregory Freeze: *Institutionalizing Piety: The Church
   and Popular Religion in Russia 1750–1850,* in: Jane Burbank/David
   Ransel (Hg.): *Imperial Russia: New Histories for the Empire.* Bloomington 1999, S. 210–249.
11 I. V. Nikanorov: *Voprosy: prichodskij, staroobriadčeskij, veroispoved-
   nyi.* St. Petersburg 1910, S. 7.

zukünftiger Priester bezahlen sollte, entbehrte damit jeglicher Grundlage. Von Jahrzehnt zu Jahrzehnt vertraten die Gemeindemitglieder ihr Recht auf Priesterwahlen mit immer größerem Nachdruck und verweigerten Gelder für die Diözesanseminare. Die Gemeindebewegung wurde vom Klerus mit gemischten Gefühlen aufgenommen. Eine kleine, sehr liberale Minderheit befürwortete größere Befugnisse für die Gemeinden und sogar das Recht, die Priester selbst zu bestimmen; sie hoffte, daß eine ermächtigte Gemeinde eine stärkere Verbindung mit einem gewählten Priester entwickeln und ihre finanzielle Unterstützung erhöhen würde. Die Mehrheit des Klerus sprach sich allerdings gegen eine Ermächtigung der Gemeinden aus. Während die Bischöfe die Verletzung ihrer kanonischen Rechte zur Auswahl und Ernennung von Priestern ablehnten, standen auch die Gemeindepriester selbst dem Gedanken skeptisch gegenüber, Macht an des Lesens und Schreibens unkundige Laien abzugeben, fürchteten sie doch, daß die Gemeindemitglieder ihre neuen Befugnisse mißbrauchen würden. Obwohl die Kirche und der Staat die Gemeindefrage wiederholt aufwarfen, scheuten sie am Ende stets davor zurück, Gesetze zur Reform und Ermächtigung der Gemeinden durchzusetzen.[12]

1917 und «Alle Macht den Gemeinden»

Die Umbrüche von 1917 wirkten sich unmittelbar und folgenreich auf die orthodoxe Kirche aus. Anfangs begrüßten die meisten Gemeindepriester die Revolution, machten sich weitreichende Reformen zu eigen und luden Gemeindevertreter zu den Diözesanversammlungen ein (welche zuvor ausschließlich aus Klerikern zusammengesetzt waren). Diese Versammlun-

12 Vgl. Gregory Freeze: *All Power to the Parish? The Problems and Politics of Church Reform in Late Imperial Russia*, in: Madavan Palat (Hg.): *Social Identities in Revolutionary Russia*. New York 2001, S. 174–207.

gen brachten die Revolution *in* die Kirche: Viele setzten «reaktionäre Prälaten» ab (und wählten neue), verabschiedeten Resolutionen mit Forderungen nach grundlegender Kirchenreform und sprachen sich für die wirtschaftlichen Forderungen von Arbeitern und Bauern aus.[13] Innerhalb weniger Monate kühlte sich der revolutionäre Eifer des Gemeindeklerus jedoch merklich ab, vor allem weil die Gemeindemitglieder sich im Machtvakuum von 1917 beeilten, das Joch klerikaler Kontrolle abzuwerfen und offensiv ihre Rechte zu vertreten. Die heftige Gemeinderebellion breitete sich schnell aus, als die Laien einseitig die Kontrolle von Gemeindebesitz übernahmen, unpopuläre Priester vertrieben oder deren materielle Unterstützung einstellten und religiöse Praktiken nach eigenem Gutdünken organisierten. Da sie ihren Willen nicht durchsetzen konnte, kapitulierte die zentrale Kirchenverwaltung und nahm im Juni 1917 ein «vorläufiges Statut für die Gemeinde» an, welches allerdings Erwartungshaltungen und Selbstbewußtsein der Laien nur weiter stimulierte.[14] Im Sommer 1917 beklagten Priester in ganz Rußland, daß die Gemeinden ihre finanziellen Zuwendungen drastisch gekürzt und ungeliebte Gemeindepriester mißhandelt und vertrieben hätten.[15] Beim

---

13 Vgl. Michail Babkin: *Rossijskoe duchovenstvo i sverženie monarchii v 1917 godu*. Moskau 2006; idem: *Svjaščenstvo i carstvo: Rossija, načalo XX veka –1918 god*. Moskau 2011.

14 Sv. Pravitel'stvujuščij Sinod: *Opredelenie Sv. Sinoda ot 17–21 ijunja 1917 g. ob utverždenii vremennogo položenija o pravoslavnom prichode*. Petersburg 1917. Um der «Pfarrgemeinderevolution» entgegenzuwirken, erließ das Kirchenkonzil im April 1918 ein konservatives Statut, das die Autorität der Bischöfe wiederherstellte – einschließlich des Rechts, Pfarrgeistliche zu ernennen und zu entlassen, ohne dabei die Wünsche der Gemeinde berücksichtigen zu müssen. Der Text ist abgedruckt in Peter Hauptmann/Gerd Stricker (Hg.): *Die Orthodoxe Kirche in Rußland. Dokumente ihrer Geschichte (860–1980)*. Göttingen 1988, S. 222–225.

15 Im Sommer 1917 war die Revolution in den Gemeinden schon im vollen Gange; die kirchlichen und staatlichen zentralen Behörden konnten nicht anders, als die Rechte der Gemeinden anzuerkennen. Vgl. Russisches Staatliches Historisches Archiv (z. B. 797/96/39, d. 309).

Kirchenkonzil von 1917/18 (dem ersten seit mehr als zwei
Jahrhunderten) wurde die Macht der Laien besonders deut-
lich: sie stellten 53 Prozent der Delegierten (299 von 564).[16] Im
Herbst 1917 war die Gemeinderevolution in vollem Gange.

Nach ihrer Machtübernahme im Oktober 1917 legalisierten
die Bolschewiki, denen es zu diesem Zeitpunkt noch an Regie-
rungs- und Repressionsinstrumenten mangelte, lediglich den
Status quo: Die Kirche als große, nationale Gesamtorganisa-
tion verschwand hinter der Kirche als lokaler Institution. Dies
war (zusammen mit dem allgemeinen antiklerikalen Ziel, die
Kirche aus der Politik auszuschalten) die Grundlage für den
berühmten Erlaß zur Trennung von Kirche und Staat vom
23. Januar 1918, der nicht nur sämtliche Besitztümer der Kirche verstaatlichte, sondern auch offiziell die Staatskirche auf-
löste und sämtliche Befugnisse auf die Gemeinden übertrug.
Durch diese Maßnahmen und durch die Unterdrückung des
konterrevolutionären Klerus, so die Annahme, würde der
«Aberglaube» zwangsläufig verdorren.[17] Diese Politik zeitigte
mehrere wichtige Konsequenzen: erstens die Abwicklung der
Amtskirche, zweitens eine soziale Revolution innerhalb des
Klerus, drittens die Ermächtigung der Gemeinde und viertens
eine religiöse Renaissance.

1. Abwicklung der Amtskirche

Das Regime trieb die Abwicklung der Amtskirche systematisch
voran: Es versagte ihr den Status als Rechtssubjekt (*juridičeskoe
lico*), verstaatlichte sämtlichen Besitz (noch bevor es dies in der
Industrie tat) und beschlagnahmte ihre Druckereien. Dies
führte zur Zerstreuung der kirchlichen Bürokratie, die sich in
den vorangegangenen zwei Jahrhunderten entwickelt und bis

---

16 Jakinf Destivel': *Pomestnyj Sobor Rossijskoj Pravoslavnoj Cerkvi
   1917–1918 gg. i princip sobornosti*. Moskau 2008, S. 106.
17 Hauptmann/Stricker (Hg.): *Die Orthodoxe Kirche*, S. 648–649.

dahin die Kirche beherrscht hatte. Das Regime klagte darüber
hinaus den auf dem Konzil 1917 neu gewählten Patriarchen
Tichon an und verweigerte ihm einen Verwaltungsapparat; er
konnte Episteln, aber keine Anordnungen schreiben. Selbst
nachdem Tichon im Juni 1923 einen öffentlichen Treueschwur
ablegte und verschiedenen Forderungen zustimmte, lehnte
die Regierung seine Versuche ab, die Kirche offiziell registrieren
zu lassen und die Kirchenverwaltung neu aufzubauen.[18] Auf der
Diözesanebene verlief die Abwicklung ähnlich; die Unterdrückung der Bischöfe durch Verhaftung oder Exilierung und
die Zerschlagung der Strukturen der Diözesanverwaltung
beraubte die Bischöfe ihrer Macht.[19] Ebenso ging es um eine
Finanzfrage: Die Amtskirche war durch den Verlust sämtlicher
Besitzstände – Immobilien, Kerzenfabriken, Druckereien, An-
leihen und Bargeldreserven, Pflichtabgaben der Gemeinden –
plötzlich mittellos geworden. Selbst ohne Verfolgung durch die
Bolschewiki fehlten den Bischöfen die Mittel, um die Diözesanverwaltung weiter zu finanzieren. So verloren der Patriarch und
die Bischöfe ihre Gewalt über die Gemeinden; als der Bischof
von Kostroma sich über seinen Autoritätsverlust gegenüber
den Gemeinden lautstark beklagte, riet der Patriarch ihm lediglich, «nach eigenem Gutdünken» zu handeln.[20]

Die Kirche verlor außerdem ihr Netzwerk von Publikations-
organen – hunderte kirchliche Zeitungen und Zeitschriften,
die der institutionellen Orthodoxie ein Sprachrohr gegeben
und Informationen sowie rechtliche Normen verbreitet hatten.
Einige wenige Organe mit kleinsten Auflagen erschienen periodisch, aber die Kirche hatte praktisch ihre Stimme verloren.
Eine Gemeinde schrieb: «Denen unter uns, die in entlegenen

---

18 Staatsarchiv der Russischen Föderation (z. B. r-5263/1/57, 35–39).
19 Siehe die Beschwerde der Kirchenleitung wegen Mangels an Verwal-
   tungspersonal und die Gesuche um Hafterlaß bei: A. V. Larionov et al.
   (Hg.): *Prosim osvobodit' iz tjurem̄nogo zaklju̇čenija*. Moskau 1998,
   S. 85–88.
20 Russisches Staatliches Historisches Archiv (831/1/14, 128).

Winkeln des Bezirks Starobilsk leben, die selten Zeitungen lesen (weil es unmöglich ist, sie zu bekommen), sind die politische Situation im Lande und erst recht solche neuen Phänomene wie die Renovationsbewegung in der Orthodoxen Kirche unbekannt.»[21] Bezeichnenderweise erschien Tichons öffentliche Erklärung vom Juni 1923 in *Istvestiia* und *Pravda*, aber nicht in der kirchlichen Presse.

Das Resultat, betonten die Bischöfe und die Laien, war «Anarchie».[22] Die Kirche als nationale und bischöfliche Institution hatte praktisch aufgehört zu existieren; der Patriarch und die Bischöfe konnten mahnen und flehen, aber das Gemeindeleben konnten sie nicht mehr kontrollieren.

2. Die soziale Revolution innerhalb des Klerus

Während des Bürgerkrieges (1918–1921) setzte das bolschewistische Regime den Klerus Verfolgung, Inhaftierung und Hinrichtung aus, und es setzte diese Repression selektiv in den 1920er Jahren fort.[23] Obwohl die Zahl der ermordeten Kleriker deutlich geringer war als lange angenommen (1434, nicht Zehntausende),[24] erfüllte die Unterdrückung ihren Zweck: Der Klerus, insbesondere Gemeindepriester, beeilte sich, der Sowjetherrschaft «Treue» zu schwören.[25] In den 1920er Jah-

---

21 Staatsarchiv der Oblast Žitomir (r-230/2/78, 19–19 ob).

22 Siehe z. B. die Resolution einer Versammlung in Simbirsk (Russisches Staatliches Historisches Archiv, 831/1/247, 37).

23 Die Kanzlei von Patriarch Tichon erhielt zahlreiche Berichte über Repressalien gegen Geistliche (z. B. ebd., 831/1/23, 7–16 ob).

24 Wenngleich Alexander Yakovlev (*A Century of Violence in Soviet Russia*. New Haven 2002, S. 161) frühere Behauptungen (daß «Tausende» von Geistlichen und 100 000 Gläubige erschossen wurden) wiederholt, weisen neuere Studien deutlich bescheidenere Zahlen aus. Vgl. Edward Roslof: *Red Priests*. Bloomington 2002, S. 27.

25 Siehe Gregory Freeze: *Subversive Atheism: Soviet Antireligious Campaigns and Religious Revival in Ukraine in the 1920s*, in: Catherine Wanner (Hg.): *State Secularism and Lived Religion in Soviet Russia and Ukraine*. New York 2012.

ren setzte das Regime nicht so sehr auf Zwang (Verhaftungen und Hinrichtungen waren selten) als auf wirtschaftlichen Druck und rechtliche Diskriminierung: exorbitante Steuern, ein Verbot von Nebenbeschäftigungen als Lehrer oder Beamter und den Ausschluß von Klerikerkindern von säkularen Schulen. Dieser Pariastatus und Armut trieben einige Priester so weit, sich von der Kirche abzuwenden und freiwillig ihr Amt niederzulegen. Einige wurden von ihren Gemeindemitgliedern dazu ermuntert, entweder weil sie unbeliebt waren oder weil sich die Gemeinde ein vollständiges Personaltableau mit Priester, Diakon und Psalmist nicht mehr leisten konnte.

Das Endergebnis, das sich bereits in der Mitte der 1920er Jahre abzeichnete, war eine soziale Revolution innerhalb des Gemeindeklerus – radikale Veränderungen seiner Größe, Struktur, Zusammensetzung und seines Bildungsprofils.

a) Die Schrumpfung des Gemeindepersonals entsprach einem schon länger vorliegenden Reformprojekt – dem Wegfall von Diakonen und Psalmisten, die für ihren Mangel an Ausbildung (so gut wie keiner von ihnen hatte einen Seminarabschluß) und ihr schlechtes Verhalten berüchtigt waren. Die Beschränkung des Gemeindepersonals auf einen Priester wertete zudem die Rolle frommer Laien auf: Gemeindemitglieder, sogar Frauen, dienten als Psalmisten, und Laienchöre spielten in Gottesdiensten eine größere Rolle.

b) Der Exodus von Priestern aus der alten, vorrevolutionären Zeit – ob durch freiwilligen Amtsverzicht, Vertreibung durch Gemeindmitglieder oder Unterdrückung durch das Regime – führte zu einem bedeutenden Wandel der sozialen Zusammensetzung des Klerus: War der vorrevolutionäre Klerus noch eine veritable Kaste (wobei fast alle Priester aus dem erblichen Stand des weißen Klerus kamen), stammten die neu – und von den Gemeinden, nicht von Prälaten – ernannten Priester zum überwiegenden Teil aus nichtklerikalen sozialen Schichten.[26] Dies band die Priester stärker an ihre Gemeindemitglieder, denn sie hatten gemeinsame Interessen und den gleichen kulturellen Hintergrund; der Priester wurde nicht nur *von* den Laien, sondern auch *aus ihrer Mitte* gewählt.

c) Durch Verstaatlichung des Kirchenbesitzes und durch Maßnahmen, die die Ausbildung einer neuen Generation von «Konterrevolutionären» verhindern sollten, schafften die Sowjets das Seminarsystem ab. Das Ergebnis war ein deutlicher Verfall der Bildungsstandards – ein Prozeß, der allerdings schon unter dem Ancien Régime begonnen hatte.[27] So hatten im Fall von Ekaterinoslav lediglich 39 Prozent der Priester ein Seminardiplom; die Mehrheit hatte nur eine Grundschulausbildung (45 Prozent) oder gar keine formale Ausbildung (16 Prozent) erhalten.[28]

d) Priester waren für ihren Lebensunterhalt und ihre Ernennung nun völlig auf die Gemeinde angewiesen. Sie konnten sich nicht länger auf Subventionen vom Staat, auf den Schutz des Bischofs oder allgemeine Gemeinderessourcen (inklusive eines Stücks Land von 36,1 Hektar, das zur Gemeindekirche gehörte) verlassen.

Kurz gesagt, die Priester waren keine selbstbewußten «professionellen Kleriker» mehr, sondern Menschen, die aus dem gemeinen Volk stammten, dessen Kultur teilten und von ihm für ihre Ernennung, Anstellung und Unterstützung abhängig waren.

3. Die Ermächtigung der Gemeinde

Das Sowjetregime hatte die Gemeindemitglieder bewußt zu alleinigen Autoritätsträgern innerhalb der Kirche bestimmt. Sie

---

26 Beispielsweise kamen in der Diözese von Ekaterinoslav 57 Prozent der Pfarrgeistlichkeit aus nicht-geistlichen Schichten. Ebd.
27 Vgl. Freeze: *Parish Clergy*, S. 455.
28 Siehe Freeze: *Subversive Atheism*.

allein hatten das Recht, Verträge über die weitere Nutzung ihrer örtlichen (verstaatlichten) Gemeindekirche abzuschließen – selbstverständlich mit der Verantwortung, ihre Wertgegenstände zu schützen, ihre Gebäude zu erhalten und ihre Verwendung für ausschließlich religiöse und unpolitische Anlässe zu garantieren. Das Regime hatte so die Gemeindekirche in die Kirche der Gemeindemitglieder verwandelt. Und die Laien demonstrierten ihre Macht überzeugend an zwei kritischen Punkten: (a) die Konfiszierung der Kirchenwertgegenstände durch den Staat im Jahr 1922 und (b) das Schisma, das sich innerhalb der Kirche auftat, als der liberale, renovationistische Klerus (*obnovlency*) den Patriarchen absetzte und die Macht übernahm.

Die offizielle Begründung für die Konfiszierung der Wertgegenstände der Kirchen (zur Dekoration der Kirchen verwendetes Gold, Silber und Edelsteine) war der Kauf von Nahrungsmitteln für 25 Millionen Hungernde in der Wolgaregion, aber die Aktion reflektierte auch andere bolschewistische Ziele, nämlich die erschöpften staatlichen Goldreserven wieder aufzufüllen und die «konterrevolutionäre» Grundhaltung des Klerus aufzudecken, von dem erwartet wurde, daß er sich widersetzen und seine Indifferenz gegenüber den Bedürfnissen der hungernden Massen erkennen lassen würde.[29] Tatsächlich kam der Widerstand allerdings nicht aus den Reihen der Priester, sondern aus denen der Gemeindemitglieder, die *ihren* Gemeindebesitz vehement verteidigten. Ein Priester beschrieb das folgendermaßen: «Wir konnten der Gemeinde nicht sagen, daß sie diese Wertgegenstände aufgeben sollte, denn sie gehören uns ja nicht. Wir sind soziale Parasiten, Söldlinge der Gemeinde. Die Kommune ist unser Meister.»[30] Ähnlich äußerte sich der Erzbischof von Odessa Feodosij, der konzedierte, daß

---

29 Siehe Sean McMeekin: *History's Greatest Heist*. New Haven 2009, S. 73–91.
30 Staatsarchiv der Oblast Žitomir (r-1820/2/5870, 26–90).

die Kirche die Wertgegenstände aufgeben müsse, und gleichzeitig vor Volksopposition warnte.[31] In den Archiven findet man Unmengen von Berichten über gewalttätigen Gemeindewiderstand, wie beispielsweise diesen: «Es war uns [der Konfiszierungskommission] nicht gelungen, das Kirchengelände zu verlassen, bevor das Volk von allen Seiten auf uns zulief. Sie fingen an zu schreien und zu fluchen und erklärten, daß wir nicht stehlen, um den Hungernden zu helfen, sondern für die Kommunisten (die alles ins Ausland schicken).»[32] Der Widerstand zeitigte durchaus Ergebnisse: Im ganzen Land ging die Durchsetzung der Konfiszierungen nur schleppend und unvollständig voran und blieb deutlich hinter den Erwartungen der Politiker im Kreml zurück.[33]

Die Gemeindemitglieder demonstrierten ihre Macht auch in dem «Schisma», das 1922 begann – ein Kampf zwischen den liberalen Renovationisten («lebende Kirche») und dem konservativen Patriarchat («alte Kirche»). Die Renovationisten, die sich aus liberalen und sogar radikalen Mitgliedern des säkularen Klerus zusammensetzten, deklamierten ihre Unterstützung für Revolution und Sowjetmacht und deuteten weitreichende Reformen an: die Einsegnung von verheirateten weißen Klerikern in Bischofsweihen, die Einführung einer Vernakularliturgie, die Abschaffung von Reliquien, die Schließung der «parasitären» Klöster und die Einführung des westlichen (gregorianischen) Kalenders. Mit Unterstützung der Geheimpolizei (GPU) übernahmen die Renovationisten die Macht innerhalb der Kirche, begannen mit dem Aufbau ihrer eigenen Diözesaninfrastruktur und versuchten, die Gemeindepriester zur Anerkennung ihrer Autorität zu zwingen – häufig unter Androhung

31 Zentralstaatsarchiv der Öffentlichen Organisationen der Ukraine (1/20/995, 32–42).
32 Staatsarchiv der Oblast Žitomir (r-1820/2/5870, 67).
33 Vgl. Freeze: *Subversive Atheism*. Zum Ausmaß der Repressalien gegen Geistliche und Laien liegen noch immer keine zuverlässigen Daten vor, vgl. Igor' Kurljandskij: *Stalin, vlast'religija*. Moskau 2011, S. 154.

von Verhaftung und Repressalien.[34] Da der Patriarch abgesetzt
war und ihm vor sowjetischen Gerichten der Prozeß gemacht
zu werden drohte, schienen die Renovationisten zunächst damit Erfolg zu haben, den Gemeinden im Lande ihren Willen
aufzuzwingen.

Jedoch trafen die Renovationisten bald auf einen Sturm von
Widerstand von seiten der Laien: Diese waren nun die Herren
der Kirche vor Ort und lehnten die Autorität der Renovationisten und deren Pläne zur «Modernisierung» der Orthodoxie
ab – insbesondere die Einführung des gregorianischen Kalenders, der das Datum um dreizehn Tage nach vorn verschieben
würde und damit den gesamten liturgischen Rhythmus des
Kirchenjahres zu untergraben drohte. Eine renovationistische
Versammlung in Charkiw erkannte dann auch Anfang 1923
an, daß die Laien den neuen Kalender vehement ablehnten,
«weil die Beachtung der kirchlichen Feiertage gemäß dem
alten Kalender eng mit dem Alltagsleben der Gläubigen verbunden ist.»[35] Die Opposition der Gemeinden zwang die Renovationisten letzten Endes zum Rückzug, allerdings erst,
nachdem sie die breite Masse der Gläubigen unwiderruflich
vergrault hatten.[36] Der Zusammenbruch des Renovationismus
in der UdSSR war spektakulär: Seine mit Polizeimacht gesi-
cherte Kontrolle über 70 Prozent aller orthodoxen Kirchen im
Jahr 1923 war 1926 bereits auf 22 Prozent und 1932 auf
14 Prozent geschrumpft, und der Anteil der Gemeindemitglieder in ihren leeren Kirchen war noch geringer.[37]

---

34 Vgl. Gregory Freeze: *Counter-Reformation in Russian Orthodoxy:
  Popular Response to Religious Innovation, 1922–1925*, in: Slavic Review 54 (1995): 305–339.
35 Staatsarchiv der Oblast Žitomir (r-230/1/1776, 2).
36 Vgl. Freeze: *Counter-Reformation*.
37 In der RSFSR gehörten 1928 nur 8,9 Prozent aller Gemeinden zur
  Erneuerungskirche. Siehe Michail Odincov: *Russkaja Pravoslavnaja
  Cerkov'*, in: Rossijskaja Akademija Gosudarstvennoj služby pri Prezi-
  dente RF (Hg.): *Gosudarstvenno-cerkovnye otnošenija v Rossii*. Moskau 1995, Bd. 2, S. 41.

Gemeindemacht schreckte auch vor dem Patriarchen nicht zurück: Als Bedingung dafür, daß sein Prozeß ausgesetzt würde, hatte Tichon sich bereit erklärt, den neuen Kalender zu akzeptieren, sah sich allerdings schnell unversöhnlichem Widerstand aus den Gemeinden gegenüber. Der Bischof von Voronež warnte ihn, daß «die Masse der Gläubigen diesen neuen Kalender nicht akzeptieren wird, der dem gewohnten Leben des Bauern (der in vielen Fällen an die kirchliche Zeit und die Feiertage des alten Kalenders gebunden ist) vollkommen widerspricht.»[38] Die Reaktion des Volkes war weniger diplomatisch; in den Worten eines Laien: «Ist Tichon noch ganz dicht, wie wir im Dorf sagen würden? Warum hat er sich diese Veränderung des alten Kalenders ausgedacht?»[39] Innerhalb eines Monats kapitulierte Tichon und gestattete den Gemeinden, sich nach eigenem Gutdünken an einem der beiden Kalender zu orientieren.

Die Intensität des Gemeindewiderstandes, die Schlappe des «loyalen», prosowjetischen Renovationismus und die Notwendigkeit, gute Beziehungen mit den Bauern zu unterhalten – dies alles bewegte die Partei Mitte des Jahres 1923 zum Rückzug und zur Etablierung eines «weichen Kurses» einer religiösen NEP. Dieser weiche Kurs schloß Zwang aus und vertraute allein auf Agitation und Propaganda; dies wiederum bedeutete das Ende der Repressionen, der provokanten antireligiösen Propaganda und der willkürlichen Schließung von Kirchen durch die Verwaltung.[40] Die neue politische Linie war nicht bloße Rhetorik; zentrale und mittlere Beamte untersuchten «Verwaltungsexzesse» (der Parteibegriff für Zwang) und bestraften die Täter. Am Ende kapitulierte die Partei – genau wie das Episkopat – vor dem Zorn der Gemeinden.

38 Russisches Staatliches Historisches Archiv (831/1/197, 188).
39 Ebd. (831/1/202, 4–6). Für weitere Beispiele siehe Freeze: *Counter-Reformation*, S. 319–327.
40 Nikolaj Orleanskij (Hg.): *Zakon o religioznykh ob'edinenijach RSFSR*. Moskau 1930, S. 49.

4. Religiöse Renaissance

Die Laien demonstrierten nicht nur ihre Macht gegenüber der Partei, den Renovationisten und dem Patriarchen, sondern zeigten auch größere Frömmigkeit, sogar im öffentlichen Raum – was den bolschewistischen Autoritäten ein besonderer Dorn im Auge war. Ein Parteibericht Mitte 1923 beschrieb die Epidemie von «Wundern»: «Enorme Menschenmengen strömen zu den ‹Wunder›-Stätten ... Viele tausende Menschen (von denen viele aus anderen Provinzen kamen) versammelten sich an einer solchen Wunderstätte (einer weinenden Ikone) in Kalinovka.»[41] Es waren in der Tat epidemische Ausmaße: Für das Jahr 1924 zählte man in der Parteizentrale 586 «Wunder» – nicht nur ein Beweis für die Volksfrömmigkeit, sondern auch für die Folgenlosigkeit polizeilicher Einschüchterung und antireligiöser Agitation.[42] Örtliche Beamte zogen daraus schnell eine Lehre. In einem Bericht von 1924 gestanden Parteifunktionäre ein, daß «religiöser Fanatismus» nicht abgestorben, sondern intensiver geworden sei: «Die Welle des religiösen Fanatismus, die sich durch die breite Masse der Bauern verbreitet hat, ist gegenwärtig nicht nur nicht abgeebbt, sondern hat eine entsprechende Reaktion provoziert: Sie hat die Autorität von Kirche und Religion gestärkt.»[43] Das Bild, das ein Bericht vom April 1925 zeichnete, hätte kaum beunruhigender sein können: «Alle diese Dörfer repräsentieren in Sachen Religiosität das gleiche Bild: Sie glauben blind, ohne nachzudenken, ohne zu reflektieren; sie sind bereit, eine Märtyrerkrone für den heiligen Glauben zu tragen und dafür natürlich zur Konterrevolution überzulaufen, solange die Autoritäten atheistisch sind.» Abgesehen vom Gespenst des «religiösen Fanatismus» betonte das

---

41 Zentralstaatsarchiv der Öffentlichen Organisationen der Ukraine (1/20/1772, 37–39).
42 Ebd. (1/6/6, 79–114).
43 Staatsarchiv der Oblast Žitomir (r-692/1/54, 61).

Regime die politischen Gefahren einer neuerlichen Unterstützung für den Klerus – der noch immer als «konterrevolutionär» eingestuft, aber jetzt neu zusammengesetzt und eng mit den Gemeindeinteressen verbunden war. Ein Bericht der Geheimpolizei in der Provinz Poltava beobachtete 1925, daß «Poltava einen generellen Anstieg religiöser Gefühle sieht. Vielerorts, wo alle Bauern einst die Priester aus ihren Wohnungen vertrieben hatten, fordern sie sie jetzt zurück.»[44] Am überraschendsten war der Umstand, daß es den Laien gelungen war, die Kampagne zur Schließung von Kirchen zu stoppen und die Entwicklung wieder umzukehren: In der UdSSR nahm die Zahl der Kirchen um 10,5 Prozent zu (von 34 796 im Jahr 1926 auf 38 442 im Jahr 1928), und in der RSFSR war der Anstieg ähnlich.[45] Ein weiterer Indikator für die religiöse Aufwallung war die formale Mitgliedschaft in der Orthodoxen Kirche: Die Geheimpolizei berichtete, daß 40,8 Prozent aller Volljährigen aktive, registrierte Mitglieder in einer Religionsgemeinschaft waren, und dies trotz der damit verbundenen Verantwortlichkeiten und Risiken.[46] Parteiexperten für Religionsangelegenheiten schätzten, daß die formale Kirchenmitgliedschaft in den Städten relativ niedrig war (14 bis 22 Prozent), aber in den Dörfern bis zu 85 Prozent erreichte. Ein weiterer Indikator war finanzieller Natur: Die Spenden stiegen drastisch an, was teilweise bessere wirtschaftliche Verhältnisse reflektierte, aber auch die Bereitschaft der Laien unterstrich, ihre örtliche Kirche zu finanzieren.

Besonders bedrohlich waren Hinweise, daß die religiöse Renaissance auch in die sozialen Bastionen des Bolschewismus

---

44 Zentralstaatsarchiv der Öffentlichen Organisationen der Ukraine (1/20/2007, 13–14; 20/1/2006, 870b.)

45 Odincov: *Russkaja pravoslavnaja cerkov'*, S. 41. In der RSFSR ist die Anzahl der registrierten orthodoxen Kirchen von 27 126 auf 29 584 (9,1 Prozent) gestiegen. Vgl. Anna Beljaeva (Hg.): *Gosudarstvo, obščestvo, cerkov' XX vek*. Jaroslawl 1999, S. 49.

46 Zentralstaatsarchiv der Öffentlichen Organisationen der Ukraine (1/20/2006, 83–86).

eindrang – Arbeiter, Jugendliche und arme oder landlose Bauern. Polizeiuntersuchungen zur Zusammensetzung der Gemeindesowjets zeigten, daß Kulaken mit 34 Prozent disproportional vertreten waren, daß aber die Mehrheit tatsächlich aus mittleren (44,1 Prozent), armen (21,1 Prozent) und landlosen Bauern (0,8 Prozent) bestand. Auch die Städte und Fabriken waren gegen die neue Religiosität nicht immun. Die Sankt-Sophia-Kathedrale in Kiev beispielsweise verzeichnete einen Einkommenszuwachs von 49 Prozent. Die Polizei berichtete außerdem, daß Beichten, Kommunionen und Einhaltung der Fastenzeit steigenden Zuspruch erhielten. Selbst die damalige Hauptstadt der Ukraine, Charkiw, erlebte einen 324prozentigen Anstieg der Beichten zwischen 1925 und 1927.[47] Im Oktober 1929 erklärte Emeljan Jaroslavskij, der Führer der Liga der militanten Atheisten auf einer Regionalkonferenz, daß 42 Prozent der Moskauer Arbeiter Gottesdienste besuchten.[48] Obwohl die Partei, die Polizei und die sowjetischen Behörden versucht waren, den Klerus für die religiöse Renaissance verantwortlich zu machen und dem Phänomen somit einen gewissen «Klassen»-Charakter zuschrieben, war der eigentliche Grund völlig klar: Die bolschewistische Politik hatte die Amtskirche abgewickelt, aber den Laien die Möglichkeit gegeben, das religiöse Leben in der Gemeinde nach eigenem Gutdünken zu organisieren – befreit von der Kontrolle sowohl der Bischöfe als auch der Bolschewiki.

Die große Wende (*Velikij Perelom*): Zwangsentchristianisierung

Die Partei fand sich der Gemeindefrömmigkeit hilflos ausgesetzt und konnte Aberglauben und «klerikale» Einflüsse erst

---

47 Ebd. (1/20/2494, 12–27).
48 Pavel Miljukov: *Očerki po istorii russkoj kul'tury*. Moskau 1994, Bd. 2, Teil 1, S. 252.

recht nicht ausmerzen. Nicht, daß sie es nicht versucht hätte:
Sie befahl örtlichen Gliederungen wiederholt die Durchführung antireligiöser Agitation und Propaganda, veröffentlichte
atheistische Bücher und Zeitschriften, produzierte einige anti-
kirchliche Filme und schuf eine antireligiöse Organisation, die
Liga der militanten Atheisten. Dennoch machten diese Maßnahmen keinen nennenswerten Unterschied. Zu jenem Zeitpunkt hatten Parteimitglieder einen notorisch niedrigen Bil-
dungsgrad – es war wahrscheinlicher, daß sie öffentliche Debatten mit Gläubigen verlieren würden – und überdies eine
lange Liste von anderen, dringenderen Prioritäten. Außerdem
produzierte die Partei ihre gedruckte Propaganda in weder
qualitativ noch quantitativ ausreichendem Maße, um Gläubige zu erreichen und zu überzeugen. Die Liga der militanten
Atheisten behauptete, beachtenswerten Zulauf zu verzeichnen, existierte aber tatsächlich nur auf dem Papier, wie ein Be-
zirksbericht bemerkte: «Die örtliche Organisation der Union
der Atheisten besteht in der Tat nur in der allzu lebhaften Vor-
stellungswelt ihres Vorsitzenden.»[49] Folglich stellte sich der
Versuch der Liga, die religiöse Welle einzudämmen, lediglich
als ein grandioses Scheitern heraus.[50]

Nachdem das Regime unabsichtlich zu einer Neubelebung
der Volksorthodoxie beigetragen hatte, setzte es 1929 auf
einen radikalen Kurswechsel.[51] Es brach mit dem «weichen»
Kurs und initiierte ein Jahrzehnt erzwungener Säkularisierung von oben. Die Kriegserklärung an die Orthodoxie er-
folgte mit einem Dekret vom 8. April 1929, das den Gemein-

49 Staatsarchiv der Russischen Föderation (r-5407/2/128, 28–29).
50 Vgl. Sandra Dahlke: *An der antireligiösen Front. Der Verband
   der Gottlosen in der Sowjetunion der zwanziger Jahre*. Hamburg
   1998.
51 Stalin hatte schon früher die Notwendigkeit angedeutet, daß die antireligiöse Politik geändert und härtere Maßnahmen gegen die Geistlichkeit und Laien-Aktivisten ergriffen werden müßten. Vgl. die ausführliche Diskussion bei Kurljandskij: *Stalin, vlast', religija*, S. 233–
   279, 292–431.

den Rechte entzog und die Schließung von Kirchen erleich-
terte, indem es exorbitante Steuern einführte und Funktio-
näre vor Ort ermunterte, aggressive Schritte zur Schließung
von Gemeinden zu unternehmen. Von Bedeutung war außerdem, daß die Partei ihre Listen von Klassenfeinden ausweitete
und darin nicht mehr nur Mitglieder des Klerus, sondern auch
Laienaktivisten verzeichnete – diese wurden nun auch als
cerkovniki («Kirchenleute») klassifiziert, eine Bezeichnung,
die zuvor ausschließlich dem Klerus gegolten hatte.[52] Im Oktober 1929 ordnete das NKWD die verpflichtende Reregistrie-
rung aller Gemeinden an und ermöglichte damit eine massive
Kampagne zur Schließung der Kirchen und zur Zerschlagung des Widerstandes, einerlei ob von Klerikern oder Lai-
en.[53] Hatte das Regime während des Jahres 1929 noch vor-
sichtig agiert und vor «Verwaltungsexzessen» gewarnt, gab
es im Dezember 1929 jegliche Zurückhaltung auf, schaffte
die letzten institutionellen Barrieren ab und entfesselte einen
Massenangriff auf die Gemeinden.[54] Gleichzeitig ordneten
die Zentralbehörden (als Teil der «totalen Kollektivierung»)
die «Entkulakisierung» an, ein bestenfalls verworrener Begriff, der aber jetzt Priester und Laien-*cerkovniki* miteins-
schloß. Dies führte zu einem Zweifrontenkrieg, einerseits gegen die Gemeindekirche, andererseits gegen den Klerus und
die Laien.

In den frühen 1930er Jahren lag das Hauptaugenmerk auf
der Gemeindekirche, ihren Glocken und anderen Wertge-
genständen. Unmittelbar nach der Revolution hatte das Regime nur relativ wenige Kirchen geschlossen (v.a. solche in

52 Hauptmann/Stricker (Hg.): *Die Orthodoxe Kirche*, S. 735–738.
53 Orleanskij: *Zakon*, S. 6–25.
54 Nach einem Bericht von Evgenij Tučkov, dem leitenden Funktionär für
    religiöse Angelegenheiten in der Geheimpolizei (OGPU), wurde auf der
    Sitzung des Politbüros am 23. Mai 1929 das Problem erörtert, daß
    viele lokale Parteiorgane von bis zu 80 Prozent Gläubigen ausgingen.
    Russisches Staatsarchiv für Sozial-Politische Geschichte (89/4/125,
    2–3 ob).

der Nähe von öffentlichen Institutionen, Eisenbahnen, Klöstern usw.), die «Große Wende» von 1929 beschwor dann aber eine große Kampagne der Entkirchlichung herauf. Die Behörden nutzten verschiedene Methoden zur Schließung der Kirchen: «freiwillige Ersuche» von Nicht-Gemeindemitgliedern oder Ortsfremden, unverhüllte Strafandrohungen, Eintreibung hoher Steuern und Versicherungssummen oder kurzerhand die Schließung der Kirche. Anfangs durch heftigen Widerstand der Bauern stark verzögert – bis 1933 waren nur 8,3 Prozent der 1929 in der RSFSR existierenden Kirchen geschlossen worden[55] – hatte das Regime diese Zahl drei Jahre später auf 63,5 Prozent erhöht, und viele Kirchen, die nominell geöffnet blieben, hatten in Wirklichkeit aufgehört kirchlich zu arbeiten.[56] Die Kampagne lief bis zum Ausbruch des Zweiten Weltkrieges weiter; 1941 hatte das Regime bis auf wenige hundert alle Kirchen in der RSFSR geschlossen.[57]

Wie zu erwarten, war der populäre Widerstand heftig und häufig gewalttätig. Viele Gemeindemitglieder verlegten sich auf «legalen Widerstand», überschwemmten Regierungsbüros mit Petitionen und entsandten Vertreter zu den Sowjetbeam-

---

55 Die Anzahl der Pfarrkirchen in der RSFSR schrumpfte von 29 584 (1928) auf 26 883 (1933). Siehe Michail Odincov: *Gosudarstvo i cerkov' v Rossii. XX vek.* Moskau 1994, S. 55.

56 Laut einem Bericht von 1936 war nur ein Drittel der offiziell nicht geschlossenen Kirchen in Betrieb. Staatsarchiv der Russischen Föderation (r-5263/1/32).

57 Dickinson: *Quantifying*, S. 330. Ausführliche Statistiken über die Kirchen in der RSFSR zeigen einen Rückgang von 39 530 Pfarreien im Jahr 1917 auf 950 im Jahr 1940 (d. h. 97,6 Prozent wurden geschlossen). In vielen Gegenden blieben keine oder höchstens einige Kirchen offen; 25 Oblaste hatten keine Kirchen, 20 Oblaste hatten fünf oder weniger. Die Zahl für die UdSSR insgesamt war höher (mit einem Rückgang von 73 806 im Jahr 1917 auf 8296 im Jahr 1940), aber die meisten dieser Kirchen befanden sich in den neueroberten Gebieten. Vgl. Michail Odincov: *Religioznye organizacii v SSSR nakanune i v gody velikoj otečestvennoj voiny 1941–1945 gg.* Moskau 1995, S. 6, 36–37.

ten, um gegen die Zwangsmaßnahmen als Verletzung der offiziellen politischen Richtlinien (die vorsahen, daß die Schließung einer Kirche «freiwillig» geschehen müsse) zu protestie-
ren. Die Zahl der Petitionen schoß von 2861 im Jahr 1928
auf 17 637 im Jahr 1930 in die Höhe (zusammen mit Tau-
senden von Gesandten, die zur Vertretung der Gemeinden geschickt wurden).[58] Dennoch griffen verzweifelte und wütende
Gemeindemitglieder auch zu nackter Gewalt; Aufstellungen
der Geheimpolizei über Massenunruhen wegen Kirchenschlie-
ßungen stiegen 1930 auf 1487 (11 Prozent aller Unruhen).[59]
Ein Tumult in dem Dorf Verovka, das gegen den Kirchen-
schließungsplan der örtlichen Behörden eine Petition einge-
reicht hatte und letztendlich die Geduld verlor, war typisch:
«Am 30. April verwandelten sich die Unruhen in eine Rebel-
lion. Eine Gruppe von eintausend Menschen aus dem Dorf
Verovka und umliegenden Gemeindedörfern erschien bei der
Kirche, vertrieb diejenigen, die die Kirche besetzt hatten, und
läutete die Kirchglocken Sturm. [...] Nach einem fünfstün-
digen Handgemenge errangen die Gläubigen die Kontrolle
über die Kirche.»[60] Der wütende Widerstand führte nicht
dazu, daß der Staat sein Ziel einer «totalen Entkirchlichung»
aufgab, wohl aber, daß er kurzfristig deutlich langsamer vorging.

Nach 1933 nahm das Tempo zu. Daraufhin formierte sich
unerbittlicher Gemeindewiderstand.[61] So beriefen sich die
Laien beispielsweise 1936 im Zusammenhang mit der Stalin-
Verfassung auf deren demokratische Rhetorik, um auf die

---

58 Siehe Gregory Freeze: *The Stalinist Assault on the Parish*, 1929–1941,
   in: Manfred Hildermeier (Hg.): *Stalinismus vor dem Zweiten Weltkrieg. Neue Wege der Forschung*. München 1998, S. 232.
59 Viktor Danilov et al. (Hg.): *Tragedija sovetskoj derevni. Kollektiviza-
   cija i raskulačivanie*. Moskau 1999–2006, Bd. 2, S. 788, 802.
60 Staatsarchiv der Russischen Föderation (r-5263/1/3, 53).
61 1935 erhielten die sowjetischen Behörden 15 560 Petitionen wegen
   des hohen Steuerniveaus für die Geistlichkeit und vor allem wegen der
   Schließung von Kirchen (ebd., r-5263/1/21).

Wiedereröffnung ihrer Kirchen und die Anerkennung ihrer religiösen Rechte zu pochen. Während der Wahlen zum Obersten Sowjet 1937 versuchten die Gemeindemitglieder, die neue «Demokratie» auszunutzen, um die Rückgabe von Kirchen zu verlangen und sogar Kleriker als Kandidaten zu nominieren.[62] Im berühmten Zensus desselben Jahres behaupteten 57,1 Prozent der RSFSR-Bevölkerung, an Gott zu glauben – unberührt von Furcht vor Vergeltung, was die Vermutung nahelegt, daß die tatsächliche Zahl deutlich höher lag.[63] Die Entkirchlichung hatte weder eine Entchristianisierung noch eine Disziplinierung der Gläubigen hervorgebracht.

Diese fromme Widerspenstigkeit der Laien war der direkte Hintergrund für die «religiöse Seite» des Großen Terrors – jenes Blutbad von 1937/38, das eine große Zahl von Priestern und Laien das Leben kostete. Es gibt keine präzisen Zahlen, und die Schätzungen variieren – wobei einige zu hoch gegriffen sind.[64] Es ist aber eindeutig, daß die *cerkovniki* eine der wichtigsten Gruppen unter den Verfolgten waren. Sie wurden explizit in der berüchtigten Direktive 00447 vom 31. Juli 1937 genannt, die die Quoten für Hinrichtungen und Verurteilungen zum Arbeitslagerdienst festsetzte. Glaubwürdige, auf unterschiedlichen Datensätzen basierende Schätzungen gehen davon aus, daß dem Terror 350000 Gläubige zum Opfer fielen, 60 Prozent davon Laien. Allein 1937 verhaftete die Polizei 150000 Gläubige; mehr als die Hälfte (80000) wurden zur «Höchststrafe» – Hinrichtung durch Erschie-

---

62 Siehe Freeze: *Stalinist Assault*, S. 228–229.
63 Akademija nauk SSSR: *Vsesojuznaja perepis' naselenija 1937 g. Kratkie itogi*. Moskau 1991, S. 106–107.
64 Nikolaj Emel'janov behauptet, daß fast eine Million Gläubige unterdrückt wurden, aber seine Schätzung beruht auf einem kleinen Datensatz (22000), von dem er ohne guten Grund mehrfach extrapoliert. Vgl. Nikolaj Emeil'janov: *Ocenka statistiki gonenij na Russkuju Pravoslavnuju Cerkov' (1917–1952 gg.)* (http://www.pstbi.ru/cgi-bin/code.exe/nmstat4.html?ans).

ßen – verurteilt.[65] Von den 353 074 Hingerichteten des Jahres 1937[66] machten Gläubige somit einen bedeutenden Teil aus – 23 Prozent.[67]

Manche Gegenden wurden total verwüstet. In Samara zum Beispiel führte der Große Terror zur Hinrichtung fast aller Kleriker, und die, die verschont blieben, verschwanden in den Untergrund der Katakombenkirche;[68] 1941 gab es in der Oblast Samara so gut wie keine Kirchen oder Kleriker mehr.[69] In Uljanovsk exekutierte der NKWD 267 Gläubige; die größte Hinrichtung – 55 Priester – ereignete sich am 17. Februar 1938.[70] Ein ähnliches Bild bietet sich in Ufa: 1937 verhaftete und exekutierte der NKWD die Bischöfe aller drei orthodoxen Gruppen (patriarchal, renovationistisch und autokephal) und schloß die meisten Kirchen (die Zahl der funktionsfähigen Kirchen sank von 393 im Jahr 1929 auf acht im Jahr 1941).[71] In der Oblast Swerdlowsk verhaftete die Polizei 1937/38 188

65 Michail Škarovskij: *Die russische Kirche unter Stalin in den 20er und 30er Jahren,* in: Manfred Hildermeier (Hg.): *Stalinismus vor dem Zweiten Weltkrieg.* München 1998, S. 249–250.

66 J. Arch Getty und Oleg V. Naumov: *The Road to Terror.* New Haven 1999, S. 588.

67 Für den Befehl Nr. 00 447 siehe Rolf Binner und Mark Junge: *Kak terror stal «bol'šim».* Moskau 2003, S. 84–93; Rolf Binner, Bernd Bonwetsch und Marc Junge: *Massenmord und Lagerhaft. Die andere Geschichte des Großen Terrors.* Berlin 2009, S. 36–57.

68 Nach (unvollständigen) offiziellen Angaben gab es 1936 4153 Untergrundkirchen – d. h. ungefähr ein Drittel der offiziellen orthodoxen Pfarrgemeinden. Die Katakombenkirche tauchte während des Zweiten Weltkrieges wieder auf, vor allem in den besetzten Regionen; ihre Rolle erklärt die rasche Wiederbelebung der Orthodoxen Kirche in den westlichen Gebieten (aber auch in den inneren Oblasten). Siehe Aleksej Beglov: *V poiskach «bezgrešnych katakomb».* Cerkovnoe podpol'e v SSSR. Moskau 2008, S. 69.

69 Aleksej Podmaricyn: *Vzaimootnošenija Russkoj Pravoslavnoj Cerkvi i gosudarstvennych organov v Samarskom regione (1917–1941).* Kandidatskaja dissertacija, Samara 2005.

70 Dickinson, *Quantifying,* S. 332.

71 Nail Abdulov: *Ufimskaja eparchija v sisteme gosudarstvenno-cerkovnych otnošenij, 1917–1991 gg.* Kandidatskaja dissertacija. Ufa 2006.

Kleriker, von denen 61,7 Prozent (darunter 13 Bischöfe) erschossen wurden.[72]

Damit hatte die Russisch-Orthodoxe Kirche 1941 so gut wie aufgehört zu existieren. Ihre Institutionen waren geschlossen, bis auf vier waren alle ihre Bischöfe erschossen oder in Arbeitslager verschleppt worden, die meisten Gemeindepriester waren entfernt worden oder geflohen, und fast alle Gemeindekirchen waren geschlossen, für andere Zwecke umgebaut oder einfach zerstört worden. Entkirchlichung und Entklerikalisierung schienen nun komplett und unumkehrbar zu sein.

Der Zweite Weltkrieg zwang das Regime zu einem partiellen Rückzug,[73] der zur Wiederherstellung einiger Kirchen und zur Ordination neuer Priester führte; zum Teil war dies die Folge einer neuen Flut von Petitionen von Gläubigen.[74] 1948 hatte die UdSSR wieder 14 329 Kirchen, die meisten in den neu annektierten Gebieten im Westen, aber durchaus auch in der RSFSR selbst.[75] Diese kriegsbedingten Zugeständnisse stellten sich allerdings als kurzlebig heraus: Während der nächsten vier Jahrzehnte führte das Regime nicht nur seine antireligiöse Propaganda weiter, sondern setzte auch konkrete Maßnahmen durch, Kirchen zu schließen, die Zahl der Prie-

72 Valerij Lavrionov: *Repressii v otnošenii Cerkvi na Urale v 1930-e gg.*, in: Vestnik Rossijskogo universiteta družby narodov. Seriia: Istoriia Rossii, 2009, Nr. 3, S. 54–64.

73 In der geschichtswissenschaftlichen Forschung werden Stalin verschiedene mögliche Motive zugeschrieben: der Einfluß der Alliierten (insbesondere der religiösen Lobby), die Forderungen der Bevölkerung in den neu annektierten Gegenden und die Erwartungen des Volkes in der RSFSR. Zum letzten Faktor vgl. Elena Zubkova: *Russia after the War.* Armonk 1998, S. 68–73.

74 Eifrige Gläubige schickten zahlreiche Petitionen zwecks Wiedereröffnung von Kirchen (23 793 in den Jahren 1944–1948), aber nur 5,3 Prozent der Anträge waren erfolgreich. Vgl. Tatiana Chumachenko: *Church and State in Soviet Russia.* Armonk 2002, S. 59.

75 Michail Škarovskij: *Russkaja Pravoslavnaja Cerkov' pri Staline i Chruščeve.* Moskau 2000, S. 398.

ster zu verringern und die Gläubigen einzuschüchtern. Dieser
Prozeß begann in der späten Stalin-Ära, fand seinen Höhepunkt unter Nikita Chruschtschow und führte zwischen 1945
(14 329) und 1965 (7551) zur Schließung von ungefähr der
Hälfte der Gemeinden.[76]

Chruschtschows Nachfolger setzten die antireligiöse Kampagne fort, allerdings maßvoller (1985 war die Zahl der Kirchen auf 6754 zurückgegangen).[77] Das Regime setzte außerdem Eltern unter Druck, auf religiöse Riten wie Taufen und
kirchliche Hochzeiten zu verzichten, indem es Pässe und
Unterschriften verlangte, und das wirkte sich auf den Kirch-
gang aus.[78] In Irkutsk zum Beispiel gingen Taufen zwischen
1958 und 1964 um 62 Prozent und kirchliche Hochzeiten
um 95 Prozent zurück.[79] Indem es Seminare schloß, erzeugte
das Regime sowohl einen Mangel an Priestern als auch einen Mangel an Bildung bei den Priestern. Berichte aus der
Mitte der 1970er Jahre zeigen, daß nur 2,3 Prozent der Priester eine Hochschulausbildung, 43,1 Prozent einen Sekundar-
schulabschluß, aber 54,5 Prozent lediglich einen Grundschul-
abschluß hatten.[80] Obgleich durch die Zwänge «öffentlicher

76 Ebd., S. 399. Die Anzahl der Priester und Diakone schrumpfte von
   11 846 (1948) auf 7347 (1965), der Seminare von 8 mit 585 Studenten (1950) auf 4 mit 388 Studenten (1964), der Klöster von 104 mit
   4632 Mönchen (1950) auf 16 mit 1500 Mönchen (1964). Vgl. Odincov: *Russkaja pravoslavnaja cerkov'*, S. 43.
77 Nathaniel Davis: *A Long Walk to Church*. 2. Aufl., Boulder 2003,
   S. 126. Nach Odincov (*Russkaja Pravoslavnaja Cerkov'*, S. 44) gab es
   1985 6806 registrierte Kirchen.
78 Vgl. Herbert Bodewig: *Die russische Patriarchatskirche. Beiträge zur
   äußeren Bedrückung und inneren Lage 1958–1979*. München 1988,
   S. 56–175.
79 Irina Smolina: *Irkutskaja eparchija v sisteme gosudarstvenno-cerkovnych otnošenij v 1950–1980-e gg.* Kandidatskaja dissertacija. Irkutsk
   2010. Die Anzahl der Taufen in der Oblast Irkutsk war 1958 fünfmal
   höher als 1987; der Anteil der Getauften unter allen Neugeborenen in
   dieser Oblast ging von 14 Prozent (1958) auf 4 Prozent (1985) zurück.
80 *Iz otčeta soveta po delam religii—členam CK KPSS*, in: Vestnik russ-
   kogo christianskogo dviženija 130 (1979), S. 298.

Diplomatie» eingeschränkt (ein Anschein von Religionsfreiheit war notwendig, um die Kirche für die außenpolitische
Agenda des Regimes einspannen zu können), hielt die Regierung die Amtskirche an einer kurzen Leine und infiltrierte
deren Apparat mit Agenten, die aus dem Klerus selbst rekru-
tiert wurden.

Kontinuierliche Entkirchlichung bedeutete allerdings nicht
Entchristlichung: Weder die Diskriminierung von Gläubigen
noch der Mangel an Kirchen und Klerus beendeten die
Volksorthodoxie. In Gegenden ohne Kirche nutzten Gläubige
außerkirchliche Räumlichkeiten, beispielsweise indem sie Riten in Friedhofskapellen zelebrierten, der Katakombenkirche
der «wirklichen orthodoxen Gläubigen» beitraten und Wall-
fahrten zu heiligen Stätten unternahmen.[81] Und die Hoffnung
auf Zugeständnisse blieb wach: Von der teilweisen Toleranz
und dem internationalen Druck auf das Regime während der
Entspannungsperiode (vor allem nach dem Vertrag von Hel-
sinki 1975) ermuntert, bombardierten Gläubige die Behörden
mit Petitionen zur Wieder- oder Neueinrichtung ihrer Kirchen.
Wo es noch Kirchen gab, gewannen die Laien 1961 die Kontrolle zurück: Unter dem Druck des Staates revidierte eine Bischofskonferenz das Kirchenstatut von 1945 und gab Laien
exklusive Kontrolle über den Gemeindesowjet.[82] Die Gläubigen waren ihren Gemeinden gegenüber großzügig; in der Oblast Rjazan beispielsweise beliefen sich die Spenden für örtliche Gemeinden auf 1,5 Millionen Rubel – 50 Prozent mehr als
die Mitgliedsbeiträge, die hier an die Parteiorganisation ge-
zahlt wurden.[83] Aktivisten trugen den Kampf in den Gerichts-
hof der öffentlichen Meinung: Orthodoxe Dissidenten verur-

81 Jurij Geraskin: *Vzaimootnošeniia Russkoi Pravoslavnoj Cerkvi,
    obščestva i vlasti v konce-1930-ch-1991 gg. (na materialach oblastej
    Central'noi Rossii).* Doktorskaja dissertacija. Moskau 2009.
82 Hauptmann/Stricker (Hg.): *Die Orthodoxe Kirche,* S. 767–773, 824–
    825.
83 Geraskin: *Vzaimootnošenija.*

teilten nicht nur die antireligiöse Politik des Regimes, sondern auch die Kooperation der Bischöfe mit der Polizei. Berühmt wurde der «offene Appell» der Dissidentenpriester Gleb Jakunin und Nikolaj Ešliman aus dem Jahr 1965,[84] und im darauf folgenden Jahrzehnt sollte die Dissidentenliteratur stetig wachsen (wobei religiöse Proteste die Hälfte der anschwellenden Flut von Untergrund-/Samizdat-Schriften ausmachten).[85] Wenngleich die Jahresberichte der mit der Überwachung der orthodoxen Kirche betrauten sowjetischen Behörden von «Erfolg» sprachen, zeigten sie doch, daß das Regime auf bedeutenden Widerstand traf und daß die Volksfrömmigkeit standfest, wenngleich privat und von der Öffentlichkeit verborgen blieb.[86]

Von der *Perestroika* zum religiösen Boom

Michail Gorbatschows sieben Jahre als Generalsekretär bedeuteten das Ende der «erzwungenen Säkularisierung» und den Beginn einer neuen, positiveren Beziehung zwischen Staat und Kirche. Ein Vorbote dieses Wandels war der Dokumentarfilm *Die Kirche (Chram)*, der 1987 im staatlichen Fernsehen gesendet wurde und den Klerus durchaus wohlwollend darstellte. Während des nächsten Jahres traf sich Gorbatschow mit dem Patriarchen und ranghohen Prälaten, begrüßte die Tausendjahrfeier der Christianisierung Rußlands im Jahr 1988 und gestattete der Kirche, ihr Netzwerk von Gemeinden, Klö-

---

84 Siehe den offenen Brief von Gleb Jakunin und N. Ešliman an den Patriarchen (21. November 1965) in Hauptmann/Stricker (Hg.): *Die Orthodoxe Kirche*, S. 840–848.

85 Zoe Knox: *Russian Society and the Orthodox Church*. London 2005, S. 53. Beispiele aus dem Samizdat-Archiv gibt Bodewig: *Die russische Patriarchatskirche*, S. 232–244.

86 Vgl. den statistischen Bericht von 1984 bei Felix Corley: *Religion in the Soviet Union: An Archival Reader*. New York 1996, S. 294–303.

stern und Seminaren zu erweitern. So wuchsen die registrierten Gemeinden während der *Perestroika* um 49,5 Prozent (von 6806 im Jahr 1985 auf 10110 im Jahr 1990).[87] Das Regime gestattete dem Patriarchen außerdem die Einberufung eines neuen Kirchenkonzils im Jahr 1988; es annullierte u. a. die Resolution von 1961 und stellte die Kontrolle des Klerus über die Gemeinde wieder her.[88]

Das institutionelle Wachstum der Kirche nach 1991 war außerordentlich hoch. Trotz akuter Finanzprobleme, vor allem während der katastrophalen «Schocktherapie» der 1990er Jahre, hat die Kirche die Zahl der Gemeinden, Kleriker, Seminare, Klöster und Diözesen drastisch erhöht. Die ersten Daten für den postsowjetischen Ausbau der Gemeinden mögen übertrieben sein (bis zu einem Drittel bestehen nur auf dem Papier), aber das Wachstum ist dennoch bemerkenswert – über 300 Prozent zwischen 1990 und 2012 (von 10110 im Jahr 1990 auf 30675 im Jahr 2012).[89] Die Amtskirche, die in den 1920er Jahren sämtliche ihrer Medienorgane verloren hatte, besitzt heute wieder eine stolze Bandbreite von religiösen Verlagen, mehrere hundert Zeitschriften, und es gibt 3500 orthodoxe Webseiten.[90]

---

87 Odincov: *Russkaja Pravoslavnaja Cerkov'*, S. 44.

88 Bedeutsam war die Entscheidung des Kirchenkonzils von 1988, die Rechte der Bischöfe und Priester wieder zu stärken und die Machtbefugnisse der Laien dementsprechend zu reduzieren. Vgl. http://drevo-info.ru/articles/print/17772.html.

89 Jüngsten Berichten zufolge (die, wie für die gegenwärtige Kirchenverwaltung typisch, sehr spärlich sind) hat die Kirche 33174 Pfarrgeistliche (29324 Priester and 3850 Diakone), 805 Klöster (398 männliche, 407 weibliche), 5 Akademien, 2 Universitäten, 47 Seminare, und 37 niedere geistliche Ausbildungsstätten. Vgl. http://drevo-info.ru/articles/11316.html; http://www.korkino.su/news-34.html; *Iz doklada Patriarcha Moskovskogo i vseja Rusi Kirilla na Archierejskom Sobore Russkoj Pravoslavnoj Cerkvi 2 fevrala 2011 goda* (http://222.pravoslavie.ru/put/44498.htm).

90 Vgl. Sophia Kishkovsky: *In Russia, a Religious Revival Brings New Life to Orthodox Media*, in: New York Times, 21. Dezember 2008.

Besonders dramatisch ist der von russischen und internationalen Umfragen nachgewiesene Anstieg der Religiosität: Sieben Jahrzehnte Sowjetherrschaft konnten die Volksorthodoxie nicht ausrotten.[91] Einer Umfrage zufolge ist beispielsweise der Anteil derjenigen, die sich selbst als «Orthodoxe» bezeichnen, zwischen 1990 und 2006 von 43,8 auf 73,6 Prozent gestiegen.[92]

Aber die Nachwirkungen der Entkirchlichung sind spürbar: Die Stärkung der Laien erlaubte der Orthodoxie zwar, durch Entkirchlichung, den Großen Terror, Diskriminierung und atheistische Propaganda hindurch selbst ohne Gemeindekirche und -priester zu überleben, führte jedoch gleichzeitig zur Entstehung einer «alternativen», außerkirchlichen Orthodoxie, die noch immer die Oberhand hat. Das heutige Rußland ist ein Beispiel für «Glauben ohne Kirchenbindung»; trotz der Vermehrung der Kirchen bleiben die meisten Gläubigen in Distanz zur Kirche als Institution – sie besuchen nur selten Gottesdienste und nur wenige empfangen die Sakramente.[93] Einige Indikatoren:

---

91 Eine gute Zusammenfassung bietet Boris Dubin: *Massovaja religioznaja kul'tura v Rossii (tendencii i itogi 1990-ch godov)* (http://ecsocman.hse.ru/data/758/972/1219/05_dubin-35–44.pdf).

92 Diese Daten beruhen auf dem World Values Survey (s.o., Anm. 2). Einige Untersuchungen und Umfragen zeigen einen noch niedrigeren Ausgangspunkt im Jahr 1990 – z.B. 24 Prozent bei Greg Simons: *The Role of the Russian Orthodox Church in Russia since 1990*. Lewiston 2009, S. 61.

93 Die allgemeine Tendenz – Selbstidentifizierung als Orthodoxe bei sehr niedrigem Niveau der Kirchenmitgliedschaft – war schon unmittelbar nach dem Zerfall der UdSSR erkennbar. Vgl. Andrew Greeley: *A Religious Revival in Russia?*, in: Journal for the Scientific Study of Religion 33 (1994), S. 253–272. Eine frühe wissenschaftliche Umfrage von VCIOM zeigt, daß von 1990 bis 1996 über die Hälfte der nach eigener Auskunft «Orthodoxen» nie in die Kirche gegangen sind und 68 Prozent nie am Abendmahl teilgenommen haben. Die Forscher gelangten zum Schluß, daß 82–85 Prozent der «Orthodoxen» nicht praktizierende Gläubige waren. Siehe Anastasija Mitrofanova: *The Politicization of Russian Orthodoxy*. Stuttgart 2005, S. 124–125.

2006 nahmen nur 4,5 Prozent mindestens einmal wöchentlich an einem Gottesdienst teil, 34,3 Prozent hatten so gut wie
nie teilgenommen und der Rest nur sporadisch (meistens an
den hohen Feiertagen).[94]

Eine Umfrage vom Februar 2012 zeichnet ein ähnliches Bild
bezüglich des Kirchgangs und bemerkt dazu, daß die Gläubigen meistens nur kurz in die Kirche kommen, um Kerzen vor
verehrten Ikonen anzuzünden (86 Prozent), und nicht, um zu
beten (39 Prozent).[95]

Polizeiberichte über den Gottesdienstbesuch an hohen Feiertagen weisen auf bemerkenswert niedrige Besucherzahlen
hin. In ganz Moskau erschienen beispielsweise zur Ostermesse
2012 nur 186 000 Menschen (1,5 Prozent der Gesamtbevölke-
rung) und lediglich halb so viele zu den Weihnachtsmessen.[96]

Bemerkenswerterweise bezeichnen sich «Orthodoxe» selbst
mehrheitlich als «Christen im allgemeinen» (51 Prozent) oder
«Orthodoxe im allgemeinen» (23 Prozent); weniger als ein
Viertel der «Orthodoxen» bekennen sich zur Moskauer Patri-
archalkirche (22 Prozent). (Der Rest verteilt sich auf verschiedene Unter- und Splittergruppen.)[97]

Nur sehr wenige beten täglich, halten die Fastenzeit ein oder
nehmen am Abendmahl teil. Eine Umfrage von 1999 zeigte
zum Beispiel, daß 53 Prozent der Befragten noch nie und nur
4 Prozent innerhalb des letzten Monats am Abendmahl teilgenommen hatten. Eine Umfrage zur Fastenzeit 2011 kam zu
dem Ergebnis, daß 83 Prozent weiter ihren normalen Eßge-

---

94 Laut World Values Survey (s.o., Anm. 2).
95 *Začem rossijane prichodjat v chram?*, VCIOM, 27. Februar 2012
    (http://wciom.ru/index.php?id=515&uid=112543).
96 *Opublikovany dannye o količestve posetivšich paschal'nye bogos-
    luženija v 2012 god* (http://www.sova-center.ru/religion/discussions/
    how-many/2012/04/d24192); *Novyi ‹antirekord› poseščaemosti
    Roždestvenskich bogosluženij v Moskve* (http://www.portal-credo.ru/
    site/print.php?act=news & id=89003).
97 Kimmo Kaariainen: *Religion in Russia after the Collapse of Commu-
    nism.* Lewiston 1998, S. 151.

wohnheiten folgten, 13 Prozent die Fastenregeln teilweise und nur 2 Prozent vollkommen beachteten. (Die übrigen 3 Prozent machten keine Angaben.)[98]

Die Unwissenheit vieler Gläubiger ist fast schon sprichwörtlich. 20 Prozent wissen nicht, wann die Fastenzeit ist oder gar was sie bedeutet und welche Konsequenzen sie nach sich zieht. Laut einer Umfrage im Jahr 2008 konnten 27 Prozent der Orthodoxen nicht einmal eines der zehn Gebote nennen.[99]

Eine Umfrage im Januar 2012 ergab, daß lediglich 15 Prozent in irgendeiner Verbindung zu einer Kirchengemeinde stehen und daß bloß ein Prozent eine solche aktiv aufrechterhält.[100]

Obwohl außergewöhnliche Ereignisse (z. B. die Schau der verglasten Reliquie des Gürtels der Muttergottes) große Massen anziehen und auf weitverbreitete Spiritualität hindeuten,[101] lassen solche Phänomene nicht auf eine spezielle Kirchenbindung schließen: Natürlich wurde die Reliquie in einer Kathedrale gezeigt, aber es war eben die Reliquie und nicht das alltägliche Glaubensleben der Gemeinde, die eine 4,5 Kilometer lange Warteschlange von Anbetern hervorbrachte.

All diese Umfragedaten führen zu derselben Schlußfolgerung: Die Mehrheit der Bevölkerung beschreibt sich selbst als orthodox, aber nur zwei bis vier Prozent gehen regelmäßig in die Kirche, nehmen an Riten teil und lesen religiöse Literatur –

---

98 Nikolaj Mitrochin: *Russkaja pravoslavnaja cerkov'*. Moskau 2004, S. 37; *Kto i kak sobljudal velikii post*, in: VCIOM, 25. April 2011 (http://wciom.ru/index.php?id=515&uid=111550).

99 *Četvert' pravoslavnych rossijan ne znajut ni odnoi iz desiati zapovedej*, in: Lenta, 28. April 2008 (http://lenta.ru/news/2008/04/28/darkage/).

100 *V prichodskoj žizni učastvuet 1% pravoslavnych rossijan*, in: Newsland, 11. Januar 2012 (http://www.newsland.ru/news/detail/id/863729/).

101 *In Russian Chill, Waiting Hours for a Touch of the Holy*, in: New York Times, 23. November 2011.

und können somit als *vocerkovlennye* (verkirchlichte) Gläubige bezeichnet werden. Der Rest nimmt am Gottesdienst bestenfalls an hohen Feiertagen teil und sporadisch an Sakramenten wie dem Abendmahl; Kleriker bezeichnen sie eher geringschätzend als *zachožane* («die Unangemeldeten»),[102] die höchstens einmal vorbeischauen, um eine Kerze vor ein oder zwei «nützlichen» Ikonen anzuzünden, und dann wieder gehen, ohne von der Liturgie auch nur Notiz zu nehmen.[103] Eine Studie von 2009 malt das folgende Bild: «Der Tatsache zum Trotz, daß mehr als zwanzig Jahre seit der Legalisierung der Religion in der UdSSR vergangen sind, kommt der Prozeß der Wiederverkirchlichung der Bewohner Rußlands nur im Schneckentempo voran.»[104]

Der interne Kirchenkampf und die Politik

Die Ära der sowjetischen Entkirchlichung ist vorbei, aber die große Mehrzahl der Gläubigen ist zu dem wiedereröffneten Netzwerk von Gemeindekirchen nicht zurückgekehrt. Diese Mentalität eines «Glaubens ohne Kirchenbindung» hat zwei wesentliche Konsequenzen für die Rolle von Religion und Politik im heutigen Rußland gehabt: zum einen deutliche und wachsende Kritik an der Kirche, dem Klerus und dem Patriarchen persönlich, zum anderen die dadurch hervorgerufene Tendenz der Amtskirche, das Putin-Regime noch intensiver zu bejahen und wegen politischer und finanzieller Unterstützung zu

---

102 Der abwertende Neologismus «zachožane» leitet sich von den Wörtern «*zacho*dit'» (vorbeikommen) und «prichožane» (Gemeindemitglied) ab.

103 Mitrochin, *Russkaja pravoslavnaja cerkov'*, S. 38–39. Vgl. auch eine Analyse von 2011 in: *Skol'ko pravoslavnych v Rossii?*, in: VCIOM, 2. April 2010 (http://wciom.ru/index.php?id=269&uid=13381).

104 *Nedovocerkovlennye. Liš' 3% pravoslavnych v Rossii eždenedel'no poseščajut chram* (http://www.portal-credo.ru/site/print.php?act=news & id=71540).

umwerben. Dieser Umstand hat wiederum zu einer wachsenden Politisierung der russischen Orthodoxie geführt.

Interessanterweise sind nicht nur Ungläubige, sondern auch
Gläubige zu scharfen Kritikern der Kirche geworden. Eine
Schlüsselfrage ist dabei die Entmachtung der Laien; seit 1988
hat der Klerus immer stärker seine Überlegenheit gegenüber
den Laien betont. In einem unveröffentlichten Aufsatz beklagt
ein frommer Laie, daß die im Jahr 2000 beschlossene Kirchen-
verfassung dem Bischof «breite, wenn nicht gar absolute» Autorität über die Gemeinde verleiht: Der Bischof kann kurzfristig und ohne Begründung Priester ernennen oder entfernen,
dominiert die Gemeindeversammlung und den Gemeinderat
und hat enorme Kontrolle über die Gemeindefinanzen. Innerhalb der Gemeinde ist nun der Priester der Chef (*chozjain*): Er
ist ex officio Vorsitzender des Gemeinderates und ist berechtigt, nach eigenem Ermessen über die Gemeindefinanzen zu
verfügen (und dies bei minimalen Kontrollmöglichkeiten
durch die anderen Mitglieder). Ohne Erfolg haben Gläubige
die Kirche gedrängt, die Gemeinde wieder in ihre Rechte und
Befugnisse einzusetzen. So geißelt beispielsweise die «Erklärung über die Kirchenrechte der orthodoxen Gemeinschaften
und Eparchien» (2010) die Amtskirche, indem sie warnt, daß
die «Klerikalisierung» die spirituelle Erneuerung erstickt, und
argumentiert, daß die bischöfliche Elite – wie ein «Metropolit-
büro» (ein Wortspiel, das den klerikalen Rang des «Metropo-
liten» mit dem alten kommunistischen Politbüro verbindet) –
dem Gemeindeleben einen Schlag verpaßt habe. Die Erklärung
verlangt, die Oligarchenherrschaft in der Kirche zu beenden
und die Gemeinderechte wieder einzuführen (inklusive des
Rechts der Wahl nicht nur der Priester, sondern auch des
Bischofs).[105] Solche Ansinnen stoßen auf taube Ohren: Die

---

105 Gleb Yakunin und Lev Regelson: *Document: Declaration on the
   Church Rights of Orthodox Communities and Eparchies* (http://
   www.portal-credo.ru/site/?act=english & id=383).

Konservativen innerhalb der Kirche verteidigen die Befugnisse der Bischöfe und die Unantastbarkeit des Kirchenrechts und der Tradition auf das schärfste; sie geißeln Reformer öffentlich als «Renovationisten» – jene liberalen Kleriker der 1920er Jahre, die noch immer Anathema in der Amtskirche sind. Solche Einstellungen durchziehen das durchaus informative, aber höchst polemische Kapitel über die Gemeinde in der offiziösen Orthodoxen Enzyklopädie, die im Jahr 2000 unter der Generalherausgeberschaft von Patriarch Aleksij II. veröffentlicht wurde.[106]

Ein zweiter Kritikpunkt der Gläubigen ist zügellose Korruption. Der schon zitierte unveröffentlichte Aufsatz eines devoten Laien beschreibt eine Kirche, die aus einer Geschichte von Gogol stammen könnte: Bischöfe mißbrauchen ihre Untergebenen, und die Priester selbst haben sich in einem Netz von Bestechung, Erpressung, Nepotismus und Veruntreuung verheddert. Der Verfasser schreibt diese weitverbreitete Korruption der Machtlosigkeit der Gemeinden und der unbeschränkten Macht der Bischöfe und Priester zu.[107] Korruptions- und Selbstbereicherungsvorwürfe machen selbst vor Patriarch Kirill nicht halt. In den Medien werden unter anderem die Behauptungen verbreitet, daß er, als hochrangiger Funktionär in der Verwaltung seines Vorgängers, eine Rolle in jener berüchtigten Episode gespielt habe, in der die Kirche sich im steuerfreien Alkohol- und Tabakimportgeschäft betätigte, und daß er eine Vorliebe für die feineren Seiten des Lebens habe – Luxusapartments im Zentrum von Moskau und Sankt Petersburg, eine 30 000-Euro-Armbanduhr (die die Behörden vergeblich vor der Öffentlichkeit zu verbergen suchten), eine Limousinenflotte, eine Villa in der Schweiz, von der aus er seiner

---

106 Vgl. Aleksandr Žuravskij: *Prichod v Russkoj Pravoslavnoj Cerkvi. XX v.*, in: *Pravoslavnaja enciklopedija*. Moskau 2000, Bd. 1, S. 276–294.

107 *Sovremennaja prichodskaja žizn'* (Manuskript, 28. Februar 2012). Vgl. Mitrochin: *Russkaja Pravoslavnaja Cerkov'*, S. 121–173.

Leidenschaft für alpinen Skisport nachgehen kann, und ein
Gesamtvermögen, das auf vier Milliarden Dollar geschätzt
wird.[108] Diesen Berichten zufolge scheint Kirill als Patriarch
zugleich Oligarch zu sein. Unabhängig davon, inwiefern diese
Berichte in den Einzelheiten wahr sind, bestätigen sie den Verdacht, daß die Kirche hoffnungslos und bis in die höchsten
Führungsriegen hinein korrumpiert ist.[109]

Angesichts dieser Situation der Kirche, die von manchen als
eine «gigantische Firma» – mit einem Jahresumsatz von mehreren hundert Millionen (aber ohne transparente Buchhal-
tung) – beschrieben wird, regt sich unter einigen Gemeindemitgliedern Widerstand. Gläubige in Viatka beispielsweise
reichten eine formale Klage gegen die Entscheidung des örtlichen Bischofs ein, die Preise für Kerzen und verschiedene
Riten um ein vielfaches zu erhöhen (z. B. den Preis für eine
Taufe auf 25 Dollar), «ohne die Kaufkraft der Bevölkerung
zu berücksichtigen».[110] Vielfach meiden Gläubige einfach die
Kirche. Sie treten weder einer Gemeinde bei, noch unterstützen sie sie finanziell. Daher existieren viele Kirchen nur auf
dem Papier: Der Bischof segnet einen Grundstein, aber der
eigentliche Bau geht danach nur schleppend voran. Und überall gibt es einen klaffenden Gegensatz zwischen dem fabel-
haften Reichtum einiger Gemeinden, die einen Oligarchen unter ihren Mitgliedern haben oder sich in einer wohlhabenden

---

108 Siehe *Portret,* Portal-Credo, 3. Dezember 2008 (http://www.portal-
credo.ru/site??act=rating & id=30); *Agent-KGB ‹Mikhailov› princi-
pial'no ne vstupal v pionery i v komsomol,* in: Moskovskij komso-
molec, 30. Januar 2009; *Tabačnyj mitropolit,* in: ebd., 18. Februar
1997.
109 Vgl. die Beschreibung der fundamentalistischen Bewegung in der
Kirche bei Irina Papkova: *The Orthodox Church and Russian Politics.* New York 2011, S. 10, 60–67. Die Fundamentalisten haben
auch die Kanonisierung von Ivan dem Schrecklichen, Grigorij Ras-
putin und sogar Stalin verlangt (ebd., S. 193–196).
110 *Verujuščie Vjatskoj eparkhii RPC MP otkazalis' počiniat'sja novoj
ekonomičeskoj politike svoego archiereja* (http://www.portal-credo.
ru/site/print.php?act=news & id=84641).

Wohngegend befinden, und der großen Masse der verarmten Gemeinden, in denen das Kirchengebäude baufällig ist und die Priester mittellos sind.[111]

Der dritte große Kritikpunkt ist die enge Zusammenarbeit des Klerus und vor allem höherrangiger Prälaten mit dem säkularen Staat. Diese Kritik kann man in die Sowjetzeit zurückverfolgen, als viele Kleriker willentlich oder unwillentlich mit den staatlichen Organen, darunter die Geheimpolizei, zusammenarbeiteten. In früheren Jahren war dies lediglich ein weitverbreiteter, aber unbewiesener Verdacht, doch die freiere Presse der *Perestroika* veröffentlichte eine Flut von Dokumenten, die zeigten, daß viele – selbst die Patriarchen – KGB-Agenten mit solchen Decknamen wie «Drozdov», «Altar» und «Michajlov» waren.[112] In letzter Zeit haben sich die Kritiker allerdings stärker auf die engen Verbindungen zwischen Kirche und Staat konzentriert, als das Patriarchat versuchte, eine Reihe von Zielen durchzusetzen – u. a. obligatorischen Religionsunterricht,[113] Restriktionen für Missionare anderer Glaubens-

111 Mitrochin: *Russkaja Pravoslavnaja Cerkov'*, S. 121–136; Anatolij Černjaev: *Duchovnye investicii s material'nymi dividendami*, in: Nezavisimaja gazeta, 18. Januar 2012.

112 Siehe Gleb Jakunin: *First Open Letter to Patriarch Aleksi II*, in: Religion, State and Society 22 (1994), S. 311–316; Gleb Jakunin: *Podlinnyi lik Moskovskoj patriarkhii*. Moskau 1995. Siehe auch Georgii Edelshtein: *The Election of a Patriarch – Crossroads or Dead-End?*, in: Religion in Communist Lands 18 (1990), S. 270; *The KGB, the Moscow Patriarch, and the State of the Russian Orthodox Church*, in: Glasnost 13 (1988), S. 2–9; *Deklaracija mitr. Sergija i sovremennaja cerkov'*, in: Nezavisimaja gazeta, 29. Juli 1992; Corley: *Religion in the Soviet Union*, S. 361–367; Serge Schmemann: *Patriarch's Church Revives, But Will It Spiritually?* in: New York Times, 9. November 1991.

113 Siehe Papkova, *The Orthodox Church*, S. 93–116. Wichtig war der Protest von zehn Akademikern gegen die «Klerikalisierung» im Juli 2007. Vgl. Simons: *The Role*, S. 62–63; Nikolaj Mitrochin: *Klerikalizacija obrazovanija i reakcija sovremennogo rossijskogo obščestva*. (http://www.humanism.al.ru/ru/articles.phtml?num=000230). Auffallend ist die Tatsache, daß die Mehrheit der Orthodoxen wenig Interesse an spezifisch kirchlichem Religionsunterricht zeigt. Laut einer

richtungen, die Einrichtung einer Militärgeistlichkeit, neue
Beschränkungen bei Abtreibungen in einem fortgeschrittenen
Schwangerschaftsstadium,[114] die Rückgabe von kirchlichem
Eigentum[115] und finanzielle Unterstützung verschiedener Kir-
chenprojekte.[116] Die Position der Kirche zu ihrer politischen
Rolle ist widersprüchlich: Einerseits hat sie kategorisch erklärt,
daß sie «außerhalb der Politik» bleiben müsse, andererseits
aber auch betont, daß die Kirche eine Rolle bei diversen politischen, ökonomischen und sozialen Fragen und Entscheidungen
spielen sollte.[117] Der Konflikt zwischen der Kirche einerseits
und den unkirchlichen Gläubigen und der Gesellschaft im weiteren Sinne andererseits hat in den letzten Jahren ein noch nie
dagewesenes Ausmaß erreicht. Putin versuchte von Anfang an,
die Verbindung zwischen Staat und Kirche zu stärken und zu
betonen, um die traditionelle religiöse Identität des Staates hervorzuheben, die deutlich gewachsene Religiosität auszunutzen
und seine persönliche Popularität zu fördern.[118] Während seine

Umfrage ziehen 53 Prozent der Orthodoxen einen allgemeinen, nicht-
kirchlichen Ethik- und Religionsunterricht vor. *Zakon božii ili svets-
kaia etika: čemu učit' detej v škole,* in: VCIOM, 14. September 2009
(http://wciom.ru/index.php?id=515&uid=12442).

114 Obwohl die Staatsduma die Abtreibung auf die ersten zwölf Wochen
der Schwangerschaft begrenzt hat, ist es der Kirche nicht gelungen,
weitere Einschränkungen durchzusetzen. Vgl. *Russian Abortion Re-
strictions Adopted,* in: New York Times, 21. Oktober 2011.

115 Im Jahr 2010 erhielt die Kirche neue Zugeständnisse bezüglich der
Rückgabe von Eigentum. Vgl. Sophia Koshkovsky: *Russia to Return
Church Property,* in: New York Times, 23. November 2010.

116 Zur Soziallehre der Kirche vgl. Josef Thesing/Rudolf Uetz (Hg.):
Die Grundlagen der Sozialdoktrin der Russisch-Orthodoxen Kirche.
St. Augustin 2001.

117 Der gegenwärtige Patriarch, Kirill, hat diesen Standpunkt noch am
Ende der *Perestrojka* eingenommen. Siehe Kirill: *Cerkov'v otnošenii
k obščestvu v uslovijach perestrojki,* in: Žurnal moskovskoj patriar-
chii, 1990, Nr. 2, S. 32–38. Siehe auch Anastasia Mitrofanova: *The
Politicization of Russian Orthodoxy.* Stuttgart 2005.

118 Beth Admiraal: *A Religion for the Nation, or a Nation for the Religion,* in: Marlene Laruelle (Hg.): *Russian Nationalism and the National Reassertion of Russia.* New York 2009, S. 205, 211.

Zustimmungsrate, besonders nach den Wahlen von 2011/12, deutlich gesunken ist, ist sein Rückhalt unter Orthodoxen interessanterweise stärker geworden.

Abgesehen von weitverbreiteten Klagen über die unziemliche Einmischung in die Politik und über das Versagen der Kirche, eine Demokratisierung (und nicht eine Putinisierung) zu unterstützen, entwickelte sich im Februar 2012 eine *cause célèbre*, als eine feministische Band (mit einem skatologischen englischen Namen) den Altar der Hauptkathedrale in Moskau stürmte und ein «Punk-Gebet» zelebrierte, das die Kirche für ihre Verbindungen zum Putin-Regime geißelte.[119] Der nachfolgende Aufruhr beschäftigte Kirche und Gesellschaft über Wochen, und viele Gläubige und sogar einige Kleriker mahnten den Staat, die Strafverfolgung einzustellen oder zumindest Androhungen einer Bestrafung der Täterinnen in einem Arbeitslager zurückzunehmen.[120] Aber die Kirche blieb standhaft, veröffentlichte eine

---

119 Das «Punk-Gebet» war vor allem gegen Putin, aber auch gegen den Patriarchen gerichtet: «Mutter Gottes, du Jungfrau, vertreibe Putin! Vertreibe Putin, vertreibe Putin! Schwarzer Priesterrock, goldene Schulterklappen – alle Pfarrkinder kriechen zur Verbeugung. Das Gespenst der Freiheit im Himmel. Homosexuelle werden in Ketten nach Sibirien geschickt. Der KGB-Chef ist euer oberster Heiliger. Er steckt die Demonstranten ins Gefängnis. Um den Heiligsten nicht zu betrüben, müssen Frauen gebären und lieben. Göttlicher Dreck, Dreck, Dreck! Göttlicher Dreck, Dreck, Dreck! Mutter Gottes, du Jungfrau, werde Feministin, werde Feministin, werde Feministin! Kirchlicher Lobgesang für die verfaulten Führer – Kreuzzug aus schwarzen Limousinen. In die Schule kommt der Pfarrer. Geh zum Unterricht – bring ihm Geld. Der Patriarch glaubt an Putin. Besser sollte er, der Hund, an Gott glauben. Der Gürtel der Seligen Jungfrau ersetzt keine Demonstrationen – die Jungfrau Maria ist bei den Protesten mit uns! Mutter Gottes, du Jungfrau, vertreibe Putin! Vertreibe Putin, vertreibe Putin!» *Das Punk-Gebet der russischen Frauenband Pussy Riot* (http://aktuell.evangelisch.de/artikel/5908/das-punk-gebet-der-russischen-frauenband-pussy-riot?destination=node/590).

120 Einer Reihe von Umfragen zufolge ist der Anteil derjenigen, die eine harte Bestrafung (2 bis 7 Jahre Gefängnis) fordern, immer weiter gesunken, von 46 auf 33 Prozent. Im Gegenzug ist die Gruppe derjeni-

Erklärung, in der der übermütige Angriff als Entweihung und Blasphemie verdammt wurde, forderte die Gläubigen zur Verteidigung der Kirche auf und hielt im April 2012 eine Prozession zur Verteidigung der Orthodoxie ab.[121] Auch wenn Patriarch Kirill versucht, einen mäßigenden Einfluß auszuüben (etwa mit dem Ratschlag an die Regierung, die Forderungen der Opposition ernst zu nehmen), wird die postsowjetische Kirche immer öfter mit dem säkularen Staat identifiziert und wird von ihm abhängiger[122] – vielleicht nicht aus freien Stücken, sondern lediglich, weil es ihr nicht gelungen ist, ihre Herde wieder in die eifrig neuerrichteten Kirchen zurückzulocken.

gen, die eine solche Strafe als unverhältnismäßig charakterisieren, von 35 auf 43 Prozent angewachsen, und auch die Position, daß die Band gar keine strafbare Handlung begangen habe, hat an Zuspruch gewonnen (mit einem Zuwachs von 9 auf 15 Prozent). *Rossijane o dele Pussy Riot* (http://www.levada.ru/31–07–2012/rossiyane-o-dele-pussy-riot). Eindrucksvoll war die kollektive Internetpetition mit 30 000 Unterschriften, die die Befreiung von Pussy Riot forderte. *Obraščenie za osvoboždenie učastnic gruppy Pussy Riot podpisali bolee 30 tys. čel.*, in: Nezavisimaja gazeta, 2. Juli 2012. Der Skandal hat internationales Aufsehen erregt; die regelmäßige Berichterstattung darüber betont die enge Zusammenarbeit zwischen Regime und Kirche bei der Verfolgung der feministischen Rockband. Vgl. Ellen Barry und Andrew Roth: *Punk Band Feels Wrath of a Sterner Kremlin*, in: New York Times, 20. Juli 2012.

121 *Obraščenie Vysšego Tserkovnogo Soveta RPC*, 9. April 2012 (http://www.patriarchia.ru/db/print/2135736.html). Zur Kritik dieser harten Linie vgl. *Otkrytoe pis'mo patriarchu po delu Pussy Riot* (http://grani.ru/Society/Religion/m196487.phtml). Am 17. August 2012 wurden die drei Frauen zu jeweils zwei Jahren in einer Strafkolonie verurteilt.

122 Gelegentlich hat die Kirche sich kritisch zu politischen Fragen geäußert, wie beispielsweise in einer Mahnung, daß die Regierung den Forderungen der Opposition größere Beachtung schenken sollte. Vgl. *Russian Church's Patriarch Calls for Dialogue*, in: New York Times, 7. Januar 2012. Allerdings hat Patriarch Kirill seitdem wiederholt seine enge Verbindung zum Putin-Regime hervorgehoben. So begrüßte er Putins Wiederwahl als Präsident am 4. März 2012 als Beleg dafür, daß Rußland den Weg einer «stabilen Entwicklung» gewählt habe. Vgl. Interfaks, 5. März 2012 (http://www.interfax-religion.ru/print.php?act=news & id=44457).

HILLEL FRADKIN

Die lange Suche nach dem Islamischen Staat

Religion und Politik im Islam und die Dynamik der Gegenwart

«Für den Islam gibt es keine Unterscheidung zwischen Religion und Politik». Diese zum Gemeinplatz gewordene Aussage antwortet auf die von muslimischen Führern häufig gebrauchte Formel: «Im Islam gibt es keine Religion und keinen Staat». Sie findet auch in der Gründung des Islams und in einigen seiner wichtigsten Lehren eine starke Unterstützung. Tatsächlich hat die Einheit von Religion und Politik einen alles überwölbenden Rahmen für das muslimische Selbstverständnis geliefert, und der Versuch, sie zu erreichen, spielte in der muslimischen Geschichte eine große Rolle. Er tut es noch heute, ja er wird heute mit neuer Energie betrieben.

Doch die allgemeine Ausrichtung an der Einheit von Religion und Politik läßt im Unklaren, was sie historisch und konkret bedeutet – welcher Art das Verhältnis zwischen der Doktrin oder der Theorie und der Praxis im Lauf der langen, nun über 1400 Jahre andauernden muslimischen Geschichte gewesen ist. Das Verhältnis war häufig komplizierter, als eine schlichte Formel vermitteln kann. Eine kurze Diskussion der Komplikationen mag als Einführung in das eigentliche Thema dieses Essays nützlich sein: die Dynamik von Religion und Politik im Islam der Gegenwart. Denn Teil dieser Dynamik ist der erneuerte Versuch, Praxis und Theorie in Einklang zu bringen.

Die erste Komplikation ergab sich daraus, daß die Muslime seit frühester Zeit, seit dem Tod Mohammeds, hinsichtlich der grundlegendsten politischen Frage – wer das Recht auf die politische Herrschaft und über deren religiöse Basis habe – untereinander tief gespalten waren. Das führte zu der bekannten, extrem scharfen und noch immer bestehenden Trennung von Sunniten und Schiiten. Letztere beharrten darauf, daß nach dem Tod Mohammeds, des Gründers und ersten Herrschers des Islams, in dessen Händen sowohl die religiösen wie die politischen Angelegenheiten lagen, ausschließlich sein Vetter und Schwiegersohn Ali und später dessen Nachkommen Anspruch auf die Herrschaft erheben konnten. Die Sunniten lehnten dieses dynastische Prinzip ab und entwickelten eigene Kriterien. Sie erkannten Ali zwar als vierten Kalifen an, verehrten aber auch seine drei Vorgänger – Abu Bakr, Umar und Uthman –, die man zusammen als die vier rechtgeleiteten Kalifen bezeichnete. Die politische Bilanz des Disputs waren mehrere schwere Bürgerkriege, aus denen eine Reihe sunnitischer und schiitischer Staaten hervorging, von denen jeder eine andere Version der muslimischen politischen Ordnung und ihrer Definition des Verhältnisses von Religion und Politik «verkörperte». Gleichzeitig entwickelten Sunniten und Schiiten unterschiedliche religiöse Riten, die zum Teil die politischen Dispute widerspiegelten. Zum Beispiel legten die Schiiten den Ashura-Tag als Gedenktag für die Ermordung von Alis Sohn Hussein fest, der von ihnen als der legitime dritte Kalif angesehen wurde.[1]

Zweitens waren sowohl bei den Schiiten als auch bei den Sunniten, besonders aber bei den Sunniten, die jeweiligen Herrscher häufig nicht imstande, ihren eigenen Kriterien zu entsprechen. Oftmals gelangten sie durch Gewalt zur Herrschaft, und außerdem fehlten ihnen die Eigenschaften der persönlichen Frömmigkeit, ganz zu schweigen vom religiösen Wissen, die man von einem Herrscher erwarten konnte, der nicht nur die politische, sondern auch die religiöse Autorität angemessen ausüben sollte. Angesichts dieser Umstände und

---

[1] Einen Überblick über die frühe Geschichte des Islams gibt Hugh Kennedy: *The Prophet and the Age of the Caliphates*. Harlow 2004; zur Geschichte des Schiismus siehe Heinz Halm: *Shiism*. New York 2004; ders.: *Shiites: A Short History*. Princeton 2004.

aufgrund der Betonung des Gesetzes im Islam stellte sich häufig
die Erwartung ein, daß die «Religion» das Reich der muslimischen Rechtsgelehrten sei. Dies wurde weithin, wenn auch
nicht immer, toleriert, solange der jeweilige Herrscher sich zum
Islam bekannte, die Autorität der muslimischen Rechtsgelehrten unterstützte und überhaupt die Macht und das Ansehen
des Islams in der Welt verteidigte. Manche Wissenschaftler verleitete das zu der Annahme, in der historischen Realität habe
de facto eine «Trennung von Religion und Politik» bestanden.

In der muslimischen Welt der Gegenwart haben einige dieser
Ambiguitäten ihre Spuren hinterlassen, doch sie ist auch ganz
anderen Einflüssen ausgesetzt. Denn das problematische Verhältnis von Religion und Politik wurde durch etwas völlig
Neues beeinflußt, durch die Erfahrung einer Moderne, deren
Wurzeln der muslimischen Tradition fremd sind und die von
den Muslimen entsprechend wahrgenommen wurde und wird.
Politisch gesehen begann diese Erfahrung spätestens vor etwa
zweihundert Jahren mit Napoleons Einmarsch in Ägypten und
setzte sich im neunzehnten Jahrhundert in Begegnungen und
Zusammenstößen mit verschiedenen europäischen Mächten,
vor allem mit Frankreich und Großbritannien, aber auch mit
Rußland und den Niederlanden fort. Besonders ausgeprägt
war sie jedoch im zwanzigsten Jahrhundert, zum einen nach
dem Ende des Ersten Weltkriegs mit der Niederlage des letzten
großen muslimischen Imperiums, des Osmanischen Reichs,
seiner Zerstückelung und der Unterwerfung vieler seiner früheren, insbesondere arabischen Territorien unter nichtmuslimische Kolonialherrschaft. Dazu kam die Fremdherrschaft über
andere, nichtarabische muslimische Gebiete, so daß die meisten Muslime keine unabhängige Regierung mehr hatten. Zum
anderen, und das war von noch größerer Bedeutung, brachte
das Ende des Zweiten Weltkriegs die allmähliche Auflösung
der Kolonialherrschaft und die zumindest teilweise auf modernen Grundsätzen beruhende Errichtung neuer Nationalstaaten, was die Verbindung zwischen Religion und Politik in den
muslimischen Ländern schwächte oder ganz durchtrennte.

Doch die moderne politische Ordnung wurde nicht von allen Muslimen akzeptiert und bejaht. Vielmehr entstand eine mächtige Gegenbewegung, die die neue Ordnung ablehnte und statt dessen die Wiederherstellung dessen propagierte, was sie als die religiös angemessene und authentische muslimische Politik ansah, um den «Islamischen Staat» zu gründen. Diese Bewegung bezeichnet man zu Recht als Islamismus – zu Recht, weil unter Muslimen in der Regel seine Befürworter wie seine Gegner ihn so bezeichnen, wenngleich man unter Nichtmuslimen verbreitet auch die Bezeichnungen politischer Islam, militanter Islam und radikaler Islam finden kann. Sein politisches Projekt machte es für den Islamismus erforderlich, sein Verständnis des angemessenen Verhältnisses von Religion und Politik im Islam zu bestimmen. Und er versteht diese Bestimmung in der Tat als zentral für sein Projekt.[2]

Ihre Erfolge in den letzten Jahren – zunächst in der iranischen Revolution von 1979, aus der die Islamische Republik Iran und deren islamistisches Regime hervorgingen, und dann in der jüngsten Vergangenheit, beginnend im Winter 2011, im Gefolge der Aufstände gegen die herrschenden Regime in den arabischen Ländern – haben gezeigt, daß die islamistische Bewegung für die Politik in der muslimischen Welt und die Rolle der Religion wichtige Konsequenzen hat, und zwar sowohl für den einzelnen muslimischen Staat wie für die Beziehung der Staaten untereinander. Die Bestimmung oder Neubestimmung des islamischen Verhältnisses von Religion und Politik durch die islamistische Bewegung und ihre Implikationen sind der Hauptgegenstand dieses Essays.

Bevor wir uns ihm zuwenden, sei jedoch vorausgeschickt, daß die gegenwärtige Dynamik in der muslimischen Welt Konsequenzen hat, die weit über diese Welt hinausreichen. Einige

2 Emanuel Sivan: *Radical Islam: Medieval Theology and Modern Politics*. New Haven 1990; Gilles Kepel: *Jihad: The Trail of Political Islam*. Cambridge 2002.

sind eher praktischer Art. In welcher Weise berührt zum Beispiel das Gelingen oder Scheitern der islamistischen Bewegungen die Beziehung der muslimischen zu den nichtmuslimischen Staaten? Oder in welcher Weise berührt sie die bereits großen und stetig weiter wachsenden muslimischen Minoritäten in den nichtmuslimischen Staaten? Denn dort existieren häufig Organisationen islamistischer Provenienz, die für sich in Anspruch nehmen, die muslimischen Gemeinschaften zu repräsentieren. Einige Konsequenzen betreffen auch die Moderne selbst, ihre gegenwärtige Interpretation und ihre Zukunftsaussichten. Und wie es für die Moderne charakteristisch ist, stellen sie eine Mischung von Praxis und Theorie dar.

In europäischen und anderen westlichen Ländern wie den Vereinigten Staaten trifft man auf die Einschätzung, daß wir in einem postmodernen Zeitalter leben. Man kann darunter Unterschiedliches verstehen, in einem tieferen Sinn geht es aber um die Vorstellung, daß die große moderne Bewegung des Denkens und Handelns, die während der letzten fünfhundert Jahre eine endgültige Lösung der großen Streitfragen von Philosophie, Religion und Politik anstrebte, ihr Ziel nicht erreichte, daß sie ernsthafter Kritik ausgesetzt ist und in Frage gestellt wird, in einem Ausmaß, das es zweifelhaft macht, ob die moderne Bewegung das selbst gesteckte Ziel jemals erreichen kann, so daß eine neue Perspektive erforderlich wird – eine Perspektive, die notwendig und «postmodern» ist. Zu den Annahmen, die fraglich geworden sind, gehört die Erwartung, daß die Religion als Folge der sogenannten Säkularisierung verschwinden werde. Postmodern soll also auch postsäkular bedeuten, womit die Wiederbelebung religiöser Bindung und Empfindung als einer in den menschlichen Angelegenheiten, einschließlich und vielleicht besonders in den politischen Angelegenheiten wirksamen Kraft gemeint ist.[3]

3 Eine neuere Diskussion hierzu bei Jürgen Habermas/Joseph Ratzinger: *Dialektik der Säkularisierung. Über Vernunft und Religion.* Freiburg i. Br. 2005.

Ob das für die Welt im allgemeinen zutrifft oder zutreffen wird, ist eine offene Frage. Doch auf die muslimische Welt scheint es zuzutreffen. Denn nirgendwo hat sich die Aufnahme der Moderne als problematischer erwiesen als in der muslimischen Welt. Nirgendwo verfügen Kritiker der Moderne über eine breitere Anhängerschaft, und nirgendwo zeigen sie ein entschiedeneres Auftreten. Die letzten vierzig Jahre sind dort durch die sogenannte «Rückkehr des Islams» geprägt worden, das heißt durch eine gewaltige Wiederbelebung muslimischen religiösen Empfindens und eine offene Ablehnung früherer Assimilationsversuche der muslimischen Welt an die Moderne. Begünstigt wurde diese Entwicklung durch das offenkundige Scheitern der nach dem Zweiten Weltkrieg entstandenen modernen Staaten beim Einlösen der modernen Versprechen – politische Freiheit, Bildungsfortschritt, ökonomische Prosperität und wiedergewonnene Würde und neues Ansehen. Die Moderne erschien nicht nur als fremd, sondern auch als erfolglos und mit hohen Kosten, dem tatsächlichen oder potentiellen Verlust wesentlicher Merkmale der traditionellen muslimischen Gesellschaft, einschließlich der Familie, verbunden.[4]

Man ist versucht zu sagen, wenn wir tatsächlich in einem postmodernen oder postsäkularen Zeitalter leben oder leben werden, dann ist die Wahrscheinlichkeit, daß es früh und umfassend Gestalt annimmt, nirgends größer als in der muslimischen Welt. Das gilt insbesondere für das Verhältnis von Religion und Politik. Denn einerseits hat man vielfach gemeint, daß der Charakter der Moderne durch ein bestimmtes Verhältnis von Religion und Politik bestimmt wird, nämlich durch deren Trennung beziehungsweise durch die Unterordnung der Religion unter die Politik. So nahm es sich zumindest seit der Veröffentlichung von Spinozas *Theologisch-politischem Traktat* aus, der über seine politische Lehre der Trennung oder Un-

4 Bernard Lewis: *Return of Islam*, in: *Commentary Magazine*, Januar 1976, S. 32–48.

terordnung hinaus nicht zufällig das erste Werk moderner Bibelkritik war. Eines seiner Ziele bestand ebendarin, die Gültigkeit biblischer Vorschriften für die Politik zu verneinen. Andererseits trat mit der «Rückkehr des Islams» die Vorstellung eines Islamischen Staates in den Vordergrund, mit dem ein ganz anderes Verhältnis von Religion und Politik einhergeht, ein Verhältnis, in dem die Trennung aufgehoben und die Politik der Religion untergeordnet wird.

Wenn das Verhältnis von Religion und Politik tatsächlich eine entscheidende Trennlinie zwischen Moderne und Postmoderne markiert, könnte man den Islamischen Staat als wichtiges Beispiel der Postmoderne, vielleicht als ihren emphatischsten Fall betrachten. Auch wenn seine Anhänger ihn als emphatisch vormodern verstehen und darin eine Rückkehr zu den Ursprüngen des Islams im siebten Jahrhundert sehen wollen.[5] Denn man kann sich sehr wohl fragen, ob nicht auch andere Bestimmungen der Postmoderne deren Wurzeln in der Vormoderne suchen.

Mit diesen knappen Bemerkungen ist die theoretische und die praktische Tragweite gewiß nicht erschöpft, die die Dynamik der muslimischen Renaissance für westliche Überlegungen zur Postmoderne haben könnte, obwohl und gerade weil hinter der Rede von der Postmoderne die Frage des Monotheismus steht, der dem Islam und dem Westen gemeinsam ist und der beide zugleich trennt. Denn man sollte sich daran erinnern – Muslime vergessen es nie und werden nicht müde, es zu sagen –, daß der Islam auf der Grundlage des Korans von Anfang an den Anspruch erhoben hat, *die* endgültige Korrektur der beiden anderen Formen des Monotheismus zu sein, sowohl des Christentums wie des Judentums, eine Korrektur ihrer großen Irrtümer hinsichtlich der Frage, wie der Glaube an den einen Gott richtig

---

5 Ein jüngeres Beispiel für die Darstellung der Gründung des Islams als *das* Vorbild gibt Chairat al-Shatir: *On the Brotherhood Rise*, in: *Current Trends in Islamist Ideology*, Bd. 13, S. 127–155; zur umfassenderen Erörterung von Shatirs Ansichten siehe die Diskussion unten.

zu verstehen sei.[6] Falls sich herausstellen sollte, daß die Postmoderne unser aller Zukunft ist – wenn die gegenwärtige muslimische Wiederbelebung in anderen religiösen Traditionen ihre Nachahmung findet –, dann werden diese Unterschiede oder vielmehr Widersprüche vermutlich klar zutage treten.

Doch zunächst stellt sich die Frage nach der muslimischen Renaissance. Welcher Art ist sie und woraus speist sie sich? Welchen Status hat sie im Bereich der Politik erreicht? In welcher Weise wird sie die Politik der muslimischen Länder beeinflussen, insbesondere, aber nicht ausschließlich, im Nahen Osten. Und welche Auswirkungen hat sie auf die Nichtmuslime?

Islamismus

Wie bereits bemerkt, verdankt der Begriff «Islamischer Staat» seine gegenwärtige Verbreitung der muslimischen Reformbewegung, die man unter der Bezeichnung «Islamismus» kennt. Von Anfang an zielte diese Bewegung auf eine Reform der muslimischen Politik oder vielmehr auf die Wiederbegründung der authentischen muslimischen Politik. Denn sie nahm für sich in Anspruch, zu den eigentlichen, in der Gründerzeit des Islams im siebten Jahrhundert liegenden Wurzeln muslimischer Politik und mithin zu einer politischen Ordnung zurückzukehren, die deren notwendiger Ausdruck und logische Folge war. Diese politische Ordnung war im Koran als «das beste für den Menschen geschaffene Gemeinwesen» beschrieben worden, das heißt als die vollkommene politische Ordnung oder das beste Regime.[7] Die hier beanspruchte Überlegenheit

6 Koran, Sure 2 und 3; zur Erörterung dieser Frage siehe Hillel Fradkin: *The Roots of Islamic Fundamentalism*, in: Ruth Kozodoy, David Sidorsky, Kalman Sultanik (Hrg.): *Vision Confronts Reality*. New York 1989, S. 245–261.

7 Koran, Sure 3:110.

stellte einen entscheidenden Teil der vom Islam für sich in Anspruch genommenen Überlegenheit gegenüber den anderen
Formen des Monotheismus dar. Denn von dieser politischen
Ordnung hieß es, sie enthalte eine Korrektur eines der wichtigsten Irrtümer von Judentum und Christentum, und dieser Irrtum, den der Islam beseitigte, war die Trennung oder die Spaltung von Religion und Politik. Die Frage der «Spaltung»
wurde zum entscheidenden Merkmal der Korankritik an Christentum und Judentum. Denn sie behauptete, daß deren Anhänger «Spalter» seien, die illegitime Spaltungen eingeführt
hätten, die der durch das strengste und genaueste Verständnis
der Einheit Gottes geforderten «Einheit» widersprachen und
diese unterminierten. Die Gründung des Islams sollte jene
Spaltungen beseitigen und schloß somit notwendig die Errichtung der richtigen politischen Ordnung ein. Als Zeichen, wie
wichtig der politische Aspekt der islamischen Korrektur ist,
beginnt der muslimische Kalender nicht mit dem Datum der
frühesten Offenbarungen und Predigten Mohammeds, sondern mit der Hedschra, der Flucht Mohammeds von Mekka
nach Medina, wo jene politische Ordnung zuerst aufgerichtet
wurde. Mit Blick auf diese Ursprünge verwendete die islamistische Bewegung den Begriff des Islamischen Staates sowohl
als Bezeichnung für die politische Ordnung als auch für deren
letztes Ziel.[8]

Doch wir befinden uns nicht im siebten, sondern im einund-
zwanzigsten Jahrhundert. Was heißt es, wenn man heute vom
Islamischen Staat spricht? Die Antwort erweist sich, wenig
überraschend, als mehrdeutig, kompliziert und umstritten.
Zum einen existierte ein solcher Staat über lange Zeit nirgendwo dauerhaft in der Form, wie seine Befürworter ihn verstanden. Damit fehlte ihm ebenjene Quelle einer genaueren

8 Eine ausführliche Behandlung und Erörterung der Quellen des Korans bei Hillel Fradkin: *The Roots of Islamic Fundamentalism*, S. 245–
261.

Bestimmung, wie nur die Praxis sie liefern kann. Und diese Situation besteht unverändert fort, wenn man nicht dem Anspruch der Islamischen Republik Iran folgen will, ein solcher Staat oder vielmehr genau *der* Staat zu sein. Der Anspruch entbehrt nicht jeglicher – sowohl theoretischer als auch praktischer – Überzeugungskraft, wie später gezeigt werden wird. Trotzdem – der Iran ist ein schiitischer Staat. Deshalb akzeptieren die Sunniten, die die große Mehrheit unter den Muslimen ausmachen, seinen Anspruch nicht. Es gibt also bisher keinen dauerhaft existierenden Islamischen Staat, wie die Sunniten ihn verstehen, und seine Bestimmung bleibt unscharf. Sie wird eine Klärung erfahren, wenn die islamistische Bewegung weitere Fortschritte macht.

Aus diesem Grund wird es nicht fehl am Platz sein, wenn man auf eine berühmte Formel des Ägypters Hassan al-Banna verweist. Banna war der Gründer der Gemeinschaft der Muslimbrüder – heute bekannt als Muslim-Bruderschaft –, der ältesten förmlichen islamistischen Organisation, die jetzt etwa achtzig Jahre alt und damit das Urgestein der islamistischen Bewegung ist.[9] Er beschrieb seine Bewegung und das Ziel, das sie verfolgt, folgendermaßen: «Allah ist unser Ziel. Der Prophet ist unser Führer. Der Koran ist unsere Verfassung. Dschihad ist unser Weg. Auf dem Weg Allahs zu sterben, ist unsere höchste Hoffnung.» Es versteht sich fast von selbst, daß diese Formel der Erläuterung bedarf. Tatsächlich verlangt sie nach einer Spezifizierung und zwar nach einer sehr umfangreichen, wenn sie ein wirkliches politisches Projekt bezeichnen soll, zu dem sie werden kann. Dazu später. Drei Dinge werden deutlich

---

9 Zur frühen Geschichte der Bruderschaft siehe Richard Mitchell: *The Society of the Muslim Brothers*. New York 1993; Brynjar Lia: *The Society of the Muslim Brothers in Egypt: The Rise of an Islamic Mass Movement 1928–1942*. Reading 1998. Zur jüngeren Geschichte siehe Gilles Kepel: *The Brotherhood in the Islamist Universe* in: *Current Trends*, Bd. 6, S. 20–28; Hillel Fradkin: *The History and Unwritten Future of Salafism*, in: *Current Trends*, Bd. 6, S. 5–19.

greifbar: Erstens, daß Banna sich auf die Wurzeln des Islams als konstitutiv für seine Vision beruft; zweitens, daß in dem von Banna imaginierten Staat Politik und Islam eine besonders enge, ja fast nahtlose Beziehung eingehen, mit der Religion im umfassenden Sinn an der Spitze, was dazu geführt hat, daß man bei der Beschreibung der potentiellen Ziele der islamistischen Bewegung den Begriff Theokratie verwendet; drittens, daß er diesen Staat als ein eminent praktisches Projekt ansah.

Wenn der Begriff «Islamischer Staat» seine Verbreitung der islamistischen Bewegung verdankt, dann verdankt er seine gegenwärtige Bedeutung dem weitreichenden und beispiellosen Erfolg dieser Bewegung, die jüngst durch eine Reihe unerwarteter Ereignisse im Nahen Osten aufgestiegen ist. Damit sind vor allem die arabischen Erhebungen gemeint, die im Winter 2011 begannen. Doch andere politische Entwicklungen gehören ebenfalls dazu. Was die arabischen Erhebungen betrifft, so waren die ersten markanten Ereignisse die Wahlen, die in zwei Ländern – Tunesien und Ägypten – stattfanden. In beiden Ländern hatte man recht schnell die Absetzung der ehemaligen autokratischen Herrscher erreicht und konnte daher freie Wahlen abhalten. In beiden Ländern siegten von der Bruderschaft gebildete Parteien. Besonders bemerkenswert war das Wahlergebnis in Ägypten, und angesichts der zentralen Bedeutung Ägyptens für die moderne arabische Politik und für die moderne muslimische Politik im allgemeinen ist es auch am wichtigsten. Die Partei der Bruderschaft gewann – unter dem Namen «Partei für Freiheit und Gerechtigkeit» – etwa 50 Prozent der Sitze in der neuen Abgeordnetenversammlung. Darüber hinaus gewann aber noch eine andere islamistische Partei – die al-Nour-Partei –, die mit dem sogenannten salafistischen Flügel des Islamismus verbunden ist, etwa 25 Prozent. Das Abschneiden der Salafisten war in zweierlei Hinsicht bemerkenswert: erstens kam ein solcher Erfolg völlig unerwartet, wohingegen von der Bruderschaft vorher bekannt gewesen war, daß sie sich beträchtlicher Unterstützung erfreute; zweitens und in gewisser Weise noch bemerkenswerter war die nicht vorauszusehende Beteiligung der Salafisten an der Politik, denn bis dahin hatten sie eine Beteiligung sowohl aus doktrinären Gründen als auch mit dem praktischen Hinweis abgelehnt, daß sie in Mubaraks Ägypten fruchtlos sei. Danach errang die Bruderschaft einen weiteren wichtigen Sieg – die Wahl ihres Kandidaten Muhammad Mursi zum neuen Präsidenten Ägyptens. Zum erstenmal wurde ein Islamist an die Spitze eines arabischen Staates gewählt. Für den arabischen Islamismus waren das bedeutende Meilensteine.

Diese beiden Beispiele stellen den Erfolg der Bewegung in der arabischen Welt keineswegs erschöpfend dar. Man kann auch Marokko mit einbeziehen, ein Land, in dem es nicht zur Revolte kam. In der ersten Wahl, die nach dem Ausbruch der arabischen Erhebungen abgehalten wurde, errang Marokkos Bruderschaftspartei eine Mehrheit, die es ihr erlaubte, eine, allerdings durch die Autorität der Monarchie eingeschränkte, neue Regierung zu bilden. Man kann hinzufügen, daß Gaza seit 2007 von der Hamas, dem palästinensischen Zweig der Bruderschaft, regiert wird.

Doch für die Betrachtung der islamistischen Bewegung und des Islamischen Staates reicht es nicht aus, den Blick auf die arabische Welt und die jüngsten Unruhen zu richten. Denn die islamistische Bewegung verstand sich per definitionem nie als eine bloß und streng arabisch-muslimische Bewegung, sondern als eine Bewegung des Islams und der Muslime im allgemeinen. (Das war sicher auch Bannas Verständnis, dem er dadurch Ausdruck verlieh, daß er in anderen Ländern Zweige seiner Bewegung gründete.) Und wenn man über die arabische Welt hinausschaut, zumindest in den weiteren Umkreis des Nahen Ostens, hat es den Anschein, daß die arabisch-islamistischen Erfolge in gewisser Weise die islamistischen Erfolge in nichtarabischen muslimischen Ländern – zum Beispiel in der Türkei und im Iran – fortsetzten und erweiterten. Das haben sowohl die Türkei wie der Iran, vor allem aber der Iran, auch behauptet. Als die jetzige Stärke des arabischen Islamismus deutlich wurde, begann man rasch vom «türkischen» und

«iranischen Modell» als bereits existierenden Modellen islamistischer Politik zu sprechen.

Die Türkei wird heute von einem Mann – Premierminister
Recep Tayyip Erdogan – und einer Partei – der AKP oder «Partei für Gerechtigkeit und Entwicklung» – regiert, die beide
lange, tiefreichende und starke Wurzeln in der islamistischen
Bewegung haben.[10] Zudem hat ihre Herrschaft nun schon seit
einer Dekade Bestand, und sie haben drei Wahlen nacheinan-
der gewonnen, was bisher ohne Beispiel ist. Zweifellos ist das
Verhältnis der Türkei zu den jüngeren arabischen Entwicklungen aufgrund der distinkt modernen Geschichte, der ethnischen Verschiedenheit und der zeitweiligen Feindschaft zwischen Türken und Arabern sowie aus historischen Erwägun-
gen – der früheren osmanischen Herrschaft über die arabischen
Länder – kompliziert. Dessen ungeachtet hatten zwischen der
AKP und den Bruderschaftsparteien schon lange enge Beziehungen bestanden. Nach den arabischen Revolten suchte man
durch häufige wechselseitige Besuche Synergien zu erzeugen.
Erdogan bereiste ebenso wie Außenminister Davotoglu und
Präsident Gül Ägypten, Tunesien und Libyen.

Auch der Fall des Iran und seiner Beziehungen zu den Ereignissen in der arabischen Welt ist kompliziert, sowohl aufgrund
ethnischer Unterschiede als auch wegen mancher Feindselig-
keiten, vor allem aber weil der Iran ein schiitisches und kein
sunnitisches Land ist. Nichtsdestoweniger handelt es sich bei
dem gegenwärtigen Regime um die Manifestation einer schiitischen Version der islamistischen Bewegung. Sein Gründer,
Ajatollah Khomeini, war von wichtigen Figuren der sunnitischen islamistischen Bewegung beeinflußt – zum Beispiel von

---

10 Banu Eligur: *The Mobilization of Political Islam in Turkey.* New York
   2010; Zeyno Baran: *Torn Country: Turkey between Secularism and
   Islamism.* Stanford 2010; Hillel Fradkin: *The New Crescent Moon in
   the Islamist Firmament,* in: *Current Trends,* Bd. 11, S. 5–9; Hassan
   Mneimneh: *Arab Islamism and the Turkish Model,* in: *Current
   Trends,* Bd. 11, S. 10–24.

Banna und Sayyid Qutb, einem weithin bewunderten, zur ägyptischen Bruderschaft gehörenden Schriftsteller und Theoretiker, der 1966 unter Nasser hingerichtet wurde. Da aber das radikale Regime in Iran vor mehr als dreißig Jahren gegründet wurde und sich als Islamischer Staat oder vielmehr als *der* Islamische Staat definiert, behauptet sein gegenwärtiger Führer Ajatollah Khamenei, daß die iranische Revolution und das iranische Regime den arabischen Frühling inspirierten, es sich also weniger um einen arabischen als vielmehr um einen islamischen Frühling handelte. Wie die Türkei war der Iran bestrebt und wird er weiterhin bestrebt sein, engere Beziehungen zum arabischen Islamismus zu unterhalten, besonders zu dem neuen Regime der Bruderschaft in Ägypten.

Ob nun dem Iran ein Verdienst an der islamistischen Wende zukommt oder nicht, klar ist, daß der Islamismus insgesamt in Bewegung und im Wachsen begriffen ist. Das Zusammenwirken aller genannten Kräfte bedeutet, daß das ideologische Gerüst der Politik im Nahen Osten für die Zukunft durch den Islamismus bestimmt wird. Da der Islamische Staat das erklärte Ziel der islamistischen Bewegung ist, stellt sich die Frage, wie dieser Staat aussehen wird, wenn er errichtet werden sollte. Folgt die Bewegung noch ihrer geschichtlichen Vision? Oder ist sie von den Ereignissen und Umständen überholt worden? Wird sie ihre Bindung an die Vision aufgeben? Hat sie das insgeheim schon getan? Kurz gesagt, stehen wir am Vorabend der Gründung eines Islamischen Staates oder von etwas anderem?

Bevor wir uns diesen Fragen zuwenden, müssen wir die Geschichte der Bewegung – die im Titel genannte lange Suche – einer Betrachtung unterziehen. Denn es handelt sich um eine Bewegung, die die Geschichte sehr ernst nimmt, die ganze Geschichte seit der Gründung des Islams, zumindest ihre eigene Version dieser Geschichte. Ebenso wichtig ist die Geschichte der Bewegung selbst. Denn es ist die Geschichte der Klagen, der Leidenschaften und Sehnsüchte, die die Bewegung schufen und über viele Jahrzehnte nährten; Klagen über den Einfluß der Moderne; Sehnsüchte nach altem Ruhm und alter Ehre,

nach erneuertem Ruhm und erneuerter Ehre, nach einer Renaissance oder, auf arabisch, einer *Nahda* – einer politischen
und sozialen Renaissance, wobei man unter der letzteren vor
allem die Verteidigung und Bewahrung der muslimischen Familie gegen moderne Einflüsse versteht. Diese Sehnsüchte gehören auch heute zu den treibenden Kräften: Die Plattform
der ägyptischen Bruderschaftspartei wird als *Nahda*-Projekt
bezeichnet, und *Nahda* ist der Name der tunesischen Bruderschaftspartei. Mit anderen Worten, der Islamische Staat ist
kein bloß abstraktes Vorhaben, er speist sich aus einem spezifischen historischen Empfinden, das seine Befürworter beseelt
und das die Versuche und die Aussichten, ihn aufzurichten,
beeinflussen wird. Gleichzeitig liefert er den Maßstab, mit dessen Hilfe man einschätzen kann, ob die Bewegung ihrer historischen Vision treu bleibt oder sie aufgibt.[11]
    Wenn man von der Geschichte des Islamismus und seinem
Vorhaben einer islamischen «Renaissance» spricht, kann man
mit der Feststellung beginnen, daß die Verwendung dieser Terminologie ihn als eine islamische Reformbewegung ausweist –
eine Reform, die von den Erfordernissen muslimischer Frömmigkeit getragen wird. Derartige Bewegungen haben im Islam
eine lange Geschichte. Es gab viele islamische Reformbewegungen, die beanspruchten, die «Korruption», die den Islamischen Staat und seine Praxis befallen hatte, zu beseitigen. Auch
die Forderung, daß die Reform notwendig eine politische
Komponente haben müsse, ist nicht ohne Beispiel. Ja, man
könnte sagen, daß die Bewegungen, die diese Forderung erhoben, bereits mit Mohammeds Tod und den danach auflebenden
politischen Auseinandersetzungen begannen, die zum Streit
zwischen Sunniten und Schiiten führten. Die Bedeutung des
politischen Aspekts leitete sich nicht nur aus den menschlich-
allzumenschlichen Gründen her, dem Kampf um Herrschaft
und Macht, sondern erwuchs aus der ursprünglichen Selbst-

11 Siehe Anm. 9.

definition des Islams, das heißt aus der Auffassung, daß die Gründung des Islams zugleich die Gründung des besten Gemeinwesens für den Menschen, des vollkommenen Gemeinwesens, ins Werk setzte. Folglich sahen die Reformbewegungen die politische Reform als ein entscheidendes und manchmal als *das* entscheidende Element an. Man könnte behaupten, daß die meisten, wenn nicht alle, «theologischen» Auseinandersetzungen im Islam politisch gefaßt waren. Das trifft besonders auf die Auseinandersetzung zwischen Schiiten und Sunniten zu, den am längsten währenden Disput der muslimischen Geschichte. In dieser Hinsicht ist die gegenwärtige islamistische Bewegung mit ihrer Betonung des Politischen in einem gewissen Sinn die Erbin früherer Reformbewegungen, und sie nimmt das teilweise auch für sich in Anspruch. Indem sie sich an der Gründung des Islams orientiert, zielt sie nicht bloß darauf ab, die Tradition der islamischen Reform fortzusetzen, sondern sie versucht tatsächlich, die Tradition dadurch zu vollenden, daß sie deren wichtigste Zielsetzungen schließlich erreicht.[12]

Doch die unmittelbar relevanten Quellen der gegenwärtigen islamistischen Bewegung liegen im neunzehnten Jahrhundert, insbesondere im britisch beherrschten Indien und Ägypten. Sie weist einige distinkte Merkmale auf, die keine historischen Vorläufer haben, denn sie erwuchs als Antwort auf eine historische Situation, die in der muslimischen Geschichte ohne Vorbild ist: den gewaltigen und sichtbaren Niedergang der politischen Macht und damit des Ansehens der Muslime in der ganzen Welt. Dieser Niedergang, der während der letzten zwei- oder dreihundert Jahre stattgefunden hatte, war in seiner Tiefe, geographischen Erstreckung und Dauer beispiellos.

Mehr als tausend Jahre lang schienen die muslimischen Gemeinwesen die mächtigsten und wichtigsten der Welt zu sein, und zeitweise waren sie es auch. Beginnend mit der Gründung

---

12 Fazlur Rahman: *Revival and Reform in Islam: A Study in Islamic Fundamentalism.* Oxford 2000.

des muslimischen Gemeinwesens im Jahr 622 und besonders nach Mohammeds Tod 632 gelangen den muslimischen Armeen spektakuläre Eroberungen. Der höchste Zweck dieser Eroberungen war, die Wahrheit des Islams zu verbreiten und seine Überlegenheit deutlich zu machen – «das Banner Allahs aufzurichten» –, obwohl sie, wie man nicht eigens zu betonen braucht, auch anderen, «menschlicheren» Zwecken dienten.[13]

Nach der Eroberung der arabischen Halbinsel schlugen die muslimischen Armeen sowohl das byzantinische als auch das persische Reich. Sie zerstörten das letztere und traten in dessen Territorien – Irak, Iran etc. – sein Erbe an; das erstere überlebte, gab aber ebenfalls einen großen Teil seines Territoriums, u. a. Syrien und Ägypten, an den neuen muslimischen Staat ab. Danach breitete sich das muslimische Reich nach Westen wie nach Osten immer weiter aus. In weniger als einem Jahrhundert erstreckte es sich von den Pyrenäen bis an den Indus. Später dehnte es, bzw. die ihm folgenden Staaten, die muslimische Herrschaft im Westen bis nach Sizilien, im Osten bis tief nach Zentral- und Südasien aus.

Von Zeit zu Zeit gab es politische und militärische Rückschläge. Die frühen Rückschläge waren aber für gewöhnlich begrenzt und recht schnell durch Eroberungen an anderer Stelle wieder wettgemacht. So gingen etwa Sizilien und später Spanien für die muslimische Herrschaft verloren. Doch die Verluste wurden durch den Aufstieg des Osmanischen Reiches im vierzehnten und fünfzehnten Jahrhundert mehr als ausgeglichen, dessen Territorien anfangs zu großen Teilen europäisch waren. Es erfüllte im fünfzehnten Jahrhundert den uralten muslimischen Wunsch, Konstantinopel zu erobern und die Überreste des byzantinischen Reiches zu zerstören. Noch im sechzehnten Jahrhundert drangen die Osmanen nach Mittel- und Osteuropa vor und errichteten einen Belagerungsring um

13 Fred Donner: *The Early Islamic Conquests.* Princeton 1981; Hugh Kennedy: *The Prophet and the Age of the Caliphates.* Harlow 2004.

Wien, der eher zufällig, aufgrund anderer osmanischer Interessen, aufgehoben wurde. Sie waren bestrebt, die Kontrolle über das Mittelmeer zu gewinnen, um einen neuen Angriff auf Spanien vorzubereiten. Nur durch die unerwartete Niederlage in der Schlacht von Lepanto im Jahr 1571 wurde dies verhindert.[14] In Rußland und Zentralasien wurde die muslimische Herrschaft durch die Heere der Mongolen verbreitet, die in großen Teilen zum Islam konvertierten. Die Welle muslimischer Eroberungen endete faktisch erst im späten siebzehnten Jahrhundert, als die Osmanen Wien erneut belagerten und es nicht einnehmen konnten und als der aufsteigende russische Staat seine Herrschaft nach Zentralasien ausdehnte.

Von da an kamen die muslimischen Eroberungen nicht mehr voran. Noch schlimmer, es begann der Niedergang.[15] Der Niedergang erstreckte sich über Jahrhunderte, berührte fast jeden Teil der muslimischen Welt und nahm schließlich die Gestalt einer ausgedehnten Kolonialherrschaft fremder Mächte an. Viele, vielleicht die meisten Muslime gerieten unter nichtmuslimische Herrschaft, das heißt unter die Herrschaft von Ungläubigen, was bis dahin äußerst selten der Fall gewesen war und deshalb wie auch aus doktrinalen Gründen als fast unmöglich oder als teuflisch angesehen wurde. Denn der Islam gründete seinen Überlegenheitsanspruch auf seine überlegene Politik. Die Herrschaft der Ungläubigen statt der Herrschaft über die Ungläubigen, das erschien wie ein Widerspruch zur Ordnung des Universums, zur göttlichen Ordnung des Universums. Sie war der Beweis für die Verderbtheit der Welt, vielleicht sogar für die Anwesenheit satanischer Mächte in ihr. Deshalb sprechen Muslime heute über die letzten dreihundert Jahre des Niedergangs häufig als eine zwar beklagenswerte Zeit, die aber eine wichtige Bezugsgröße bleibt.

14 Colin Imber: *The Ottoman Empire 1300–1650*. New York 2002.
15 Donald Quataert: *The Ottoman Empire 1700–1922*. Cambridge 2005.

Unter diesen Umständen und insbesondere unter dem Umstand fremder Herrschaft begannen muslimische Denker sich mit einer Wiederbelebung muslimischer Politik und der Wiederherstellung der muslimischen Staaten zu beschäftigen. Eine frühe und besonders schmerzliche Erfahrung war der Verlust Indiens an die Briten. Er führte zum Aufstieg der Deobandi-Reformbewegung, die noch heute ein Element des Islamismus bildet. Doch der Tiefpunkt wurde erst im frühen zwanzigsten Jahrhundert erreicht, und erst von da an nahm auch die Bewegung zur Überwindung jener Umstände eine organisierte, institutionalisierte und eindeutig politische Form an. Bevor es dazu kam, war ein letzter Kataklysmus erforderlich: die Niederlage und Zerstückelung des Osmanischen Reiches und die Abschaffung des osmanischen Kalifats.

Der Kataklysmus war ein doppelter: Erstens wurde das Osmanische Reich noch bis zu seiner Niederlage im Ersten Weltkrieg zu den Großmächten in der Welt gerechnet, wie sehr es auch seit seinem Höhepunkt im sechzehnten und siebzehnten Jahrhundert geschwächt war. In mancher Hinsicht war es die erfolgreichste muslimische politische Ordnung, die es je gab: die Langlebigkeit und Beständigkeit seiner Herrschaft, die auf ihrer überlegenen bürokratischen und militärischen Organisation beruhte, seine bemerkenswerten und andauernden militärischen Erfolge, seine Ausdehnung, die nach der Niederlage des Mameluckenreichs im Jahr 1517 auch die alten arabischen muslimischen Kernlande einschloß, und sein Ansehen. Denn durch die zuletzt genannte Eroberung erlangte es die Herrschaft über die heiligsten Stätten des Islams, Mekka und Medina, und damit die Aufsicht über die jährliche Hadsch oder Pilgerfahrt zu diesen Stätten, die zu den fünf obligatorischen muslimischen Pflichten gehört. Selbst im Niedergang behielt es eine Aura des Erfolgs, denn die aufstrebenden europäischen Mächte behandelten es noch immer als ein wichtiges Gemeinwesen. Mit seiner Niederlage und seinem Ende gab es keinen muslimischen Staat mehr, der Ansehen in der Welt genoß, ja, es gab überhaupt kaum noch einen unabhängigen muslimischen Staat.

Zweitens wurde sein Herrscher, der osmanische Sultan, von vielen Sunniten – einschließlich so weit entfernter wie der indischen – als direkter rechtmäßiger Erbe des ersten Kalifen, Abu Bakr, angesehen, der 632 zur Herrschaft gelangte. Also war mit dem Ende des osmanischen Kalifats formal gesehen die muslimische politische Tradition zu Ende, die fast 1400 Jahre Bestand gehabt hatte. Der Schmerz der Muslime erreichte einen neuen Gipfel oder vielmehr neue Tiefen.

Im Gefolge dieser Umwälzung brachte die früher weitgehend ungeordnete islamistische Bewegung ihre erste organisierte und institutionelle Form hervor, die 1928 gegründete Muslim-Bruderschaft. Sie war in hohem Maße bestimmt und geprägt durch die Katastrophe, in der sie geboren wurde. Seitdem steht sie im Zentrum der islamistischen Bewegung – manchmal als Vorbild für andere Gruppen wie die in Britisch-Indien von Maulana Maududi gegründete *Jamaat-i-Islami* («Islamische Partei»), die später auf die Gründung Pakistans und seine Politik Einfluß ausüben sollte, zuweilen als negativer Pol für rivalisierende Gruppen, die oft Ableger der Bruderschaft waren.[16] Der letzte Zweck der Bruderschaft bestand nicht bloß darin, die politische Unabhängigkeit der Muslime wiederherzustellen, zu verteidigen und, wenn nötig, die Integrität und Reinheit des muslimischen Lebens zurückzubringen. Das war sicherlich wichtig. Sie war aber auch bestrebt, die muslimische Politik und muslimische politische Macht in der Welt insgesamt neu zu beleben – die muslimische Vorherrschaft wiederherzustellen. Das mußte und konnte praktisch nur auf einem authentisch islamischen Weg erreicht werden. Denn man behauptete, daß die eigentliche Quelle der früheren Macht und des früheren Erfolgs der Muslime eine authentische islamische Politik gewesen sei, in der Frömmigkeit und Praxis, Religion und Politik essentiell miteinander verbunden

---

16 Gilles Kepel: *The Prophet and the Pharaoh: Muslim Extremism in Egypt*. Los Angeles 1985.

waren. Diese Auffassung brachte die Vorstellung vom Islamischen Staat und die zitierte Formel hervor.

Mehr als achtzig Jahre schienen diese Auffassung und diese Vorhaben dem Reich der Imagination und Phantasie anzugehören. Die Kraft des modernen Lebens schien übermächtig zu sein. Die Bruderschaft war weit davon entfernt, politische Macht zu erringen. Über weite Strecken versuchte sie es nicht einmal. In Ägypten kam sie ihrem Ziel nach dem Militärputsch und der Revolution im Jahr 1952 am nächsten, als die Bewegung der Freien Offiziere am Ende Gamal Abdel Nasser als Herrscher einsetzte. Die Bruderschaft hatte die Revolution unterstützt und unterhielt enge Beziehungen zu einigen Verschwörern, insbesondere zu Anwar al-Sadat. Doch sie entzweite sich relativ rasch mit Nasser, dem Militär und dem von den Muslimbrüdern installierten Einparteienregime, in dem sie keine Rolle spielte. Vielmehr wurde sie immer wieder unterdrückt und schikaniert, oft höchst gewalttätig. Einige Brüder wurden hingerichtet, Tausende in Konzentrationslager gesperrt; viele gingen ins Exil, insbesondere nach Saudi-Arabien. Wann immer und wo immer es möglich war, widmete sich die Bruderschaft erzieherischen und sozialen Aktivitäten, die auf die Bildung «authentischer» muslimischer Individuen, Familien und gesellschaftlicher Gruppen zielten. Das alles war bereits Teil von Bannas ursprünglichem Reformprogramm gewesen, das schließlich zur politischen Herrschaft führen sollte. Für sich genommen war sie damit recht erfolgreich und schuf eine große Massenbewegung. Doch unter den gegebenen Umständen schien sie nie dafür bestimmt, eine ernsthafte politische Rolle zu spielen und ihre Vision einer islamischen Politik auch nur von Ferne verfolgen zu können.

Einige ihrer Mitglieder wurden ungeduldig und begannen am Weg der Bruderschaft zu den noch immer gemeinsamen Zielen zu zweifeln. Sie kehrten ihr den Rücken, um Gruppen zu bilden, die einen politisch aktiveren und häufig gewalttätigen Weg verfolgten; die bekannteste unter ihnen ist heute Al Qaida, deren Anführer gegenwärtig der Ägypter und frühere

Muslimbruder Aiman al-Zawahiri ist. Außerdem wurden in
der islamistischen Bewegung andere Einflüsse wichtig, vor allem eine alternative Reformtradition, die unter dem Namen
Wahhabismus bekannt ist, dessen Wurzeln im Saudischen Königreich lagen und der eng mit dem Salafismus verknüpft war
und ist. Die islamistische Bewegung war also ein gespaltenes
Lager, mit geringer Aussicht, ihre vorgeblichen politischen
Ziele zu erreichen. Sie schien sich in einer Sackgasse zu befinden. Und manche westliche Wissenschaftler sahen das vor
etwa zwanzig Jahren genauso.[17] Die jüngsten Ereignisse eröffnen eine ganz andere und offenbar günstigere Aussicht. Insbesondere scheint nun die geduldige, umsichtige und mühsame
Arbeit der Bruderschaft, für die sie von anderen Islamisten so
häufig geschmäht wurde, belohnt zu werden. Belohnt wurde
sie vor allem für ihre stetige Hingabe und das lange ertragene
Leiden. Was wird sie mit ihrem Glück anfangen?

Damit kehren wir zu den früher aufgeworfenen Fragen zurück. Ihre angemessene Erörterung bedürfte einer sehr weiten
geographischen Perspektive. Denn die arabischen Islamisten –
sowohl die Bruderschaft als auch die Salafisten – sind jetzt in
mehreren Ländern unter jeweils anderen Bedingungen aktiv. Kurzfristig mögen ihre Handlungen und ihre relativen Erfolge und Mißerfolge variieren, langfristig können sie einander
in jetzt noch unbekannter Weise beeinflussen. Zudem muß, wie
bereits angedeutet, eine Einschätzung der Bewegung deren
Erfolge in den nichtarabischen muslimischen Ländern mit einbeziehen. Doch in bezug auf die gegenwärtige Lage ist es möglich und sinnvoll, sich auf zwei Schauplätze aktueller islamistischer Bestrebungen zu konzentrieren – auf Ägypten und Iran.

Ägypten spielt aus einer Vielzahl von Gründen eine zentrale
Rolle: Es ist der größte arabische Staat, und schon deshalb
wird die dortige Entwicklung des Islamismus einen höchst
wichtigen Einfluß auf die arabische islamistische Bewegung

---

17 Olivier Roy: *The Failure of Political Islam*. Cambridge 1994.

insgesamt haben. Darüber hinaus ist Ägypten der Geburtsort der Bruderschaft und damit der Ort, wo sie am tiefsten verwurzelt ist und über die ausgedehnteste Erfahrung verfügt. Auch aus diesem Grund besitzt sie hier die größte Handlungsfreiheit. Zudem hat der Islamismus als solcher immer die Neigung gehabt, «arabische Interpretationen» des Islams zu bevorzugen, was die Tragweite der Ereignisse in Ägypten wiederum erhöhen kann. Iran verdient Aufmerksamkeit als der älteste Islamische Staat, der nun seit etwa dreißig Jahren besteht. Er ist zwar ein schiitischer Staat und besitzt deshalb Merkmale, die ihn von einem zukünftigen sunnitischen Islamischen Staat unterscheiden werden. Trotzdem bietet er uns die bisher umfassendsten praktischen Kenntnisse zum Projekt des Islamischen Staates und liefert damit eine Perspektive, die im Fall des arabischen Islamismus noch nicht verfügbar ist.

Ägypten

Sicher liegt noch vieles im Ungewissen, was die Entwicklung Ägyptens und seine neue Politik angeht; und das wird wohl noch einige Zeit so bleiben. Trotzdem hat sich mancherorts bereits die Auffassung ausgebildet, die Bruderschaft werde am historischen Ziel des Islamischen Staates nicht festhalten und sei womöglich schon dabei, es aufzugeben. Die Folge ist ein relativ milder Blick auf die Auswirkungen der islamistischen Politik in den arabischen Ländern, im Nahen Osten und der übrigen Welt. Ein Vertreter dieser verbreiteten Auffassung ist der französische Politikwissenschaftler Olivier Roy.[18] Ihm zufolge ist es gerade der enorme gegenwärtige politische Erfolg der Bruderschaft, der die Einstellung der Bruderschaft zur Po-

---

18 Die vollständigste Darstellung seiner Auffassungen findet sich bei Olivier Roy: *The Transformation of the Arab World,* in: *Journal of Democracy,* Juli 2012, Bd. 23, Nr. 3, S. 5–18.

litik verändern wird, ja, bereits verändert hat. Die Veränderung beinhaltet eine Mäßigung im Verfolgen ihrer ursprünglichen und radikaleren Prinzipien und ist mit zwei gewichtigen und untereinander verbundenen Faktoren verknüpft: Die Siege der Bruderschaft finden innerhalb von Nationalstaaten statt und innerhalb einer durch Wahlen bestimmten Politik.

Der erste Faktor, der Rahmen des Nationalstaates, ist, wie der muslimische Wissenschaftler Ahmed al-Rahim betont hat, aus folgendem Grund wichtig: Bei ihrer Gründung stand die Bruderschaft dem Nationalstaat als Form einer muslimischen politischen Ordnung und der daraus folgenden Zersplitterung der muslimischen Welt prinzipiell feindlich gegenüber. Man bestimmte die *Umma*, die Gesamtheit aller Muslime, und nicht einzelne Nationen als das eigentlich muslimische politische Gemeinwesen. Es sei essentiell von imperialem, nicht nationalem Zuschnitt, was seiner ruhmreichsten Zeit entspreche. Der Nationalstaat war eine westliche Neuerung und so per definitionem illegitim. Außerdem war er nach ihrer Ansicht das Mittel, mit dessen Hilfe der Westen die politische Schwäche der Muslime verstärkt und verfestigt hatte. Im Einklang damit betrieb Banna die Gründung neuer Zweige seiner Bewegung auch außerhalb von Ägypten. Wenn die Bruderschaft jetzt im politischen Horizont der jeweiligen Nationen denkt, in denen sie operiert, wenn sie faktisch durch die historischen Umstände dazu gezwungen wird, habe sie, so argumentiert man, das frühere Prinzip de facto, wenn nicht de jure verworfen. Das deute zugleich auf die potentielle Aneignung moderner Vorstellungen von einer «nationalen» Staatsbürgerschaft hin.

Was die durch Wahlen bestimmte Politik angeht, so scheint auch sie mit dem früheren Verständnis der Bruderschaft von den eigentlichen Formen muslimischer Politik unvereinbar zu sein. Ihre ursprüngliche und noch immer vorherrschende Hauptformel lautet *Hakimiyya* – «Führung», das heißt göttliche Führung –, was in praktischer Hinsicht für gewöhnlich eine durch das muslimische Gesetz, die Scharia, ausgeübte Führung

meint. Deshalb scheint das Streben nach Macht durch demokratische Wahlen eine Modifikation ihrer eigenen zugunsten
moderner Prinzipien zu enthalten.

Folgt man dieser Auffassung, dann werden das Engagement
in der Politik und die Erfordernisse der Führung – reale Politik
und reale Führung, nicht die imaginäre Politik der Bruderschaft, in der sie sich in Zeiten politischer Machtlosigkeit erge-
hen könnte – die islamistischen Bewegungen und ihre neuen
Parteien zwangsläufig mäßigen und verändern. Denn jetzt
müssen sie sich, vor allem in Ägypten, mit konkreten Problemen befassen, mit Problemen, die nicht mit doktrinären ideo-
logischen Herangehensweisen gelöst werden können. Außerdem kommt eine neue gesellschaftliche Dynamik ins Spiel, die
maßgeblich und unaufhaltsam eine neue und wesentlich moderne demokratische Basis für die Politik festlegt, weil sie die
Muslime, insbesondere die jungen Muslime, in «moderne Individuen» verwandelt. Die Religion wird zwar weiterhin eine
wichtige Rolle spielen, aber «die Religion wird nicht diktieren,
was die Politik sein soll, sondern wird selbst auf die Politik
zurückgeführt». Roy zufolge ist also der Sieg des Islamismus,
des politischen Islams, gleichbedeutend mit seinem Tod in einem tieferen und strengeren Sinn. Der Islamische Staat wird
nicht errichtet. Es kann ihn nicht geben, und es hat ihn tatsächlich niemals geben können. Seiner Meinung nach war er
eine Utopie und wie alle Utopien nicht praktikabel.

Diese Vorhersagen mögen sich als richtig erweisen. Doch im
Augenblick sehen sie sich mit einer Reihe von Schwierigkeiten
und Zweifeln konfrontiert, sehr substantiellen und sehr spezifischen Schwierigkeiten und Zweifeln, die näher ausgeführt
werden sollen. Zwei allgemeinere Beobachtungen seien einlei-
tend vorausgeschickt.

Erstens, der Islamische Staat mag ein utopisches politisches
Projekt sein. Doch die Tatsache, daß ein politisches Projekt
utopisch ist und deswegen früher oder später scheitern muß,
heißt nicht, daß man es nicht mit Nachdruck und weitreichenden Konsequenzen verfolgen könnte. Das wissen wir aus der

schmerzvollen Erfahrung der utopischen Bewegungen des zwanzigsten Jahrhunderts in Europa, des Faschismus wie des Kommunismus. Und wir wissen auch, daß die Frage des Früher oder Später einen erheblichen Unterschied macht.

Zweitens hängt dieses Früher oder Später in hohem Maß von mehreren Dingen ab: Ob und wann die Führer solcher Bewegungen zu der Auffassung gelangen, ihr Projekt sei utopisch, und ob die Sehnsüchte und Leidenschaften, die sie antrieben und aufrechterhielten, zu schwinden beginnen, ob prosaischere Bedürfnisse und Wünsche an die Stelle des heroischen Geistes der Vergangenheit treten. Das könnte, wie Roy annimmt, davon abhängen, ob man auf große, konkrete Hindernisse – politischer, sozialer und ökonomischer Art – stößt, die der Verwirklichung des Projekts entgegenstehen und die Führer von dessen Aussichtslosigkeit überzeugen könnten. Doch andere utopische Bewegungen haben sich solchen Hindernissen gegenüber gesehen. In den vergleichsweise erfolgreichen Fällen haben die Führer die Hindernisse im voraus erkannt oder sich auf sie eingestellt und Strategien entwickelt, um ihnen zu begegnen und ihre Macht aufrechtzuerhalten – Strategien, die von Entschlossenheit, Disziplin, Gerissenheit, ja Rücksichtslosigkeit geprägt waren. Wenn diese Strategien schließlich scheiterten – wenn sich die Ziele tatsächlich als utopisch erwiesen –, hatte man viel Zeit darauf verwandt, es herauszufinden.

Diese allgemeinen Überlegungen führen zu Fragen und Schwierigkeiten, die für die islamistische Bewegung in Ägypten spezifisch sind. Es handelt sich um zwei Gruppen von Fragen. Erstens, hält die gegenwärtige Führung der Bruderschaft ihre historische Aufgabe für eine unmögliche Aufgabe? Glaubt sie, daß die heroischen Sehnsüchte und Leidenschaften ihrer Jugend gedämpft werden und eine bescheidenere Form annehmen sollten? Und selbst wenn die Führung zögert, das einzugestehen, kann sie nicht von jüngeren Mitgliedern der Bruderschaft – den Fußsoldaten sozusagen, die sich vielleicht von den durch die neuen Umstände eröffneten Gelegenheiten, bescheideneren und gemäßigteren Gelegenheiten, leichter verführen lassen – gezwungen werden, ihre Überzeugungen und Leidenschaften zu dämpfen? Zweitens, ist sich die Führung bewußt, welche Hindernisse sich ihrem Projekt entgegenstellen, und hat sie eine Strategie und eine Taktik entwickelt, mittels deren sie sie überwinden zu können glaubt? Hat sie die Intelligenz, die Fähigkeit und die Entschlossenheit, derartige Strategien zu verfolgen?

Die Antwort auf die erste Gruppe von Fragen fällt im Augenblick bemerkenswert deutlich aus: Noch nicht, nicht im entferntesten. Das sollte auch nicht besonders überraschen. Schließlich handelt es sich um den Augenblick des bisher größten Triumphs und Erfolgs der Bruderschaft, um einen Augenblick, für den sie achtzig Jahre gekämpft hat und um dessen willen sie viel zu ertragen bereit war. Manches deutet darauf hin, daß diese Beurteilung zutreffend ist. Aber am klarsten und wichtigsten sind die Ansichten eines Mannes namens Chairat al-Shatir. Shatir ist der stellvertretende Führer der ägyptischen Bruderschaft, aber auch ihr eigentlicher Vorsitzender; er führt die Bruderschaft heute und führte sie sogar vom Gefängnis aus. Er war der erste von ihr für das Präsidentenamt aufgestellte Kandidat. Durch ein quasilegales Manöver wurde er gezwungen, die Kandidatur zurückzuziehen; doch er wird wahrscheinlich zumindest kurzfristig eine wichtige und sogar entscheidende Kraft bleiben. Denn die Bruderschaft ist eine strikt hierarchische Organisation. Jedenfalls hat Präsident Mursi bei der Besetzung seiner neuen Regierung Shatirs Protegés zu seinen wichtigsten Mitarbeitern gemacht.

Shatir gab in einer langen Rede, die er im April 2011 bei einer Zusammenkunft der Bruderschaft in Alexandria hielt, eine Darstellung seiner Ansichten. Für eine Ansprache dieser Art ist sie bemerkenswert klar und umfassend. Er antwortete darin auf alle wichtigeren Überlegungen, wie sie von Roy und anderen angestellt wurden, manchmal explizit, manchmal implizit. Sowohl im allgemeinen wie im besonderen bestritt er die Notwendigkeit, daß die Bruderschaft ihre historische Vision und ihr Ziel aufgeben müsse. Vielmehr betonte er nachdrücklich, daß sich deren Richtigkeit erwiesen habe, und machte sich daran, sie für die gegenwärtige Situation neu und ausführlich zu formulieren.[19]

Shatir lehnte die Vorstellung rundweg ab, die Bruderschaft suche eine neue Vision, einen neuen Geist und einen neuen Weg. Emphatisch und explizit bekräftigte er Bannas Ziel und Mission, die er als «Wiederherstellung des Islams in seinem umfassenden Verständnis» beschrieb: «... die Islamisierung des Lebens, die Ermächtigung von Gottes Religion; die Errichtung der *Nahda* [Renaissance] der *Umma* [der weltweiten Gemeinschaft der Muslime] und ihrer Kultur auf der Basis des Islams und [letztlich] die Unterwerfung der Völker unter Gott auf Erden».

Ebenso emphatisch bekräftigte er die Weisheit von Bannas «Methode» und deren Erfolg, einen Erfolg, den die jüngsten Ereignisse eher zeigten als widerlegten. Bannas Methode bestand darin, den «Aufbau» in fortschreitender Ordnung voranzutreiben, beginnend beim «muslimischen Individuum» über die «muslimische Familie, die muslimische Gesellschaft, die islamische Regierung, den globalen Islamischen Staat und [schließlich] mit Hilfe dieses Staates den Status der ‹Vorrangstellung› oder ‹Vorherrschaft› [*Ustathiya*] erreichend». Shatir sah diesen Prozeß, der bereits so viel dazu beigetragen hatte, die muslimische Gesellschaft zu verändern, ganz selbstverständlich die nächste Phase erreichen, die der islamischen Regierung, genauso wie Banna das vorhergesehen hatte.

Der gegenwärtige Erfolg rechtfertigte auch das Instrument – das heißt die Gesellschaft der Muslimbrüder –, das Banna geschaffen hatte, um diese Methode zu verfolgen, und dessen Organisations- und Operationsweise. Letztere zeichnete sich durch eine mit Bedacht hierarchisch aufgebaute Organisation ihrer verschiedenen Untergruppen und die von den höchsten

---

19 Der vollständige Text der Rede findet sich in: *Khairat al Shater on the Brotherhood's Rise*, in: *Current Trends*, Bd. 13, S. 127–155.

Autoritäten – dem Obersten Führer und dem Führungsbüro – geübte strikte Disziplin aus. Beides hatte sie viele, lange Jahre hindurch in die Lage versetzt, ihre Mission fruchtbringend zu verfolgen, einschließlich der Zeiten, in denen sie extremer Unterdrückung ausgesetzt war. Keine andere Gruppe von Muslimen, wie fromm und wie ergeben sie dem allgemeinen Ziel der Bruderschaft auch sein mochte, glich ihr oder hatte ähnlichen Erfolg.

Alle genannten Merkmale – Mission, Methode und Organisation – waren, wie Shatir formulierte, «Konstanten» und keine «Variablen», eine Unterscheidung, die Shatir mit einiger Sorgfalt vornahm und betonte. Die Konstanten waren keinem Wandel unterworfen. Und das war auch niemals nötig, denn sie leiteten sich vom höchsten und erfolgreichsten Vorbild her, das es je gab, vom Propheten Mohammed, seinen Gefährten und frühen Nachfolgern. Indem die Bruderschaft diesem Vorbild folgte, hatte sie individuelle Mitglieder geschaffen, die ein «wandelnder Koran» waren, «deren Glaube, Gottesdienst, Sitten, Beziehungen, Verhalten, Gedanken und Gefühle mit dem Islam, den Mohammed vom allmächtigen Gott empfangen hatte, identisch waren». So waren sie auch der Führung des Umar ibn al-Chattab, des zweiten Kalifen, treu geblieben, der verkündet hatte, daß «es keine Religion ohne Gesellschaft gibt, keine Gesellschaft ohne Imam und keinen Imam ohne Gehorsam». Auf dieser Grundlage, bemerkte Shatir, war Umar zum Architekten der größten frühen muslimischen Eroberungen und des weltumspannenden Islamischen Staates geworden, der über eintausend Jahre Bestand hatte. Seinem Vorbild war die Bruderschaft als Gesellschaft, als *die* Gesellschaft, in ihrer Organisation und Disziplin gefolgt, und sie könnte, so lautete die stillschweigende Folgerung, seinen Erfolg wiederholen.

Doch wie steht es um die «Variablen», deren Existenz Shatir einräumte? Gab es neue Umstände, die beim Streben nach dem, was er als «Werk der Bruderschaft» bezeichnete, neue Methoden und Vorgehensweisen erforderlich machen, die moderne Eigenarten widerspiegeln und ein Element der «Mäßigung» einführen könnten, wie Roy und andere sie vorhersagen? Tatsächlich gab es so etwas Shatir zufolge, zum Beispiel eine politische, von den Brüdern gegründete Partei, die «Partei für Freiheit und Gerechtigkeit». Das war in der Geschichte der Bruderschaft ohne Beispiel, und Banna hatte dergleichen prinzipiell abgelehnt. Shatir bemühte sich aber zu betonen, daß diese und andere mögliche Neuerungen völlig sekundär seien. Besonders die politischen Parteien waren allesamt fremden, westlichen Ursprungs und Ausdruck politischer Konflikte. Sie waren daher nicht unantastbar. Ja, als Ausdruck politischer Konflikte verletzen Parteien nach westlichem Vorbild die Einheit und Harmonie, die das Ziel muslimischer Politik sind. Wenn sie unter den gegenwärtigen Umständen von Nutzen sind, schön und gut; wenn nicht, könnte und würde man auch ohne sie auskommen.

Selbstverständlich ist Shatir nur einer von vielen, und in der Bruderschaft kann es andere Männer mit anderen Auffassungen geben. Tatsächlich ist bekannt, daß es sie besonders unter den Jüngeren gibt. Shatir sprach sie in seiner Rede an und bekundete, er verstehe ihre Sorgen und Versuchungen. Doch er ermahnte sie zu bedenken, daß sie unerfahren seien; schlimmer noch, daß ihnen die brutale Erfahrung von Männern wie ihm fehlte, die lange Zeit im Gefängnis verbracht und großes Unrecht erlitten hatten. Für sie sei es wichtig und im Licht des in der Bruderschaft herrschenden Prinzips der Disziplin jedenfalls notwendig, weit vorauszuschauen. Gewiß konnten in der Bruderschaft Debatten über die «Variablen» geführt werden, und sie wurden auch geführt. Aber entschieden wurden alle Debatten durch die obersten Organe, und sobald die Entscheidungen gefallen waren, waren sie verpflichtend. Das war eine «Konstante».

Shatir sprach in seiner Rede als ein von einer Utopie geleiteter Revolutionär, dessen Vision nicht nur Ägypten, sondern die ganze Welt und die weitreichendsten islamistischen Bestrebungen einschließt. Aber man kann hinzufügen, daß er das Utopische seines Ziels prinzipiell bestreitet. Denn schließlich versteht man unter einer Utopie im gewöhnlichen Sinn etwas, das noch nie existiert hat. Doch das, wonach er strebt, hat in seinem Verständnis bereits existiert – in den Tagen des Propheten und der frühen Kalifen, vor allem zur Zeit Umar ibn al-Chattabs. Durch harte und kluge Arbeit und mit Gottes Wille kann man es wieder erreichen. Jedenfalls machte Shatirs Rede deutlich, daß er sich einer revolutionären islamistischen Agenda und damit der Agenda der Bruderschaft verschrieben hat.

Shatirs Rede und die in ihr präsentierten Ansichten beantworteten selbstverständlich nicht alle Fragen. Einerseits lieferte die Rede keine detaillierte Darstellung des Islamischen Staates, das heißt eine Darstellung seiner genauen Form, der Institutionen und wie sie funktionieren würden. Die Hauptquelle einer solchen Darstellung ist gegenwärtig der Entwurf einer Agenda zur Führung, die die Bruderschaft 2007 halboffiziell in Umlauf brachte. Unter anderem führte dieses Dokument die Vorstellung von der Suprematie des islamischen Gesetzes und der Schaffung einer von islamischen Rechtsgelehrten besetzten Institution ein, die ihm zur Geltung verhilft. Das scheint ein Erfordernis zu sein, das sich aus der Ansicht ergibt, daß der Koran die Verfassung sein soll. Aber der Entwurf wurde nie weiter ausgearbeitet, und ob und in welcher Weise er noch gültig ist, ist unklar. Ebenso unklar ist, ob und in welcher Weise die Führer der Bruderschaft, die nicht unbedingt zu den Rechtsgelehrten gehören, die Macht mit diesen teilen würden, eine Frage von beträchtlicher Bedeutung, die sich im Fall der Islamischen Republik Iran gestellt hat. Die neue ägyptische Verfassung wird hier wohl eine zumindest in Teilen klärende Antwort geben. Andererseits wurde die Rede relativ bald nach dem Sturz Mubaraks gehalten. Die Frage, wieviel Macht Shatir und die Bruderschaft besitzen würden, um ihren Willen durchzusetzen, konnte sie damals nicht beantworten: Ob der Bruderschaft bei ihrem Streben nach der Macht signifikante Hindernisse entgegenstehen würden? Ob sie sie vorausgesehen und eine Strategie entwickelt hatte, um mit ihnen umzugehen?

Die Antworten auf diese Fragen sind ebenfalls bemerkenswert klar, obwohl aus offensichtlichen Gründen nicht endgültig. Die Bruderschaft sah sich auf ihrem Weg großen Hindernissen gegenüber. Sie hatte sie vorausgesehen. Sie hatte eine
Strategie für den Umgang mit ihnen. Bei den ersten Tests erwies sich ihre Strategie als erfolgreich. Was die Hindernisse
betrifft, so hatte es eine Weile den Anschein, daß die Bruderschaft ihre Macht mit dem ägyptischen Militär teilen
müßte, das durch die Autorität des Obersten Rats der Streitkräfte (ORS) vertreten und teilweise von der Justiz unterstützt
wurde. Ja, es hatte den Anschein, als fehle ihr überhaupt jede
wirkliche Macht. Denn kurz vor Beendigung der Präsidenten-
wahl erließ der ORS ein ergänzendes «Verfassungsdekret»,
welches dem Präsidentenamt viel von seiner Macht nahm, und
beanspruchte die volle legislative Autorität ebenso wie die Autonomie der Streitkräfte gegenüber einem großen Teil, wenn
nicht der gesamten zivilen Kontrolle. Gleichzeitig erklärten
Organe der Judikative, daß die Wahlen zum Parlament in einer Weise durchgeführt worden seien, die die Verfassung ver-
letzt habe, und ordneten dessen Auflösung an. Außerdem löste
das Verfassungsgericht eine verfassunggebende Versammlung
auf, die eine neue Verfassung entwerfen sollte. Obwohl Mursi,
der Kandidat der Bruderschaft, die Präsidentenwahlen gewann, schien es ihm und der islamistisch kontrollierten Legislative in der Zeit nach dem Sieg an wirkungsvoller Macht zu
fehlen. Sie schienen die Schuld für alle Probleme Ägyptens auf
sich nehmen zu müssen und kaum mit Machtmitteln ausgestattet zu sein, um sie zu lösen. Die Ereignisse sah man als
Staatsstreich des Militärs an.
    Doch zur Zeit des Staatsstreichs gestand die Bruderschaft
ihre Niederlage nicht ein, sondern behauptete, über eine Strategie zu verfügen, um ihren Zielen näher zu kommen. Jihad
al-Haddad, ein enger Berater und Sprecher Shatirs erklärte,
die Bruderschaft habe «immer einen langen Kampf erwartet,
um an die Macht zu kommen», und für einen «sieben bis zehn
Jahre dauernden Prozeß geplant». Nach dem Sieg bei der Prä-

sidentenwahl fügte er hinzu, die gegenwärtige Situation sei wie an einem «Schachbrett»: «Das Militär machte einen Zug und wir ebenfalls.» Wie sich herausstellte, mußten Mursi und seine Kollegen keine sieben bis zehn Jahre warten, um ihr unmittelbares Ziel – die ungeteilte Herrschaft – zu erreichen. Mursi nutzte die erste taktische Gelegenheit – eine terroristische Attacke auf ägyptische Soldaten auf der Sinai-Halbinsel – und zwang alle ranghöheren Führer des Obersten Rats der Streitkräfte, in den Ruhestand zu treten, um sie durch Offiziere seiner Wahl zu ersetzen. Er übertrug auch die durch das «ergänzende Verfassungsdekret» gewonnene Autorität, die alle legislativen Befugnisse einschloß, auf das Amt des Präsidenten. Dann ernannte er ein neues Kabinett. Der Erfolg seines Handelns deutete auf eine richtige Einschätzung des politischen Terrains und der verfügbaren Kräfte hin und auf eine Strategie und eine Taktik, um die Möglichkeiten zu nutzen, die sich ihnen boten. Mursi und andere Führer der Bruderschaft hatten die Initiative zurückgewonnen.

Verschiedene Faktoren können ihnen bei ihren weiteren Anstrengungen zustatten kommen. Erstens haben sie ein mächtiges Instrument zur Verfügung – die Bruderschaft und die Art und Weise, in der sie organisiert ist. Shatir hatte recht, als er sagte, Banna habe seine Organisation so solide aufgebaut, daß sie auch unter schwierigen Bedingungen zusammenhält. Das heißt nicht, daß die Mitglieder sie nicht verlassen können – manchmal kommt das vor. Doch aufgrund des besonderen Charakters der Bruderschaft haben sie einen sehr hohen persönlichen Preis dafür zu entrichten. Denn die Bruderschaft ist nicht nur eine Bewegung, sondern eine «Familie», tatsächlich wird die kleinste Einheit der Organisation als *usra*, Familie, bezeichnet. Wie man von früheren Brüdern weiß, müssen diejenigen, die die Bruderschaft verlassen, gegen die Unzufriedenheit ihrer Frauen und Kinder ankämpfen, weil sie ihr ganzes soziales Umfeld verlieren. Das ist in einem Land, in dem die Zugehörigkeit zu einer Gemeinschaft fast alles bedeutet, ein ungemein starkes Hindernis. Die jüngsten Ereignisse und die relative Freiheit, in der sie stattfanden, haben das unterstrichen. Viele Beobachter hatten prophezeit, die neuen Umstände und Unzufriedenheit mit den Führern würden zu massiven Austritten führen. Doch das trat nicht ein. Die Bruderschaft verfügt also nicht nur über eine revolutionäre Strategie, sondern auch über einen revolutionären Kader, auf den sie sich bei der Durchsetzung verlassen kann.

Zusätzlich können ihre Anstrengungen Nahrung und Kraft aus den neuen historischen Umständen und dem Geist ziehen, den diese geschaffen haben, das heißt aus dem verbreiteten Gefühl, daß dies der islamistische Moment ist – ein Gefühl, das durch die Ereignisse in der gesamten Region, den allgemeinen Erfolg des Islamismus und den nicht weniger allgemeinen Niedergang des westlichen und insbesondere des amerikanischen Einflusses in der Region unterstützt wird. Beides kommt den Klagen und den Sehnsüchten entgegen, die den Islamismus zuerst inspirierten, und übt auch auf viele, die nicht förmlich zur islamistischen Bewegung gehören, Anziehungskraft aus. Die Bruderschaft wird versuchen, diese Anziehungskraft und das Gefühl auszubeuten, daß sie sich «auf seiten der Geschichte» befinde, auf einem neuen und ruhmreichen Blatt der muslimischen Geschichte.

Es bleibt die große Frage, was das Ergebnis dieser Geschichte und ob sie authentisch und ruhmreich sein wird. Wird die Bruderschaft ihre beiden Hauptziele erreichen, die Wiederaufrichtung eines authentischen muslimischen Gemeinwesens, wie seine Befürworter es verstehen, und die Wiederherstellung muslimischer Macht, muslimischen Ansehens und muslimischer Vorherrschaft in der Welt? Die notwendige Folge einer solchen Vorherrschaft wären Niederlage und Niedergang derjenigen, die die Islamisten fast immer als ihre wichtigsten Rivalen und Feinde betrachtet haben – nämlich des Westens und der Vereinigten Staaten, besonders nach dem Hinscheiden des Sowjetkommunismus, der früher als der andere Hauptfeind angesehen wurde. Oder wird sie in einem oder in beiden Punkten scheitern? Ist sie wirklich utopisch? Und wenn ja, welche

Folgen wird es haben, wenn man es am Ende herausfindet? Diese Fragen kann erst die Zukunft beantworten. Doch die Erfahrung der Islamischen Republik Iran – die Erfahrung des einzigen Islamischen Staates, der auf eine Geschichte zurückblicken kann – erlaubt es, einer notwendig spekulativen Antwort mit Gründen nachzugehen.

Iran

Die Islamische Republik Iran ist ein schiitischer und kein sunnitischer Staat. Sie kann daher nicht umstandslos zur Vorhersage der zukünftigen Entwicklung der Bruderschaft oder anderer sunnitischer Gruppen herangezogen werden. Ihre Gründung zeigte jedoch, daß sie in verschiedenen Hinsichten den Geist und die Ziele der islamistischen Bewegung teilt, und ihr Gründer Ajatollah Khomeini war, wie erwähnt, von sunnitisch-islamistischen Schriften und Vorbildern inspiriert worden. Er versuchte, eine religiöse Autorität als höchste politische Autorität zu etablieren, was ihm im Prinzip auch gelang – allerdings auf der Grundlage einer radikalen schiitischen Doktrin, die man als *Velayat-e Faqih*, die Herrschaft des Rechtsgelehrten, bezeichnet. Dieses Prinzip setzte man durch die Einführung einer neuen Verfassung und die von ihr geschaffenen Institutionen in Kraft.[20]

Mit besonderer Energie machte sie sich das gemeinsame und höchste islamistische Ziel zu eigen: die Wiederherstellung muslimischer Macht und muslimischen Ruhms. Das schloß nach ihrem Verständnis den Sieg über die vorgeblichen Feinde des Islams, den Westen und vor allem die Vereinigten Staaten, den Großen Satan, ein. Dieses Ziel sollte die Trennlinien zwi-

---

20 Zur Geschichte des Aufstiegs des islamistischen Regimes im Iran und der Nachwirkungen siehe Ali M. Ansari: *Modern Iran Since 1921.* London 2007; Said Amir Arjomand: *After Khomeini: Iran Under His Successors.* New York 2009.

schen Sunniten und Schiiten verblassen und hinter sich lassen.
Khomeini und das von ihm etablierte Regime versuchten, die
Führung der Bewegung zu seiner Verwirklichung zu übernehmen.

Obwohl der iranische Islamische Staat nun seit mehr als
dreißig Jahren besteht, traf seine Gründung und sein Überleben auf ernsthafte Widerstände. Anfangs besaß Khomeini
keine ungeteilte Herrschaftsgewalt, sondern war gezwungen,
die Macht mit nichtislamistischen, säkularen und linken Kräften zu teilen, Kräften, mit denen er sich verbunden hatte, um
den Schah zu stürzen. Außerdem sahen Khomeini und seine
Verbündeten sich fast unmittelbar nach dem Umsturz in einen
großen Krieg mit dem Nachbarn Irak verwickelt, der Iran angegriffen hatte. Der Krieg dauerte acht Jahre und forderte
mehr als eine Million iranische Opfer. Doch das Regime überlebte den Krieg und festigte seine Herrschaft, zumindest teilweise aufgrund des Krieges und durch den Krieg, indem es
militärisch-revolutionäre Kader schuf. Und es hat den Tod seines Gründers Ajatollah Khomeini überlebt, der vor mehr als
zwanzig Jahren starb.

Wie ist es dem Iran seither ergangen und was sagt das über
das Projekt des Islamischen Staates aus? Die Bilanz fällt widersprüchlich aus.[21]

Im Innern sah sich der Staat verschiedenen Hindernissen gegenüber. Zunächst und als Folge seiner Verpflichtung auf eine
wahrhaft «islamische Gesellschaft» versuchte er, den Einfluß
der «modernen westlichen Lebensweise» – was man als «Vergiftung durch den Westen» bezeichnete – auszurotten und die
«muslimische Tugend» zu stärken, indem er seine beträchtliche Zwangsgewalt einsetzte. Doch damit hatte er nur teilweise
Erfolg, und es gibt heute viel Unzufriedenheit, was im Jahr

---

21 Siehe Said Amir Arjomand: *The Iranian Revolution in the New Era,*
in: *Current Trends,* Bd. 10, S. 5–20; Mehid Khalidji: *The Iranian
Clergy's Silence,* in: *Current Trends,* Bd. 10, S. 42–55; Hillel Fradkin:
The Paradoxes of Shiism, in: *Current Trends,* Bd. 8, S. 5–25.

2009 während der Proteste im Zusammenhang mit den Präsidentschaftswahlen deutlich wurde. Wichtiger jedoch war, daß es dem Regime nach dem Tod seines Gründers zunehmend schwerfiel, die Reinheit seiner politischen Prinzipien aufrechtzuerhalten. Zum Teil war dies die Folge seines höchsten Prinzips – der Herrschaft des Rechtsgelehrten –, das in der Verfassung im Amt des Obersten Führers verkörpert war, der gegenüber allen staatlichen Institutionen die höchste Autorität besaß. Bei der Gründung war das Prinzip relativ einfach in der Person Khomeinis verkörpert, der nicht nur der politische Führer der Revolution, sondern als ein Ajatollah nach den traditionellen schiitischen Kriterien die oberste Gesetzesautorität besaß. Doch vor und nach Khomeinis Tod erwies es sich als schwierig, einen Nachfolger zu finden, der den revolutionären Geist und das Ansehen eines Rechtsgelehrten in sich vereinte.

Sein Nachfolger wurde schließlich Ajatollah Khamenei. Doch vor der Erhebung zum Obersten Führer hatte ihm der typischerweise von den geistlichen Kollegen verliehene Titel eines Ajatollah gefehlt, weil ihm das erforderliche Ansehen als Rechtsgelehrter fehlte. Damit wurden die zwei Herrschaftskriterien – revolutionärer Geist und religiös-rechtliches Können – getrennt und die Klasse der Kleriker, in deren Namen die Revolution ursprünglich vorgeblich erkämpft worden war, gewissermaßen degradiert. Das spiegelte sich in der Klasse der Kleriker selbst wider, unter denen sich einige eher den traditionellen schiitischen Lehren verbunden fühlten, während andere den revolutionären, ja messianischen Eifer zum sine qua non der «Herrschaft des Rechtsgelehrten» erhoben.

Die Spannung zwischen den herrschenden Prinzipien hat unterschiedliche Formen angenommen und ist auf unterschiedlichen Ebenen ausgetragen worden. Mit besonderer Gewalt trat sie in der umstrittenen Wahl von 2009 hervor, in der alle wichtigeren Kandidaten «Kameraden» der Revolution waren. Auch danach bestand sie noch eine Zeitlang fort, als die «wahre Bedeutung» von Khomeinis Erbe kurz, aber lebhaft diskutiert wurde. Am Ende gelang es Khamenei vermittels der Kontrolle über und der Unterstützung durch die militärisch-revolutionären Kader – der Revolutionären Garden und der Basij Miliz –, seinen Willen durchzusetzen. Das deutete auf die anhaltende Militarisierung des Regimes im Namen «der Revolution» hin. Schon Khomeini hatte in diese Richtung gewiesen, wenn er etwa verkündete, daß die Bedürfnisse des Regimes und der Revolution über alles andere hinausgingen, wenn nötig selbst über die strengen Anforderungen des islamischen Rechts.

In diesem Licht stellt sich die Frage, ob die Islamische Republik Iran noch die Bezeichnung Islamischer Staat verdient. Für Puristen wie Olivier Roy und andere ist die Antwort «Nein». Doch ihre Sicht gleicht der marxistischer Dissidenten der Vergangenheit, die behaupteten, die Sowjetunion sei kein wirklich kommunistischer Staat. Andere bezeichneten sie als den real existierenden Sozialismus und den real existierenden kommunistischen Staat. In diesem Sinn ist die Islamische Republik Iran der real existierende Islamische Staat, und dieser Staat wird bestimmt durch das, was er tut oder tun muß, um zu überleben. Zudem gleicht er in seiner Form – in seiner Militarisierung – muslimischen Staaten der Vergangenheit, die erfolgreichsten eingeschlossen. Könnte das die letzte Bedeutung des Islamischen Staates sein? Und ist es für die sunnitischen Bestrebungen exemplarisch? Wir wissen es noch nicht. Doch früher oder später wird sich die sunnitische Führung – besonders die der Muslim-Bruderschaft – der Frage nach ihrem eigenen Verhältnis zu den traditionellen sunnitischen Autoritäten, den Rechtsgelehrten, stellen müssen.

Aber wie steht es mit dem anderen Ziel des Islamischen Staates, mit seiner Mission, die muslimische Macht, den muslimischen Stolz und letztlich die muslimische Vorherrschaft wiederherzustellen, wie Shatir es formulierte? Was zeigt die Erfahrung Iran in dieser Hinsicht? Abermals sind die Ergebnisse widersprüchlich. Das iranische Regime fühlt sich weiterhin Khomeinis Ziel des Sieges über die westlichen Gegner – den großen Satan oder die Globale Arroganz – und einer neuen Weltordnung verpflichtet, welche die erneuerte Macht und den erneuerten Ruhm des Islams unter iranischer Führung widerspiegelt. Diese Ziele und ihre bald bevorstehende Verwirklichung werden von den Medien des Regimes buchstäblich Tag für Tag verkündet. Die Verfolgung der islamistischen Ziele stellt ein wichtiges Element der Legitimierung des Regimes dar. Der Iran hat wiederholt bewiesen, daß er in der Lage ist, im Nahen Osten seinen Willen zu behaupten und, nicht selten, den westlichen Ländern Schaden zuzufügen.

Doch die Macht Irans ist beschränkt geblieben. Zum Teil liegt das an seinem schiitischen Charakter, obwohl die Propagierung der gemeinsamen muslimischen Sache, das Ressentiment gegenüber dem Westen und manche Erfolge ihm erlaubten, seine Anziehungskraft auch im sunnitischen Lager auszuweiten. Ebensosehr, wenn nicht noch mehr, liegt es aber an dem Versuch, eine moderne Macht zu werden und gleichzeitig moderne Verhaltensweisen abzulehnen. Denn objektiv gesehen und nach den Erfahrungen der westlichen Politik zu urteilen, welche die muslimische Macht zurückdrängte, ist die Macht, deren es heute bedarf, um die Weltpolitik zu dominieren, eine Funktion der Aneignung der Moderne. Damit ist nicht nur die moderne Technologie, sondern zuallererst der moderne Republikanismus und das moderne Denken gemeint, das beides hervorbrachte. Nicht zufällig war dieses Denken von Anfang an in hohem Maße von der Frage der Macht präokkupiert. Zumindest was die Macht betrifft, hat das moderne Denken seine Versprechen gehalten, insbesondere gilt dies für die ökonomische Macht, auf der andere Formen der Macht beruhen. Gerade in ökonomischer Hinsicht hat sich der Iran jedoch als defizient erwiesen.

Wir stoßen hier auf das Problem, dem sich die islamistische Renaissance seit ihrem Beginn gegenüber sah, ob sie sich dessen bewußt war oder nicht. Wie sollte sie die Moderne im Namen der Vormoderne oder Postmoderne bekämpfen, ohne selbst modern zu werden? Und würde die wiederhergestellte Ehre, die sie in ihrem Kampf erstrebte, nicht durch die

Schmach der nichtmuslimischen Fundamente entehrt werden,
auf die sie sich stützen müßte? Der Islamismus hat dieses Problem nie gelöst. Kann er es lösen?

Die Islamische Republik Iran nimmt für sich noch immer in
Anspruch, sie werde die muslimische Welt und den Islam zu
alter Macht und Größe führen. Ihrer Rhetorik und ihrem Den-
ken zufolge beruhen ihre Hoffnungen zu einem Teil auf der
Gunst Gottes. Doch sie beruhen auch zu einem Gutteil auf der
Ansicht, daß ihr erklärter Feind verderbt und in seinen vitalen
Funktionen gestört sei. Gewisse Anzeichen sprechen dafür.
Andererseits gibt es noch mehr Anzeichen dafür, daß die muslimische Welt, die die Islamische Republik Iran in den Kampf
führen will, in ihren Funktionen gestört ist und daß sich dies
im Gefolge des islamistischen Enthusiasmus noch verstärkt.
Die gemeinsame Aneignung islamistischer Ziele könnte den
Grund für eine große gemeinsame Anstrengung legen. Sie ist
aber auch der Ausgangspunkt für einen Wettstreit unter den
Islamisten, der gegen die Einheit, die ein Merkmal islamistischer Politik sein soll und naturgemäß eine Quelle der Stärke
wäre, arbeiten kann und das in einem gewissen Umfang heute
bereits tut.

Aber gegenwärtig sucht der Iran nach einer zusätzlichen Basis, von der aus er seine Ziele aussichtsreich verfolgen kann.
Denn auf dem Weg zu einigen Formen moderner Macht mag
es Abkürzungen geben – moderne Waffen und insbesondere
Massenvernichtungswaffen, deren Erwerb nicht die Aneignung der Moderne im ganzen zu erfordern scheint. Der Iran
verläßt sich nicht einfach auf die göttliche Gunst, sondern
drängt danach, modernste Mittel, Nuklearwaffen, zu erwer-
ben. Mit ihnen will er seine Anstrengungen, «das Banner Allahs aufzurichten», weiter verfolgen. Seine Führer scheinen in
ihren ungezügelteren und unheimlicheren Momenten zu denken, dies könne notfalls dadurch erreicht werden, daß man die
Feinde vernichtend schlägt und sie so auf eine gleiche Ebene
zwingt, durch das, was man verharmlosend asymmetrische
Kriegführung nennt. Solche Siege nähmen sich nicht als ein

utopischer Traum, sondern als ein Alptraum aus. Aber vielleicht nicht für die Führer Irans. Wir haben andere utopische
Träume erlebt, die sich als Alpträume herausstellten.

Aus dem amerikanischen Englisch übersetzt von Wiebke Meier

ROBERT C. BARTLETT

Religion und Politik in der klassischen politischen Wissenschaft

Im späten siebzehnten Jahrhundert vertrat der große französische Universalgelehrte Pierre Bayle offen die Ansicht, daß es möglich sei, eine rechtschaffene Gesellschaft von Atheisten zu begründen. Bayle behauptete, eine Moral, wie eine vernünftige Politik sie erfordert, erfordere keinen Glauben an einen allwissenden und allmächtigen Gott, der uns hier und jetzt, geschweige denn in alle Ewigkeit, belohnt und bestraft. Eine ganz und gar menschliche Moral, allen vernünftigen praktischen Zwecken angemessen, könne mit rein menschlichen Mitteln aufrechterhalten werden. Mehr als das: Bayle gab zu verstehen, nur wenn wir uns von den schädlichen Illusionen des biblischen Glaubens befreiten, könne es am Ende zu einer vernünftigen Politik kommen. Denn die Menschen haben im Namen und im Dienst des allmächtigen Gottes unaussprechliche Grausamkeiten aneinander begangen, Grausamkeiten, die uns sonst, in unserem alltäglichen Leben in dieser Welt, nie in den Sinn gekommen wären. Pierre Bayle zufolge ist der Glaube an den biblischen Gott für eine vernünftige Politik nicht notwendig, im Gegenteil, er schadet ihr. Und so wandte Bayle seine beachtlichen Kräfte daran, eine Welt mit heraufzuführen, die von rechtschaffenen Atheisten bevölkert wäre.[1]

Nicht alle Bürger der «République des lettres» oder genauer: nicht alle Philosophen der modernen Aufklärung gingen in ihrer Rede oder in ihrem Denken so weit wie Bayle. Und doch ist Bayles Radikalität von Nutzen, denn er macht

---

1 Pierre Bayle: *Pensées diverses sur la comète*. Paris 1994.

den wesentlich antibiblischen und antitheologischen Kern der modernen Aufklärung deutlich. Selbst Montesquieu, ein erklärter Kritiker Bayles, läßt eine entscheidende Übereinstimmung mit ihm erkennen. Auf dem Höhepunkt seines *De l'esprit des lois* kritisiert Montesquieu jeden Versuch, eine Religion direkt anzugreifen, indem man sie verfolgt; religiöse Verfolgung sei genau die falsche Strategie. Was ist die bessere Strategie, um eine Religion, jede Religion «anzugreifen»? «Also nicht dadurch, daß man die Seele ganz mit diesem großen Gegenstand [d. h. der Furcht vor dem eigenen Tod] erfüllt und sie dem Augenblick entgegenführt, der von noch größerer Bedeutung für sie ist, erreicht man es, sie von ihr [d. h. der Religion] loszulösen: sicherer greift man die Religion durch Verwöhnen, durch ein bequemes Leben und Hoffnung auf Vermögen an; nicht dadurch, daß man zum Widerspruch reizt, sondern indem man sie vergessen läßt; nicht indem man Entrüstung weckt, sondern indem man Lauheit fördert, wenn andere Leidenschaften auf unsere Seele einstürmen und die religiösen Leidenschaften schweigen. Allgemeiner Grundsatz: beim Wechsel einer Religion helfen freundliche Aufforderungen besser als Strafen.»[2] Die Seele von der Religion loslösen – das könnte der modernen Aufklärung als Motto voranstehen.

Bis vor gar nicht langer Zeit waren viele intelligente Beobachter im Westen davon überzeugt, daß die menschliche Seele tatsächlich von der Religion losgelöst werden könne, und es gab gute Gründe für ihre Überzeugung: Sie hatten diese Loslösung an sich selbst erfahren und erlebten mit, wie sie sich in weiten Teilen der «entwickelten» Welt ausbreitete. Denn können wir die einflußreichsten Mitglieder unserer Gemeinwesen oder zumindest die tonangebenden «Meinungsführer» nicht,

---

2 Montesquieu: *De l'esprit des lois*, in: *Œuvres complètes*. Ed. Roger Caillois. Paris 1951, Bd. 2, S. 745–746. Deutsche Übersetzung (modifiziert) von Ernst Forsthoff. Tübingen 1951, Bd. II, S. 198–199 (Buch XXV, Kap. 12).

wenn nicht als rechtschaffene Atheisten, zumindest als Indifferentisten beschreiben, für die die Frage, was Gott von uns verlangt, in der Lebensführung nicht zentral ist? Die Vereinigten Staaten sind sicherlich ein komplizierter Fall. In weiten Teilen des amerikanischen Südens zum Beispiel kann man auf einen tiefen, lebendigen religiösen Glauben treffen. Und überall in den Vereinigten Staaten wird eine große Mehrheit der Bürger auf Fragen neugieriger Meinungsforscher antworten, daß sie an Gott glaubt, genauso wie viele Amerikaner religiöse Riten in Anspruch nehmen, um Hochzeit, Geburt und Tod einen festlichen Rahmen zu geben. Doch diese Fakten sagen zu wenig über den tatsächlichen Inhalt der Lehre aus, die gepredigt wird, oder über den Ort, den die religiöse Überzeugung in der Ökonomie des Lebens wirklich einnimmt. Besonders seitdem sich in Westeuropa, den Vereinigten Staaten und Kanada in der Nachkriegszeit Stabilität und Prosperität ausbreiteten, genügte ein flüchtiger Blick, um jene rechtschaffene Gesellschaft der Atheisten oder Indifferentisten am Horizont zu erkennen, auf welche die moderne Aufklärung gehofft hatte. Die wachsende «Säkularisierung» der westlichen liberalen Demokratien wurde in den Sozialwissenschaften zu einem wichtigen Thema. Die Zunahme der Lebenserwartung begleitet von einer Abnahme der Geburtenrate, der erstaunliche Anstieg materiellen Komforts im Verein mit zurückgehenden Besucherzahlen in den Kirchen: das alles waren fundamentale Veränderungen, deren Zentrum man im allmählichen Rückgang der Religiosität in der Welt sah.

Was den Niedergang oder Zusammenbruch der von Karl Marx inspirierten Regime betraf, so hielt man ihn nicht für eine schallende Widerlegung des offiziellen Atheismus jener Regime, sondern für das Ergebnis ihrer ungeheuerlichen Schändlichkeit (im Verein mit einer schlechten Wirtschaft). Der Zusammenbruch der Sowjetunion kündigte «das Ende der Geschichte» an und schien den Weg frei zu machen für den Sieg der letzten und besten Manifestation der modernen Politik: für die moderne, am Kommerz ausgerichtete Republik, die den Satz zur Grundlage hat, daß alle Menschen an Recht und Würde gleich sind, und die durch besondere institutionelle Vorkehrungen (wie Montesquieus Gewaltenteilung) gekennzeichnet ist, welche die Freiheit des Einzelnen gewährleisten und fördern und gegenüber allen religiösen Fragen neutral oder indifferent sind. Die religiösen Belange blieben der Privatsphäre oder zumindest der Gesellschaft im Unterschied zum Staat zugeordnet, und würden dort belassen, um zu blühen oder zu verkümmern – meistens letzteres –, so wie jedes Individuum es nach seiner Einsicht für angemessen hielte.

Doch man kann nicht länger mit der gleichen Zuversicht daran festhalten, daß die Loslösung von der Religion sich fortsetzen oder daß sie dort, wo sie auftrat, andauern wird. Man kann hier den gewaltsamen Einbruch des islamischen Terrorismus in das moderne säkulare Leben anführen, eine Entwicklung, die sich nur durch Rekurs auf den religiösen Glauben, nicht auf die Bildung, die Wirtschaft oder die Politik angemessen erklären läßt. Der islamische Terrorismus hat uns daran erinnert, daß es mitten unter uns tief religiöse Menschen gibt, die, ebenweil sie tief religiös sind, die Prinzipien unserer Lebensweise im Kern ablehnen. Wir mögen uns bei dem Gedanken beruhigen, ein solcher Extremismus sei nicht mehr als ein bizarres Überbleibsel einer mittelalterlichen Weltsicht und er werde mit der Zeit abgemildert oder abgeschwächt werden, wie das Christentum der Kreuzzüge durch die Wissenschaft, den Kapitalismus, die Lehre von den Individualrechten abgemildert oder abgeschwächt worden ist, so daß auch der Islam mühelos seinen Ort in der Diversität moderner Kulturen findet. Doch selbst wenn dem so sein sollte, selbst wenn die Angriffe des 11. September in den Vereinigten Staaten oder des 7. Juli in London nicht von grundlegender theoretischer Bedeutung sind – wächst nicht das Gefühl, daß es im Herzen des Westens selbst ein Problem gibt? Die krönende Errungenschaft der modernen Säkularisierung, die Europäische Union, sieht sich gegenwärtig ernsten Zweifeln ausgesetzt. Die Zweifel betreffen nicht allein ihre Möglichkeit – die Kosten des sozialen

Wohlfahrtsstaats sind schwindelerregend –, sondern erstrek-
ken sich auch auf ihre Güte: Der soziale Wohlfahrtsstaat küm-
mert sich vor allem um unsere Körper, aber wir sind *mehr* als
nur unsere Körper. Die Frage, die einige der schärfsten Beobachter, von Charles Taylor über Pierre Manent bis hin zu Jürgen Habermas, gestellt haben, lautet mit einem besonderen
Bezug auf die Religion: «Was fehlt?»[3]

Zur Debatte steht die Güte des Vorhabens der Aufklärung,
das die moderne Welt, wie wir sie kennen, und mit ihr vielleicht
die moderne Seele oder Psyche hervorgebracht hat. Ist die aktive Verehrung und liebende Unterwerfung unter Gott nur ein
Relikt aus einer dunklen Zeit, das mit der weiteren Ausbrei-
tung der modernen Wissenschaft verschwinden wird, wie es
zum Beispiel die «Neuen Atheisten» noch heute behaupten?[4]
Oder spricht, um eine andere Möglichkeit in Erwägung zu ziehen, diese Verehrung tief in unserem Innern etwas an, das in
unsere Natur eingebettet ist, so daß wir uns selbst Gewalt an-
tun, wenn wir den Impuls zu einer solchen Verehrung leugnen
oder unterdrücken oder tilgen? Wenn dem so ist, werden sich
die beeindruckenden Veränderungen, die durch die moderne
Säkularisierung mühsam herbeigeführt worden sind, als vor-
übergehend erweisen und schließlich einem neuen Interesse an
der Religion Platz machen – deren genaue Form allein Gott
kennt.

Es stellen sich hier zwei allgemeine Fragen: Die eine betrifft
die Wahrheit der Existenz Gottes, die andere die Bedürfnisse
oder Ansprüche der menschlichen Seele. Denn selbst wenn
man zu dem Ergebnis kommt, die Menschen seien so beschaf-

---

3 Siehe Charles Taylor: *A Secular Age*. Cambridge, Mass. 2007; Pierre
Manent: *Cours familier de philosophie politique*. Paris 2002; Jürgen
Habermas: *Ein Bewusstsein von dem, was fehlt*. Berlin 2008.
4 Siehe Richard Dawkins: *The God Delusion*. Boston 2008; Daniel Den-
nett: *Breaking the Spell: Religion as a Natural Phenomenon*. New York
2008; Sam Harris: *The End of Faith: Religion, Terror, and the Future of
Reason*. New York 2005; Christopher Hitchens: *God is Not Great:
How Religion Poisons Everything*. New York 2009.

fen, daß sie eines Gottes bedürfen, garantiert das nicht, daß es im Kosmos etwas, ein Wesen, gibt, das diesem Bedürfnis entspricht. Ich werde mich darauf beschränken, die zweite, weniger wichtige, aber keineswegs triviale Frage zu behandeln, welchen Status das Interesse an Gott in der menschlichen Seele hat. Und ich bekenne sogleich, daß ich diese einschüchternde Frage nicht aus eigener Kraft beantworten kann. Ein Weg wäre, zu den tiefsten Quellen des Denkens zurückzukehren, das in der modernen Aufklärung am Werk ist, zu Thomas Hobbes, John Locke, Benedictus de Spinoza, um ihre Sicht der menschlichen Seele und des politischen Projekts, das diese zufriedenstellen soll, zu verstehen und zu bewerten. Eine solche Rückkehr ist zweifellos notwendig. Doch in diesem Essay will ich einen anderen Weg einschlagen. Ich werde versuchen, gleichsam hinter die Moderne zurückzublicken, auf eine Sicht der angemessenen Beziehung zwischen Religion und Politik, die uns, wie man mit Grund behaupten kann, im größten Zeugnis der vormodernen politischen Wissenschaft überliefert ist, im Werk des Aristoteles. Die klassische politische Wissenschaft des Aristoteles liefert uns keine einfachen Antworten auf die Probleme der Gegenwart, und selbstverständlich kannte Aristoteles den biblischen Gott nicht, obwohl er mit Sicherheit einen Begriff von einer Art Monotheismus hatte. Doch Aristoteles' Zugang zum moralischen und politischen Leben bietet uns eine gewisse Anleitung, wenn wir über die tiefsten Sehnsüchte der menschlichen Seele nachdenken. Und wir, die wir so sehr vom modernen Denken beeinflußt worden sind, mögen den größten Nutzen daraus ziehen, daß wir einem Denker zuhören, der die wichtigste moderne Prämisse nicht teilte.

I

Unser Interesse gilt zunächst dem angemessenen Ort, den die politische Wissenschaft des Aristoteles der Frömmigkeit in einem gesunden politischen Gemeinwesen zuweist.[5] Orientieren wir uns am ersten Eindruck, stellen wir fest, daß Aristoteles gelegentlich mit beträchtlichem Respekt von der gewöhnlichen Frömmigkeit und vom überkommenen religiösen Kult spricht. Er verweist unter Nennung ihrer Namen viele Male auf die Olympischen Götter – auf Athena, Hephaistos, Aphrodite, vor allem auf Zeus –, Götter, deren Existenz er für selbstverständlich zu halten scheint. Auch scheint er die Dichtungen von Homer und Hesiod als gewichtige Autoritäten zu behandeln. Zum Beispiel wird der von Homer berichtete Umstand, daß Zeus kein Musikinstrument spielt, von Aristoteles als Beweis für die Auffassung zugelassen, daß gebildete Menschen gleichfalls davon absehen sollten, ein Instrument spielen zu lernen (im Unterschied zur Wertschätzung des kunstvollen Spiels anderer).[6] Und Athena, die angeblich die Flöte erfunden hat, warf sie trotzdem fort, offenbar weil das Spielen ihr Gesicht entstellte, oder, was Aristoteles für die «wahrscheinlichere» Erklärung hält, sie warf sie fort, weil das Erlernen des Flötenspiels für sie, die schließlich die Göttin der Weisheit ist, keine Verbindung zu einer ernsthaften geistigen Tätigkeit besaß.[7] Aristoteles berichtet auch ohne erkennbare Ablehnung von dem, was «wir» von Göttern und Helden «glauben» oder «annehmen» oder «sagen», nicht zuletzt von ihrer manifesten Überlegenheit gegenüber dem Menschen;[8] zum Beispiel stellt er fest, daß «wir uns vorstellen, daß die Götter im höchsten Sinne selig und glücklich sind» und stützt sich (wie wir sehen werden) auf diese Annahme, wenn er seine

---

5 *P* = *Politik*. Ed. Alois Dreizehnter. München 1970; *NE* = *Nikomachische Ethik*. Ed. I. Bywater. Oxford 1970. [Die deutsche Übersetzung folgt der Übersetzung von Robert Bartlett auf der Grundlage von: *P* = Aristoteles: *Politik*. Übersetzung Franz Susemihl. Hamburg 1965; *NE* = Aristoteles: *Nikomachische Ethik*. Übersetzung Franz Dirlmeier. Darmstadt 1979.]
6 *P* 1339b6–10.
7 *P* 1341b3–7: *dianoia*.
8 *NE* 1122b19; *P* 1332b17–18.

eigenen Argumente in bezug auf die Glückseligkeit entwickelt.[9] Schließlich wiederholt Aristoteles die Ansicht und
scheint sie demnach zu teilen, daß die Götter, mit denen die
Menschen hauptsächlich befaßt sind, zum politischen Gemeinwesen gehören; er teilt die Ansicht, daß das Leben der
Polis grundlegend mit dem Kult der Götter, der Götter der
Stadt, verbunden ist.[10] Aristoteles berichtet deshalb nicht nur
über das, was man lose als die religiöse Orthodoxie der Polis
bezeichnen könnte, sondern stützt sich auch in einem gewissen Maß auf diese Orthodoxie bei der Entwicklung seiner politischen Wissenschaft.

Doch man kann sicher ebenso einen ganz anderen Eindruck
von Aristoteles' Ansichten gewinnen. Um nur die schrillsten
Bemerkungen herauszugreifen: Aristoteles erklärt unumwun-
den, daß der Tod für den Menschen ein Ende oder eine Grenze
darstellt, jenseits deren es überhaupt nichts zu geben scheint –
nichts, weder Gutes noch Böses[11] –, und daß es deswegen «seltsam» oder «widersinnig» sei, die Meinung zu vertreten, die
Toten könnten glücklich sein.[12] Er behauptet, daß Unsterblichkeit für den Menschen «unmöglich» sei, wie sehr wir sie uns
auch «wünschen» mögen.[13] In vergleichbarer Weise orientiert
sich die beste Regierungsform oder das beste «Regime», dem
das zentrale Interesse von Aristoteles' politischer Wissenschaft
gilt, an Umständen, für die «man beten würde», wie er wiederholt formuliert,[14] und dennoch macht er deutlich, daß er unter
«Gebet» einfach einen Ausdruck des Bestmöglichen unter den
bestmöglichen Umständen und keine spezielle Bitte an die Götter versteht, um das Unmögliche, das Wunderbare zu bewir-

---

9 *NE* 1178b8–9.
10 Beachte *NE* 1145a10–11 und 1160a19–30.
11 *NE* 1115a26–27.
12 *Atopos*: *NE* 1100a12–14.
13 *NE* 1111b19–23.
14 *P* 1260b29, 1265a17–18, 1288b23, 1295a29, 1325b36, 39, 1327a4,
    1331b21.

ken.[15] Er legt auch nahe, daß das Gebet die Macht des Zufalls in unserem Leben nicht überwinden kann,[16] was bekräftigt, daß das «Gebet» im eigentlichen Sinn nichts anderes als Ausdruck einer Hoffnung auf das ist, was im Prinzip möglich ist (im Unterschied zum Wunsch nach dem Unmöglichen): Die Aussage, daß die Verwirklichung des besten Regimes von dem abhängig ist, «wofür man beten würde», sollte also nie damit verwechselt werden, daß man seine politischen Hoffnungen in die Hände einer providentiellen Gottheit legt. Und schließlich bemerkt Aristoteles wie nebenbei, daß die Menschen sich die Götter sowohl in bezug auf das Äußere wie in bezug auf ihre Lebensweise selbst ähnlich machen: Wir schaffen die Götter nach unserem eigenen Bild.[17] Das impliziert, daß die vielen anthropomorphen Züge der Götter, wie sie von Homer und Hesiod im einzelnen dargestellt werden, alle unwahr sind; sie enthüllen nicht die Natur der Götter, sondern die der Menschen, die sie postulierten.

Mit diesen harschen Feststellungen stimmt zusammen, daß Aristoteles häufig auf die politische Nützlichkeit der frommen Interessen oder des Kultes hinweist: Selbst wenn solche frommen Interessen falsch sind, können sie dennoch einem vernünftigen politischen Zweck dienen – eine Sicht- oder Redeweise, die den vom Standpunkt der Frommen aus gesehen wichtigsten Anspruch notwendig verunglimpft, nämlich daß deren Meinungen über die höchsten Dinge wahr seien. Wenn also Aristoteles Homer dafür lobt, daß er Zeus, den König, «vornehm» als «Vater von Menschen und Göttern» bezeichnet, tut er das mit der Begründung, daß es für jeden König nützlich ist, sowohl mit den von ihm Regierten verbunden wie auch ihnen offenkundig überlegen zu sein: Zeus' vermeintliche Herrschaft über «alle» wird durch den Gedanken ge-

15 *P* 1325b33–1326a5.
16 Beachte *P* 1331b18–22.
17 *P* 1252b24–27.

stützt, daß er der Vater aller ist, uns verbunden, ja, aber uns auch weit überlegen. Und selbst wenn es tatsächlich keine solche Überlegenheit gibt, ist es doch – wie der unmittelbare Kontext dieser Bemerkung nahelegt – nützlich, sie sich auszudenken, sie zu erfinden. An dieser Stelle verweist Aristoteles auf die Geschichte des Königs Amasis von Ägypten. Amasis war ein Mann von niedriger Herkunft, der seine Untertanen die Statue eines Gottes verehren ließ, die er selbst geschaffen hatte, indem er eine goldene Wanne umschmolz, in der man die Füße zu waschen pflegte. Wenn Homer Zeus als Vater der Menschen und Götter bezeichnet, so entspricht das in etwa Amasis' goldenem Götterbild, das in Wahrheit nur eine Fußwanne war.[18] In gleicher Weise beantwortet Aristoteles in seiner Skizze der Anforderungen seines besten Regimes die Frage, wer als Priester der Stadt dienen solle, indem er erklärt, daß die älteren Bürger es tun sollten, diejenigen, die zu alt sind, «zuviel an Kraft verloren haben», um noch Soldaten oder Staatsmänner zu sein.[19] Und so wie er beifällig die Praxis beobachtet, daß man entlang der Straßen Altäre für die Chariten, die Göttinnen der Dankbarkeit, aufstellt, weil dies das «wechselseitige Geben» fördere, so erklärt er es auch für gut, im besten Regime überall auf dem Land und in der Stadt verteilt Tempel für Götter und Helden aufzustellen, vermutlich als allgegenwärtige Erinnerung an die eigenen Pflichten gegenüber der Stadt und den Bürgern.[20] Zudem schlägt Aristoteles vor, daß die schwangeren Frauen zu den Tempeln der Göttinnen gehen sollten, die über Schwangerschaft und Geburt wachen, nicht weil diese Göttinnen Opfer verlangen oder Respekt verdienen, sondern einfach, weil körperliche Bewegung für Frauen während der Schwangerschaft gut ist.[21]

18 *P* 1259b4–17.
19 *P* 1329a27–34.
20 *NE* 1133a3–5; *P* 1331b17–18 und Kontext.
21 *P* 1335b12–19.

Auf der im engeren Sinn politischen Ebene geht Aristoteles so weit, einem herrschenden Tyrannen nahezulegen, er müsse «sich immer als einen Menschen zeigen, der seinen Pflichten gegenüber den Göttern mit besonderem Ernst nachgeht», mit der Begründung, daß das Volk weniger Furcht hat, von einem Gottesfürchtigen etwas Ungesetzliches zu erleiden, so wie es auch weniger Neigung verspüren wird, sich gegen einen Herrscher zu erheben, von dem es glaubt, daß er die Götter zu Verbündeten hat.[22] Man sollte hinzufügen, daß schon die Notwendigkeit, den Anschein von Frömmigkeit zu erwecken, den Tyrannen etwas zügeln kann, auch wenn es für ihn nur eine Schau ist. Entsprechend schlägt Aristoteles vor, daß in einer oligarchischen Regierung diejenigen, die die mächtigsten Ämter innehaben, beim Antritt ihres politischen Amtes den Göttern großzügige Opfer oder Spenden darbringen und für Dinge wie Votivgaben und heilige Gebäude, an denen alle Gefallen haben, bezahlen sollen. Diese Forderung dient mehreren politischen Zwecken: Der *demos* wird angesichts der mit ihnen verbundenen Kosten gerne darauf verzichten, selbst solche politischen Ämter auszuüben, und weil er sich an den öffentlichen religiösen Festen und am Anblick der herausgeputzten Stadt erfreut, wird es ihm gefallen, wenn das Regime Bestand hat.[23] Zudem zwingt dieser Rat die Oligarchen, Geld für die Stadt insgesamt aufzuwenden bzw. in einem gewissen Maß dem Gemeinwohl zu dienen. Aus all dem kann man schließen, daß Aristoteles durchaus gewillt ist, von der politischen Nützlichkeit des Interesses am Göttlichen Gebrauch zu machen, auch wenn er seine Ablehnung von allem, was schlichter Orthodoxie nahe kommt, zu verstehen gibt.

Diese Beispiele ließen sich vermehren. Doch sie genügen, um auf den komplizierten Charakter von Aristoteles' politischer Wissenschaft hinzuweisen. Ist diese politische Wissenschaft

---

22 *P* 1314b38–1315a2.
23 *P* 1321a31–40.

nicht sogar verworren oder widersprüchlich? Denn Aristoteles scheint im einen Atemzug orthodoxe Ansichten etwa zu den Olympischen Göttern zu wiederholen und im nächsten dieselben Ansichten abzulehnen, obwohl er ihre politische Nützlichkeit hervorhebt. Tatsächlich hat Aristoteles ein konsistentes Verständnis vom angemessenen Ort der Frömmigkeit im gesunden politischen Leben, und gerade die Spannungen oder Widersprüche, die sich in seiner politischen Wissenschaft finden lassen, sollen uns auf diese konsistente Auffassung hinweisen. Aristoteles ist der Begründer der politischen Wissenschaft als Disziplin. Das bedeutet, daß er dachte, das politische Leben könne und müsse rational, vermöge der Kräfte der menschlichen Vernunft, die ihren eigenen Mitteln überlassen bleibt, verstanden werden. Man kann deshalb mit gutem Recht von Aristoteles sagen, er habe eine gewisse Wissenschaft oder Erkenntnis oder «Aufklärung» in das politische Leben zu bringen versucht. Aristoteles war aber viel weniger ehrgeizig oder wagemutig oder vielleicht rücksichtslos als seine philosophischen Erben der frühen Moderne; jedenfalls hatte Aristoteles weniger Hoffnung, daß ohne einen öffentlichen Kult, ohne Hingabe und Verehrung der Götter oder des Göttlichen ein gesundes politisches Leben aufrechterhalten werden könnte. Deswegen scheute er davor zurück, die Maßnahmen zu vertreten, welche die philosophischen Architekten der modernen Aufklärung verfochten. Aristoteles hätte nie wie Thomas Jefferson sagen können, «daß ich keinen Schaden davontrage, wenn mein Nachbar sagt, daß es zwanzig Götter oder keine Götter gibt. Das nimmt mir nichts weg und bricht mir kein Bein.»[24] Zunächst sollen die Umrisse von Aristoteles' Vorhaben der Aufklärung skizziert und dann einige Gründe für dessen Grenzen erläutert werden.

24 Thomas Jefferson: *Notes on the State of Virginia*, in: *Writings*. New York 1984, S. 285.

II

Aristoteles' politische Wissenschaft oder was er seine «Philosophie über die menschlichen Dinge» nannte,[25] ist vorwiegend in zwei Werken enthalten, in der *Nikomachischen Ethik* und in ihrer expliziten Fortsetzung, der *Politik*. Der *Ethik* zufolge sehnen sich alle Menschen von Natur aus nach Glückseligkeit (*eudaimonia*). Wir werden zeigen, daß unter diesem erstaunlich komplexen Wort der Besitz eines Guten zu verstehen ist, das unser Leben «selbstgenügsam macht, so daß es keines Weiteren bedarf», weder etwas Besseren oder Höheren noch etwas Vollständigeren als das Gute, das die Glückseligkeit ist;[26] «Glückseligkeit» ist die Summe und die Substanz des größten Guten oder der Güter, die uns als Menschen zugänglich sind, in dem oder denen alle unsere geringeren Bestrebungen und Handlungen kulminieren – «jede Kunstfertigkeit und jede Untersuchung, ebenso alles Handeln und Wählen», wie Aristoteles am Beginn der *Ethik* formuliert. Wenn wir auch relativ leicht dazu gebracht werden können, die Notwendigkeit des Postulats eines solchen letzten oder höchsten Ziels in unserem Leben zu erkennen, damit unsere Bestrebungen nicht «leer und sinnlos» wären, so ist es doch beträchtlich schwieriger, dieses höchste Gute genau zu bestimmen.[27] Aristoteles stellt die wahrscheinlichsten Kandidaten eines solchen höchsten Guten auf die Probe, befindet sie aber alle als defizient: Nicht das Vergnügen, nicht der Reichtum, nicht die Ehre, nicht einmal die Ehre, am politischen Leben auf seinem Gipfel teilzuhaben, erweist sich als adäquat, um unsere Hoffnungen auf Glückseligkeit zu erfüllen. Nach Aristoteles ist Glückseligkeit notwendig eine Aktivität, die eine Aktualisierung eines

25 *NE* 1181b15.
26 *NE* 1097b14–15.
27 *NE* 1094a21.

bestimmten Potentials, eine Tätigkeit, die mit dem zusammenstimmt, was er *arete* nennt, mit der Vortrefflichkeit oder «Tugend». Tugend ist *der* Schlüsselbegriff der *Ethik*. Sie ist das Merkmal oder der Zustand (*hexis*) der Seele, der ein Ding kennzeichnet, wenn es am besten ist, und der es ihm erlaubt, die ihm besondere Tätigkeit oder Aufgabe gut auszuführen. Deshalb ist es im Griechischen möglich, genauso von der Tugend eines Auges oder eines Pferdes zu sprechen wie von der Tugend eines Menschen. Und weil es zwei den Menschen charakterisierende Tätigkeiten oder Aufgaben gibt, nämlich das Handeln und die Betrachtung, behauptet Aristoteles, daß es zwei Arten menschlicher Tugend gebe: die Tugend des Charakters oder das, was er als «moralische Tugend» bezeichnet, und die Tugend des Verstandes oder die kontemplative Tugend.

Nun befaßt sich der größte Teil der *Ethik* mit einer Beschreibung der spezifischen Tugenden. In dieser Beschreibung verweist Aristoteles bei keiner wichtigen Frage auf irgendeine Autorität, die Anspruch auf eine übermenschliche Grundlage erhebt – zum Beispiel auf das von den Musen inspirierte Lied eines Dichters, gar nicht zu reden von den Einsichten eines Propheten oder Orakelverkünders. Manchmal bemerkt Aristoteles allerdings, daß bestimmte Charakterzüge von den Menschen allgemein gelobt oder getadelt werden und daß ein solches Lob oder ein solcher Tadel sehr wohl durch die Erziehung zur Vortrefflichkeit beeinflußt werden kann, wie sie durch die großen Dichter vermittelt wird; aber Aristoteles berichtet eher davon, daß es dergleichen Zustimmung oder Verurteilung gibt, als daß er sich davon leiten ließe.[28] Die Bewegung des Arguments der *Ethik* legt den folgenden Gedanken nahe: Um glücklich zu sein, müssen wir in Übereinstimmung mit bestimmten Tugenden handeln, und diese Tugenden – was sie sind, was sie von uns

---

28 Beachte z.B. *NE* 1116a21–28. Die dort von Homer dargestellte Tapferkeit ist Aristoteles zufolge keine echte Tapferkeit.

verlangen, wie man sie erkennt – können vom menschlichen
Geist, von der Wissenschaft oder jedenfalls von der Klugheit
ermittelt werden. Der Begriff «moralische Tugend» ist in der
Tat eine Erfindung oder Entdeckung von Aristoteles' politischer Wissenschaft. So wie Aristoteles sie darstellt, ist die
Glückseligkeit mithin ein Gegenstand des menschlichen Nach-
denkens über die menschliche Natur.

Eine Bestätigung dieser Überlegung ist die einfache, aber
schwerwiegende Tatsache, daß Aristoteles die Frömmigkeit
aus seiner Liste der elf moralischen Tugenden ausschließt, eine
Liste, die seiner Aussage nach erschöpfend sein soll. Und er
nimmt diesen Ausschluß ohne Kommentar vor, ohne die Aufmerksamkeit darauf zu lenken. Aristoteles' Schweigen ist hier
aber trotzdem ohrenbetäubend. Ein Blick auf Platons Schriften (gar nicht zu reden von Homer und Hesiod) zeigt, wie
überaus merkwürdig dieses Auslassen der Frömmigkeit ist:
Platon schließt die Frömmigkeit häufig unter die Kardinaltu-
genden ein, und er widmet einen ganzen Dialog (den *Euthyph-
ron*) der Frage, was Frömmigkeit ist, unter der Annahme, daß
sie in der Tat ein Zeichen menschlicher Vortrefflichkeit sei. Indem Aristoteles die Frömmigkeit aus der Liste der moralischen
Tugenden streicht, will er ihren Ort innerhalb der Ökonomie
des Lebens gebildeter und «ernsthafter» Menschen, an die er
sich vor allem wendet, herabstufen. Der Ausschluß der Frömmigkeit als moralischer Tugend gibt einen wichtigen Anhalts-
punkt, um den Charakter von Aristoteles' politischer Wissenschaft zu begreifen: Sie ist gewiß deskriptiv – jeder würde zum
Beispiel Mut und Gerechtigkeit in einem gewissen Verstand
auf die Liste der menschlichen Tugenden setzen, wie Aristoteles das tut –, aber sie ist stillschweigend auch präskriptiv; sie
versucht bestimmte Veränderungen im Selbstverständnis der
gebildeten Schicht, dem ersten Adressaten der *Ethik*, und folglich in deren Handlungen oder Lebensweise zu bewirken oder
zumindest zu befördern. Ein weiteres Zeichen für den prä-
skriptiven Charakter seiner politischen Wissenschaft ist der
sonderbare Umstand, daß er für mehrere der von ihm be-

schriebenen Tugenden und Laster Bezeichnungen selbst prägen muß, das heißt, daß von ihnen in seiner Zeit normalerweise nicht die Rede war.

Daß Aristoteles daran gelegen ist, bei seinem Publikum eine solche Veränderung herbeizuführen, wird durch die Tatsache bekräftigt, daß die vier Bücher der *Ethik*, die den moralischen Tugenden gewidmet sind (Bücher II–V), keine einzige Bezugnahme auf das Göttliche (*to theion*) und nur fünf auf die Götter enthalten; zum Vergleich: Das erste und das letzte Buch, die sich beide mit dem Problem der Glückseligkeit befassen, enthalten zusammen achtundzwanzig solche Referenzen. In seiner Darstellung der moralischen Tugenden verweist Aristoteles nur indirekt auf die Frömmigkeit, indem er sie unter der Überschrift «Großgeartetheit» (*megaloprepeia*) subsumiert – das heißt unter der Tugend, die es möglich macht, große Summen Geldes schön und geschmackvoll, vor allem für das Gemeinwohl zu verwenden. Aristoteles erläutert folgendermaßen: «Von einigen Aufwendungen sagen wir, sie seien ehrenwert: es sind die Aufwendungen im Zusammenhang mit den Göttern, Weihegeschenke, Bauten und Opfer, und desgleichen alles, was zum göttlichen Bereich gehört, und die im Wetteifer um das Gemeinwohl besonders beliebt sind: wenn es zum Beispiel für nötig befunden wird, mit großem Glanz einen Chor oder eine Triere auszustatten oder die ganze Stadt festlich zu bewirten.»[29] Aristoteles ist bereit zu wiederholen, was «wir» über ehrenwerte Aufwendungen im Zusammenhang mit den göttlichen Dingen «sagen», doch er behandelt sie als Teil der Hingabe für das Gemeinwohl, die offenkundig einen vernünftigen politischen Zweck erfüllt. In der *Ethik* besteht Aristoteles' Vorhaben der Aufklärung also hauptsächlich in seiner bemerkenswert exakten Darstellung der spezifischen Tugenden, die den ernsthaften Menschen und das gute oder glückliche Leben auszeichnen, eine Darstellung, die, es sei wiederholt, die Frömmigkeit

---

29 *NE* 1122b19–23.

als eine besondere Tugend ausschließt und die Götter kaum erwähnt.

Das Vorhaben der Aufklärung in der *Politik* ist in gewisser Weise leichter zu erkennen. Denn die *Politik* ist für die Bekräftigung zweier Schlüsselvoraussetzungen am berühmtesten: daß das politische Gemeinwesen, die *polis*, «von Natur aus» existiere und daß wir Menschen «von Natur aus» politische Lebewesen seien. Klarer könnte die zentrale Bedeutung der Idee der Natur für Aristoteles' politische Wissenschaft nicht ausgedrückt werden. Eine Implikation in Aristoteles' anfänglichem Beharren auf dem natürlichen Charakter des politischen Zusammenschlusses besteht in folgendem: Nur indem wir am politischen Leben teilnehmen, können wir in einem umfassenden Sinn werden, was wir von Natur aus sind. Insbesondere ist das politische Gemeinwesen die Verkörperung unserer Meinungen über das Gerechte und das Ungerechte, das Moralische und das Unmoralische.[30] Deswegen läßt Aristoteles sich auf eine Auseinandersetzung mit den Sophisten oder Philosophen ein, die behaupten, daß das politische Leben allein auf bloßer Konvention oder auf dem Gesetz im Unterschied zur Natur beruht. Aristoteles beharrt zum Beispiel darauf, daß es eine Art Gerechtigkeit gibt, die von Natur aus überall existiert.

Doch es gibt eine weitere Implikation in Aristoteles' Grundlegung der politischen Wissenschaft als der Wissenschaft von der natürlichen Stadt, die für unsere Zwecke noch wichtiger ist, obwohl es uns schwerer fallen mag, sie zu erkennen. Wie wir nicht zuletzt von Thukydides lernen können, verstand sich die Polis ursprünglich keineswegs als etwas «Natürliches», als etwas, das man aus seinen konstituierenden Bestandteilen «herauswachsen» sehen konnte, statt dessen war die Polis ein heiliges Kollektiv, «die heilige Stadt», wie Fustel de Coulanges es so schön formuliert hat.[31] Die griechischen Poleis, die allge-

30 P 1253a14–18.
31 Numa Denis Fustel de Coulanges: *La cité antique*. Paris 2009.

mein am meisten bewundert wurden – Sparta und Kreta –, waren, so heißt es, von Göttern gegründet worden, von Apollon und Zeus, durch die Vermittlung von Gesetzgebern mit außerordentlichen Verdiensten, durch Lykurg im Fall Spartas, und durch niemand geringeren als Minos, einen Sohn von Zeus, im Fall Kretas. Also hieß es von den Gesetzen, die diese und andere Städte regierten, sie seien von unübertrefflicher Güte, da sie göttlicher, übermenschlicher Weisheit entstammten. Man bedenke in dieser Hinsicht die schöne Eröffnung von Platons *Nomoi*. Dort fragt ein namenloser Fremder aus Athen seine Begleiter, die aus Sparta und Kreta kommen: «Ist es ein Gott oder irgendein Mensch, dem eure Gesetzgebung zugeschrieben wird?» Worauf der Kreter antwortet: «Ein Gott, Fremder, ein Gott, um zu sagen, was am gerechtesten ist; bei uns [Kretern] dem Zeus, bei den Spartanern... schreiben sie es, glaube ich, dem Apollon zu» (*Nomoi* 624a1–5). Aristoteles' Grundlegung der politischen Wissenschaft als der Disziplin, die sowohl den Menschen als das von Natur aus politische Lebewesen wie auch die Stadt als das natürliche Gemeinwesen untersucht, führt also zur Zurückweisung des Selbstverständnisses der meisten Poleis der griechischen Antike: Nach Aristoteles haben sich diese Städte natürlich, in Übereinstimmung mit den Anforderungen der menschlichen Natur, entwickelt und sind nicht von Göttern erschaffen worden.

Diesem Gedanken entsprechend erörtert Aristoteles die verschiedenen Arten von Regimen, die die Menschen bilden, die durch und durch menschlichen Ursachen einer Revolution und das beste Regime, das in der Welt, die wir haben, mit den Menschen, wie sie sind, erreicht werden kann. Jedes Buch der *Politik*, mit Ausnahme des ersten, untersucht die Idee des «Regimes» (*politeia*) als der grundlegenden politischen Gegebenheit eines jeden Gemeinwesens, und bereits die Prominenz dieses Konzepts hat eine antitheologische Implikation: Sind uns die Gesetze, nach denen wir leben, von einem Gott gegeben, dann sind sie die grundlegende politische Gegebenheit, sind die Gesetze statt dessen das Produkt dieses oder jenes herrschenden Regimes, der Menschen, die herrschen, dann ist das Regime die grundlegende Gegebenheit und nicht die Gesetze, die vom Regime nur abgeleitet sind. Derselbe Gedanke läßt sich an den Titeln der beiden berühmtesten politischen Schriften Platons ablesen: Das Buch mit dem Titel *Politeia* (wörtlich: *Regime*) ist grundlegender und radikaler als das Buch mit dem Titel *Nomoi* (*Gesetze*) – und das trotz des Umstands, daß die Eröffnungsfrage der *Nomoi*, wie wir gesehen haben, den vorgeblich göttlichen Ursprung des kretischen und des spartanischen Gesetzeskodex betrifft. Wenn Aristoteles sich in Buch II der *Politik* einer ersten Erörterung des Regimes bzw. der Herrschaftsweise zuwendet, tut er das, indem er die Regime untersucht, die man für die besten hielt, Sparta und Kreta eingeschlossen, und unterzieht sie einer gründlichen Analyse und ziemlich vernichtender Kritik: Er leugnet die Güte dieser Städte und damit ihrer vorgeblich göttlichen Gesetze.[32]

Als Teil seiner Anstrengungen zur Aufklärung in der *Politik* versucht Aristoteles, eine wichtige Veränderung im politischen Leben herbeizuführen. Die letzten beiden Bücher der *Politik* enthalten skizzenhaft Aristoteles' eigene Konzeption des besten Regimes. Da dieses Regime als solches der besten Lebensweise für die Menschen gewidmet ist, muß Aristoteles mit einer Erörterung der Frage beginnen, was für die Menschen die beste Lebensweise ist, sei es für jeden im besonderen, das heißt als Individuum, sei es für alle gemeinsam, das heißt als Glieder einer Gemeinschaft. Hier spielt Aristoteles, wie er das oft tut, die Rolle eines Richters in einem Streit zwischen zwei Parteien. Denn jeder, dem es um das beste Leben geht, stimmt der Auffassung zu, daß Tugend oder Vortrefflichkeit der Schlüssel dazu ist. Doch einige behaupten, daß allein das aktive, politische Leben das tugendhafteste Leben sei; sie sehen in der Politik *das* Mittel, um ihre Ernsthaftigkeit hinsichtlich der Tugend auszudrücken, häufig in Richtung einer politischen Expansion oder

32 Beachte *P* II, 9–10.

eines Imperiums. Andere hingegen vertreten die Ansicht, daß das beste und tugendhafteste Leben das philosophische Leben sei, aber sie verstehen es als ein Leben, das dem Handeln und besonders der Politik *vollständig* entrückt ist. Aristoteles argumentiert im eigenen Namen, daß jede der beiden Seiten teilweise recht habe (und daher auch teilweise unrecht). Das beste Leben ist in der Tat ein Leben des Handelns, wie die Verteidiger des Politischen behaupten, doch es ist nie ein Leben der Herrschaft oder der Vorherrschaft über andere Menschen, des Imperiums und der Kriege, um ein Imperium entstehen zu lassen. Welche Art des Handelns ist also die beste? Aristoteles definiert das Selbstverständnis der Menschen, die am politischsten sind, neu: «Die tätige Lebensweise braucht nicht notwendig auf andere gerichtet zu sein, wie manche glauben, und nicht *die* Gedanken allein sind praktischer Natur, welche auf die Erfolge des Handelns gerichtet sind, sondern in weit höherem Grade sind es diejenigen Betrachtungen und Gedanken, welche um ihrer selbst willen angestellt werden und in sich selbst vollständig sind.»[33] Wie Aristoteles weiterhin bemerkt, sind auch isolierte Städte, die keine Beziehungen nach außen unterhalten, nicht notwendig untätig: Die tätigste Lebensweise für eine Stadt und ein Individuum kann vollständig nach innen gerichtet sein. Und um diese seltsame Neubestimmung eines «tätigen» politischen Lebens zu unterstützen, führt Aristoteles zweimal das Beispiel «des Gottes» an: Dieses neue Verständnis wahrer Tätigkeit ist sowohl den Individuen wie den Städten zugänglich, denn «sonst würden kaum der Gott und das Weltganze sich wohlbefinden, denen beiden eben keine nach außen gerichteten Tätigkeiten neben ihrer eigenen inneren zukommen».[34] Im letzten Abschnitt seiner zweiteiligen politischen Wissenschaft verzichtet Aristoteles meistens auf jede Bezugnahme auf die Olympischen Götter, auf jene Götter, die wir nach unserem eigenen Bild

33 *P* 1325b16–21.
34 *P* 1325b28–30.

geschaffen haben, und versucht statt dessen, die große innere Triebkraft des politischen Lebens hin zu Herrschaft und Imperium einzuschränken, indem er sich auf einen philosophischen und philosophierenden «Gott» beruft: Dieser Gott ist so verschieden von Zeus auf dem Olymp, daß er sich auf keine nach außen gerichteten Handlungen einläßt, außer daß er Gedanken denkt, die «um ihrer selbst willen angestellt werden». Und das Ende der *Politik* ist, sonderbar genug, einer Erörterung der Musik gewidmet, das heißt den Dingen der Musen (der «Kultur»). Denn ein Großteil des besten politischen Lebens sollte einer verfeinerten Würdigung der Schönheit gewidmet sein, und während diese Würdigung sicher auch religiöse Angelegenheiten einschließt, sind diese doch nur ein Teil, eine Facette der Interessen des ernsthaften Bürgers; Frömmigkeit ist einerseits der Tugend der Großgeartetheit, andererseits einer allgemeinen Liebe zum Schönen untergeordnet.

III

Ich habe bereits darauf hingewiesen, daß Aristoteles es nicht für weise hielt, radikalere Anstrengungen zur Aufklärung zu verfolgen, Anstrengungen, die die Autoren der modernen Aufklärung später in der einen oder anderen Form für gut hielten. Belege dafür lassen sich etwa in seinen drei getrennten Listen von Menschentypen finden, die in jeder Stadt vorhanden sein müssen. In der ersten Liste zählt er acht Teile der Stadt auf, einschließlich, wie man das erwarten würde, der Bauern, Soldaten und Beamten oder Richter. Doch sonderbarerweise unterläßt Aristoteles es, den sechsten Teil oder das sechste Element zu erwähnen (IV,4); er springt bei seiner Aufzählung vom fünften zum siebten. Nun mag diese Auslassung auf nichts weiter als die schwierige Überlieferung des griechischen Textes über die Jahrtausende zurückzuführen sein. Doch vergleichen wir die zweite derartige Aufzählung mit der ersten, sehen wir, daß es sich bei dem fehlenden Element um die Priester handelt. Wenn Aristo-

teles es aus irgendwelchen Gründen zunächst unterlassen hatte,
die Priester als notwendigen Teil jedes Gemeinwesens zu erwähnen, so schließt er sie jetzt nicht nur ein, sondern nennt sie
sogar als erste: «diejenigen, die mit den göttlichen Angelegenheiten verbunden sind», wie er sagt. Es ist jedoch ebenso wichtig festzuhalten, daß er die Priester so weit wie möglich von den
politischen Beamten im strengen Sinn trennt: Er beginnt die
Liste mit den Priestern und beendet sie, etwa vierzehn Ab-
schnitte später, mit denjenigen, «die mit dem Element verbunden sind, das über die öffentlichen Angelegenheiten berät».[35]
Oder, wie er in diesem Zusammenhang auch sagt, wenn er seine
Behandlung der verschiedenen politischen Ämter abschließt:
«Das sind also in etwa die eigentlich politischen Ämter; nun
kommen aber als eine andere Art (*allo d'eidos*) von öffentlichen
Aufsehern noch diejenigen hinzu, welchen die Besorgung des
Götterdienstes anvertraut ist, wie Priester und Aufseher über
die Heiligtümer, denen es obliegt, die bestehenden heiligen
Gebäude zu erhalten und die baufälligen wieder instandzuset-
zen und für alles andere, was zum Zweck des Götterdienstes
angeordnet ist, zu sorgen.»[36] Der entscheidende Punkt ist: Aristoteles besteht darauf, daß es in jedem gesunden Gemeinwesen
ein Priestertum geben muß, und doch deutet er an, daß das Priestertum *nicht* als politisches Amt im strengen Sinn anzusehen
ist. Die politische Wissenschaft des Aristoteles will von der Priesterherrschaft oder von «Theokratien» abraten: Man kann sagen, daß «Ägypten» – das zu den ältesten und konservativsten
Regimen gehört und wegen seiner Priesterklasse bemerkenswert ist – am weitesten von der politischen Wissenschaft des
Aristoteles entfernt ist, und man muß kaum eigens erwähnen,
daß er Ägypten in seine Behandlung der bestehenden Regime,
die als die besten angesehen werden, nicht mit aufnimmt.[37]

35 *P* 1322b36–37.
36 *P* 1322b18–22.
37 *P* II.9–11; 1313b18–22; 1329b24–25.

Die heikle Balance, die Aristoteles hier zwischen Einschließen und Ausschließen der Priester zu halten versucht, wird in
der dritten und letzten Aufzählung der für eine Stadt notwendigen Teile schön eingefangen, dieses Mal im Zusammenhang
mit dem besten Regime: Hier ist das Priestertum seiner Bedeutung nach an «fünfter und erster» Stelle. An erster, weil es sich
mit den höchsten Wesen und den wichtigsten Fragen befaßt;
aber im Hinblick auf alle praktischen oder jedenfalls politischen Zwecke muß es nur als an «fünfter» Stelle angesehen
werden – und er erläutert das Priestertum ganz am Schluß,
nach der Erörterung der eigentlich politischen Ämter.[38]
    Es bleibt noch, die Hauptgründe zu diskutieren, warum sich
Aristoteles weigerte, das Interesse an den Göttern oder dem
Göttlichen aus dem politischen Leben völlig zu verbannen.
Welchen wesentlichen Beitrag leistete dieses Interesse für ein
gesundes politisches Leben nach Aristoteles? Denn dieses
Merkmal von Aristoteles' politischer Wissenschaft muß einem
heutigen Leser sicherlich als sehr seltsam auffallen: nicht, daß
er die Priester vom ersten Platz verbannte, sondern daß er sie
auch nur auf dem fünften Platz einschloß. Warum lehnte Aristoteles es ab, die Politik völlig «aufzuklären», die Priester und
ihre Belange auf das strikte Privatleben der Individuen zu verweisen – oder sich wie Pierre Bayle zu bemühen, sie ganz abzu-
schaffen?
    Zur Beantwortung dieser Frage könnte man zunächst Ari-
stoteles' Darstellung des Gesetzes anführen. Aristoteles behauptet, daß jedes Gesetz defizient ist, weil es allgemein ist,
während alle Umstände, auf die es angewendet wird, notwendig besondere sind. Trotzdem kritisiert Aristoteles einen anderen politischen Wissenschaftler, einen gewissen Hippodamus,
der häufige Neuerungen in den Gesetzen verfocht, um sie zu
verbessern.[39] Nach Aristoteles ist das leichtfertig, weil die

38 Beachte *P* 1329a27 und Kontext.
39 *P* II, 8.

Kraft der Gesetze sich zu einem Großteil nicht aus ihrer Vernünftigkeit herleitet, sondern aus der Macht der Gewohnheit,
aus unserer Gewöhnung an sie. Die Logik dieses Gedankens
legt nahe, daß ältere Gesetze Respekt verdienen, selbst wenn
sie unvollkommen sind, und daß im allgemeinen die ältesten
Gesetze mit dem größten Respekt angesehen werden sollten.
Dieselbe Logik legt es nahe, daß die Vernunft in einigen Fällen
die Meinung gutheißen könnte, die ursprünglichen oder die
Gründungsgesetze stammten von den Göttern her – obwohl
Aristoteles selbst explizit nicht so weit geht.

Ein viel wichtigerer Grund für Aristoteles' moderate Aufklärung ist mit einem zentralen Anliegen seiner politischen
Wissenschaft verknüpft, der Frage nach der Glückseligkeit.
Wie bereits erwähnt, befassen sich das erste und das letzte
Buch der *Ethik* mit dem Problem der Glückseligkeit – was sie
ist und wie wir unsere Hoffnungen auf sie verwirklichen können. Ich habe auch erwähnt, daß diese Bücher eine viel höhere
Dichte an Bezugnahmen auf die Götter und das Göttliche enthalten als die ganze Behandlung der Tugenden zusammenge-
nommen – ja, sogar eine etwas höhere als alles übrige. Das
muß erklärt werden. Seiner berühmten Formel zufolge ist
Glückseligkeit «eine Tätigkeit der Seele im Einklang mit
Tugend». Aristoteles beharrt darauf, daß uns, um glücklich zu
sein, nicht nur die Güter der Seele oder die Tugenden zuhan-
den sein müssen, sondern ebenso die Güter des Körpers
(Gesundheit zum Beispiel) und das, was er «äußere Güter»
nennt – zumindest ein gewisser Reichtum, einige Freunde usw.
Doch da diese körperlichen und äußeren Güter nach Aristoteles letzten Endes vom Zufall abhängen, trifft das auch für unsere Glückseligkeit zu.[40] Darin liegt *das* Problem der Glückseligkeit, wie Aristoteles es zunächst skizziert. Wenn wir die
Preisgegebenheit unserer tiefsten Hoffnung auf Glückseligkeit
erkennen, wenn wir sie tief innerlich spüren, dann lehnen wir

---

40 Beachte *NE* 1098a18–20; 1099a31–b11; 1100b4–7 und Kontext.

uns naturgemäß dagegen auf. Deswegen neigen manche Menschen beispielsweise dazu, wie Aristoteles bemerkt, Glückseligkeit entweder einfach mit dem Zufall gleichzusetzen – ihnen zufolge sind wir nicht mehr als ein Spielball des Glücks oder des Zufalls –, während andere, ganz im Gegensatz dazu, Glückseligkeit mit moralischer Tugend gleichsetzen wollen. Und diese Hinwendung zur moralischen Tugend als des einzigen, dessen wir bedürfen, um glücklich zu sein, kann in moralischem Fanatismus enden: Manch einer wird argumentieren, der auf der Folterbank gequälte Mensch sei glücklich, vorausgesetzt, er ist moralisch gut.[41] Aristoteles erkundet gewiß die Möglichkeit oder die Hoffnung, die jede moralisch ernsthafte Person hat, daß die Glückseligkeit aus tugendhaftem Handeln allein erwachsen kann – aber nur, um zur Notwendigkeit äußerer Güter zurückzukehren.[42] Dennoch deutet Aristoteles an, daß es «ein außerordentlicher Mißklang» wäre, bliebe die Glückseligkeit, «das Größte und Schönste», dem Zufall überlassen.[43] Was also kann man tun?

Eine andere Antwort auf das Problem der Glückseligkeit besteht darin, sowohl ein Leben nach dem Tod als auch die Existenz von Göttern zu postulieren, die bereit und fähig sind, die Glückseligkeit der Menschen in Übereinstimmung mit deren Verdiensten zu schützen: Der gerechte Mann, der auf der Folterbank gequält wird, ist selbstverständlich nicht glücklich in seinen Qualen, doch er kann auf ein vollkommenes Glück im nächsten Leben hoffen, wenn er in diesem immer vornehm gehandelt hat. Deswegen wirft Aristoteles in Buch I der *Ethik* sofort die Frage auf, ob die Glückseligkeit «göttlicher Fügung», einem Geschenk der Götter, zu verdanken sei, so wie er bald nahelegen wird, daß den Toten bewußt sein muß, was ihren lebenden Nachkommen widerfährt – obgleich nicht so,

41 Beachte *NE* 1153b19–21 und 1095b30–1096a2.
42 Siehe die entscheidende Wendung in *NE* 1099a30 und dem folgenden.
43 *NE* 1099b24–25.

daß es «die Glücklichen unglücklich macht oder etwas dergleichen». Es gibt also eine Glückseligkeit nach dem Tod für uns, die im Grunde nichts stören kann.

Aber es muß hinzugefügt werden, daß diese tröstlichen Ansichten von einer gottgegebenen Glückseligkeit und einem glücklichen Leben nach dem Tod von Aristoteles im ersten Buch der *Ethik* behauptet, aber nicht bewiesen werden. Die erstere beruht auf nicht mehr als einem Konditionalsatz («*wenn* es in der Tat etwas gibt, das ein Geschenk der Götter an die Menschen ist…»), so wie die Behauptung von einem Leben nach dem Tod von der Beobachtung abhängt, daß dessen Leugnung «allem, was uns teuer ist, unangemessen widerspräche und allen vertretenen Meinungen entgegengesetzt wäre». Und, um es zu wiederholen, Aristoteles sagt auch, daß es gerade dann, wenn die Glückseligkeit eine Tätigkeit ist, «widersinnig» sei zu sagen, der Tote könne glücklich sein: Harte und paradoxe Dinge können dennoch wahr sein.

Das erste Buch der *Ethik* soll das Problem der Glückseligkeit nicht lösen, sondern es als Problem klären – das heißt, unsere Hoffnungen auf Glückseligkeit deutlich machen und die ernsthaftesten Alternativen zur Überwindung der Macht des Zufalls skizzieren, sei es eine eifrige Hinwendung zu moralischer Vortrefflichkeit oder fromme Hingabe an providentielle Götter. Wenn sich Aristoteles der detaillierten Ausarbeitung der elf moralischen Tugenden zuwendet, verschwindet die Frage nach der Glückseligkeit fast ganz und mit ihr, wie wir gesehen haben, die Frömmigkeit als Tugend. Doch was bedeutet es genau, die Frömmigkeit aus der Liste der moralischen Tugenden, der Charaktertugenden, zu streichen und sie damit im Leben seiner nachdenklichen Leser herabzustufen? Es bedeutet, daß Aristoteles bei diesen Lesern die Überzeugung stärken will, die Hinwendung zur Tugend sei ausreichend, um, wenn nicht gerade die Glückseligkeit des Tugendhaften zu garantieren, doch sich das aufrechteste Handeln und damit die größte Vornehmheit sogar oder genau unter den schwierigsten Umständen zu sichern, unter denen die Macht des Zufalls

nicht abgewehrt werden kann. Der tugendhafte Priamos, König von Troja, hatte am Ende schreckliches Leid zu ertragen,
wie Aristoteles anmerkt, und trotzdem «erstrahlte» seine Vornehmheit gerade dabei am meisten. Aristoteles will auf seiten
seiner vornehmen Leser die Auffassung stärken, daß tugendhafte Tätigkeit häufig der Glückseligkeit gleichkommt – daß
sie über unser Leben eine «maßgebliche Kontrolle ausübt».[44]
Was die Umstände anbelangt, in denen Unglück unsere Hoffnungen auf Glückseligkeit vereitelt, liegt noch immer großer
Trost in der Gewißheit, daß wir stets, nach Art des Priamos, so
vornehm handeln können, wie es uns möglich ist. Vielleicht ist
gerade das Opfer unserer Hoffnungen auf Glückseligkeit, die
von einer vornehmen Handlung herrühren, während man dem
vornehmen Handeln verpflichtet bleibt, selbst von sublimer
Vornehmheit. Aristoteles will seine Leserschaft gewiß in einem
solchen tugendhaften Entschluß oder solcher Festigkeit be-
stärken und sie auf diese Weise ermutigen, sich weniger auf die
Götter zu verlassen – weniger wie Nikias zu sein, wenn es hart
auf hart kommt, denn wie Demosthenes in der Darstellung des
Thukydides.[45] Mit diesem ernüchternden Ziel im Sinn verunglimpft Aristoteles manchmal die Olympischen Götter zugunsten des namenlosen «Gottes», der ohne äußere Handlungen
ist.

Doch bedeutet solche Entschlossenheit wirklich die größtmögliche geistige Klarheit? Man muß zugeben, daß Aristoteles' Antwort «nein» lautet. Wenn er am Ende der *Ethik* wieder
zur Glückseligkeit zurückkehrt, unterscheidet sich seine Behandlung in einigen wichtigen Hinsichten von der früheren.
Vor allem verrät Aristoteles erst jetzt, daß von den beiden verschiedenen Arten der Tugend, der moralischen und der kontemplativen, die moralische an sich selbst unvollständig ist.

---

44 *NE* 1100b9–11, 33–34.
45 Thukydides: *Der Peloponnesische Krieg* VII, 50, 69, 77, 82–85; beachte auch Aristophanes: *Die Ritter* 30–36 und Kontext.

Die Glückseligkeit, die dem Menschen zugänglich ist, ist nur wirklich mit einer Tätigkeit im Einklang mit der kontemplativen Tugend verbunden. Die moralische Tugend entsteht eher durch Gewöhnung als durch echte Erziehung;[46] sie ist ein notwendiges Mittel, um gemeinschaftliches Leben zu ermöglichen, und an die Regulierung der Leidenschaften und die Bedürfnisse des Körpers gebunden.[47] Aristoteles geht hier so weit, daß er die Vorstellung, die Götter würden sich auf moralische Handlungen einlassen oder sich moralischer Tugenden befleißigen, lächerlich macht: Welche Handlungen sollten wir den Göttern unter der Voraussetzung, sie vor allen seien selig und glücklich, zuschreiben? «Etwa Akte der Gerechtigkeit? Wird es nicht ein lächerliches Bild ergeben: die Götter beim Abschließen von Verträgen, bei der Rückgabe von hinterlegtem Gut und so weiter? Oder Akte der Tapferkeit, Aushalten in Gefahr und Wagnis, um des Vornehmen willen? Oder Akte der Großzügigkeit? Wem sollten sie denn etwas schenken? Ein unmöglicher Gedanke, daß die Götter Geld oder dergleichen in Händen haben... Alle Vorstellungen von einem Handeln der Götter erscheinen kleinlich und ihrer unwürdig.»[48] Wenn also die Götter nicht handeln und «man doch immer geglaubt hat, daß sie leben»,[49] was bleibt den Göttern als die Kontemplation, das Denken oder die Theorie?

Hier in Buch X, auf dem Höhepunkt der *Ethik*, liefert Aristoteles eine Reihe von Argumenten, um die Koexistenz von Kontemplation und Glückseligkeit zu begründen. Folglich müssen wir alle Hoffnungen auf Glückseligkeit, die die Hinwendung zur moralischen Tugend in uns geweckt haben mag, jetzt auf die kontemplative Tugend übertragen. Doch wie löst die Tätigkeit der Kontemplation – etwa das Verstehen der Natur der Bewegung – das Problem unserer notwendigen Abhän-

---

46 Z.B. *NE* 1103a14–23.
47 Beachte *NE* 1178b9–16; 1178b33–35.
48 *NE* 1178b8–18.
49 *NE* 1178b18–19.

gigkeit von den Gütern des Glücks, ein Problem, an das Aristoteles uns an dieser Stelle erinnert?[50] Die Hauptargumente von Aristoteles sind folgende: Die kontemplative Tugend ist die volle Entwicklung unseres Verstandes oder Geistes, der entweder göttlich oder das Göttlichste in uns ist; die Tätigkeit der Kontemplation ist die kontinuierlichste Tätigkeit, deren wir fähig sind; und da die Glückseligkeit nicht ohne Freude ist, bietet die Kontemplation uns Freuden von großer Stetigkeit und Reinheit. Vor allem bietet die Kontemplation oder das Denken dem Menschen die größtmögliche Selbstgenügsamkeit in dem Sinn, daß wir, um zu denken, am wenigsten äußere Güter oder selbst andere Menschen brauchen, neben dem Umstand, daß das Denken um seiner selbst willen geschätzt wird und nicht wegen irgendwelcher Güter, die daraus hervorgehen mögen. Aristoteles beschließt die lange Reihe der Argumente, die die Kontemplation mit Glückseligkeit verbinden, auf diese Weise: «wenn all das so ist, dann würde diese Tätigkeit die vollständige Glückseligkeit des Menschen ausmachen». Doch er fügt unmittelbar den Vorbehalt hinzu: «Vorausgesetzt, heißt das, sie dauert außerdem noch die vollständige Lebensspanne, da nichts, was zur Glückseligkeit gehört, unvollständig sein darf.» Und damit wir die schockierende Schlußfolgerung nicht übersehen, stellt Aristoteles fest: «Aber ein Leben dieser Art wäre übermenschlich.»[51]

Wenn unsere Hoffnungen auf Glückseligkeit mit menschlichen Mitteln nicht verwirklicht werden können, wie wir uns das wünschen, nicht einmal durch ein Denken der höchsten Art, tritt die Möglichkeit göttlicher Providenz wieder in den Vordergrund. Wir sind auf der Ebene der kontemplativen Tugend zu dem Schlüsselproblem zurückgekehrt, das uns bei der moralischen Tugend begegnete. Hier bietet Aristoteles zwei Wege an, die eingeschlagen werden können. Dem ersten

---

50 *NE* 1178b33 ff.
51 *NE* 1177b24–28.

zufolge ist das Denken das Beste oder Göttlichste in uns, und
auf eine Weise zu leben, in der wir das Denken vervollkommnen, *ist* der Genuß einer göttlichen Glückseligkeit – soweit sie
uns möglich ist. «Soweit sich demnach die Kontemplation entfaltet, soweit entfaltet sich auch die Glückseligkeit, und je
mehr die Kontemplation einigen möglich ist, um so glück-
licher sind sie – ein Zustand, der nicht den Charakter eines
Begleitumstandes hat, sondern auf der Kontemplation beruht,
denn diese trägt ihren Wert und ihre Würde in sich. Wir dürfen
also die Glückseligkeit als eine gewisse Kontemplation
bezeichnen.»[52] Oder, wie er kurz vorher etwas genauer gesagt
hat: Das Leben, das mit dem Denken zusammenstimmt, wäre
das «glücklichste», das heißt das glücklichste, das dem Menschen möglich ist.[53] Das «löst» das Problem der Glückseligkeit allerdings nur zum Teil, insofern es das Maß unserer
Abhängigkeit von Zufällen begrenzt, denn, um es zu wiederholen, das Leben der kontemplativen Tugend ist am selbstge-
nügsamsten. Aber kein menschliches Lebens ist völlig selbstgenügsam, und Aristoteles' Argument befaßt sich eingehend mit
dem Problem des Zufalls, um uns die notwendigen oder natürlichen Grenzen erkennen zu lassen, denen unser Leben unter-
liegt, und uns zu ermuntern, jene Grenzen zu akzeptieren. Zu
akzeptieren, daß das höchste Gut in der Vervollkommnung
des Denkens besteht, löst das Problem des Zufalls nicht in
dem Sinn, daß es das Problem zum Verschwinden brächte; die
Welt so zu verstehen, wie sie ist, und uns so zu verstehen, wie
wir sind, bedeutet zu erkennen, daß unsere ursprüngliche oder
vorphilosophische Hoffnung auf vollständige Glückseligkeit
unmöglich zu erfüllen ist.

Aber dies ist nicht Aristoteles' letztes Wort in der Sache.
Denn der zweite «Weg», den er skizziert, rät uns nicht bloß,
eine gottähnliche Kontemplation *nachzuahmen*, sondern legt

52 *NE* 1178b28–32.
53 *NE* 1178b23.

vielmehr nahe, daß diejenigen, die sich aktiv bemühen, ihr Denken zu vervollkommnen, «auch von den Göttern am meisten geliebt werden. Denn wenn die Götter, wie man glaubt, sich irgendwie um menschliches Tun und Treiben kümmern, so darf man mit Grund annehmen, daß sie sich nicht nur über das freuen, was am besten und ihnen am verwandtesten ist – das ist aber das Denken –, sondern auch, daß sie den Menschen, die dieses Höchste am meisten lieben und schätzen, mit Gutem vergelten, weil die letzteren sich um das bemühen, was den Göttern lieb und teuer ist, und weil ihr Handeln richtig und vornehm ist.»[54] Aristoteles' letztes Wort in der *Ethik* lautet also, daß es eine Art göttlicher Providenz gibt, eine, die nicht die moralische Tugend, sondern theoretische Vortrefflichkeit belohnt. Das löscht die moralische Hoffnung auf vollständige Glückseligkeit nicht aus, verändert aber den Fokus. Eine Konsequenz dieses letzten Arguments in der Behandlung der Glückseligkeit besteht darin, daß es dem Philosophen den Respekt derjenigen einträgt, die noch immer die Hoffnung haben, es gebe wachsame und philanthropische Götter: Nicht diejenigen, die bloß gut handeln, sondern diejenigen, die richtig verstehen, werden von den Göttern am meisten geliebt; den höchsten Respekt verdienen nicht die Staatsmänner oder die Militärs, sondern die Philosophen.

IV

Aristoteles' Anstrengungen zur Aufklärung schließen die Behauptungen ein, daß wir von Natur aus politische Lebewesen sind und daß es eine menschliche Wissenschaft gibt, die in der Lage ist, das politische Leben, das uns natürlich ist, zu verstehen und sogar anzuleiten. In Übereinstimmung damit stellt er fest, daß wir die Götter nach unserem eigenen Bild geschaffen

54 *NE* 1179a23–29.

haben, und bestreitet implizit, daß die Gesetze dieser oder jener Stadt das Produkt göttlicher Weisheit sind. Aristoteles bestreitet an einer Stelle auch, daß wir unsterblich sein können, und er weist sogar darauf hin, daß die Toten als Tote nicht glücklich sein können. Aber ein bestimmendes Merkmal von Aristoteles' Vorhaben der Aufklärung ist seine Erfindung oder Entdeckung der «moralischen Tugend», und er ermutigt den besseren Teil seines allgemeinen Publikums – die «Ernsthaften» oder «Vornehmen und Guten» –, sich ihr zuzuwenden. Aristoteles mag die moralische Tugend aus Elementen eines von ihm vorgefundenen gewöhnlichen Verständnisses der menschlichen Vortrefflichkeit – was Platons Sokrates schroff als die politische oder «gemeine» Tugend bezeichnet hatte – konstruieren, doch ebendiese Konstruktion stellt eine Verbesserung dar, die größere Ordnung, Vernunft und Zufriedenheit in das tätige Leben bringen soll, nicht zuletzt, um dessen Feindseligkeit gegenüber dem geistigen Leben zu vermindern: Aristoteles räumt auch ein, daß zum Beispiel die Tapferkeit oder die Mannhaftigkeit eine wirkliche Tugend ist, und er behandelt sie als erste – nicht jedoch, weil sie die beste oder wichtigste Tugend ist, sondern weil sie sich als die geringste oder niedrigste erweist, denn sie ist mit einem «nichtrationalen» Teil der Seele verknüpft.[55] Zudem lehnt Aristoteles es in seiner Exposition der elf moralischen Tugenden ab, sie aus Anforderungen des Gemeinwesens oder aus irgend etwas herzuleiten, das vermeintlich höher ist als sie: Er stellt die moralischen Tugenden als um ihrer selbst willen oder jedenfalls «um des Vornehmen willen» wählenswert dar.[56] Das Leben der moralischen Tugend hält somit eine Mitte zwischen dem vollständigen Aufgehen im politischen Leben und dem gänzlich apolitischen oder inaktiven Leben der «Philosophie»; das Leben

---

55 *NE* 1117b23–24; vgl. z. B. Platon: *Nomoi* 625c9–626b4 und 630a7–b2, 631c7–d1.
56 Z. B. *NE* 1115b12–13.

der moralischen Tugend ist, um das mindeste zu sagen, mit einem rechtschaffenen Bürgersein vereinbar, aber es hat nach seinem Selbstverständnis eine andere Grundlage als den Dienst an irgendeinem besonderen Gemeinwesen. Während Aristoteles zugibt oder darauf beharrt, daß dieses Leben den höchsten Gipfel, dessen die Menschen fähig sind – die Verwirklichung der theoretischen Tugend –, nicht erreicht, überragt es jedes gewöhnliche oder unreflektierte Leben, weil es durch die größere Vernünftigkeit seiner Anliegen und durch den Wert dessen, was Aristoteles es zu bewundern gelehrt hat, über dieses Leben hinausgehoben wird.

Gleichzeitig muß der Abstand, der die moralische Tugend von dem trennt, was am höchsten ist, im Leben derer erkennbar sein, die sich allein an die moralische Tugend halten. Aristoteles weist auf zwei Schwierigkeiten hin. Erstens wohnt dem Ernst hinsichtlich des tugendhaften Handelns eine Tendenz inne, die zu politischer Vorherrschaft und zu den Kriegen eines ausgreifenden Imperiums führt. Entsprechend rühmt Aristoteles eine nach innen gerichtete Tätigkeit und Politik, eine, die nicht darauf versessen ist, die Nachbarn zu beherrschen, und skizziert statt dessen ein Leben, das von der besonderen Wertschätzung der Schönheit erfüllt ist. Ein solches Leben wird, wie wir gesehen haben, anscheinend von «dem Gott» – selbstverständlich nicht von Zeus – geführt, dessen Leben oder Tätigkeit mit der Ordnung des ganzen Kosmos eins ist. Wenn es auch nicht gerade die Tugend der Frömmigkeit ist, so ist es doch die aktive Nachahmung eines solchen Gottes, die darauf hinweist, daß das Leben des Friedens dem Leben des Krieges überlegen ist. Auch hier hält das Leben der moralischen Tugend eine Mitte zwischen philosophischem Atheismus und einer schlichten Orthodoxie mit kruden Darstellungen tätiger, kämpfender Götter, die nach unserem eigenen Bild erschaffen sind.

Das zweite und ernstere Problem, das mit dem Leben der moralischen Tugend verbunden ist, besteht darin, daß es ihm am Ende nicht gelingt, uns das zu geben, was wir am meisten wünschen – eine Glückseligkeit, die diesen Namen tatsächlich verdient. Über diese Schwäche äußert Aristoteles sich bemerkenswert explizit. Als partielles Heilmittel oder als Teilantwort skizziert er in der *Politik* die besondere, durch die Musik bewirkte «Katharsis» oder Reinigung von bestimmten Leidenschaften, vor allem von «Mitleid und Furcht».[57] Doch Aristoteles ermutigt die Gebildeteren und Kultivierteren, den Ernst von Menschen wie Priamos zu bewundern, deren Hinwendung zur Vornehmheit bleibt, selbst wenn sie keine vernünftige Hoffnung auf Glückseligkeit haben können. Soll die moralische Tugend schließlich nicht um ihrer selbst willen, ohne Beachtung der eigenen Glückseligkeit geübt werden? Die Struktur der *Ethik* als ganzes stellt uns genau diese Frage, denn sie beginnt und endet mit Erörterungen der Glückseligkeit, zwischen denen sich die Darstellung der moralischen Tugenden findet, in der das Wort «Glückseligkeit» kaum erwähnt wird. Damit bildet Aristoteles eine entscheidende Tatsache über uns ab und zollt ihr Respekt: Unsere sehr große Sehnsucht, glücklich zu sein, das größtmögliche Gute zu besitzen, wird von unserem tiefen Dazuhingezogensein begleitet, das Rechte aus dem rechten Grund zu tun, selbst (was durchaus sein kann) auf Kosten unserer eigenen Glückseligkeit. Wir sehnen uns danach, glücklich zu sein, doch wir fühlen uns auch tief dazu hingezogen, «um des Vornehmen willen» zu handeln. Wir sind also sowohl zur Verwirklichung unserer eigenen Glückseligkeit als auch zu deren Opferung hingezogen. Dieses Geheimnis der menschlichen Seele weist auf einen Grund hin, warum wir von ganzem Herzen nach einem Gott suchen mögen und warum Aristoteles darauf beharrt, den Priestern (auch) im besten Regime einen Ort, wenngleich einen eingeschränkten Ort, vorzubehalten: Nur das Eingreifen eines Gottes könnte das Opfer unserer Glückseligkeit hier und jetzt mit der Hoffnung auf die Verwirklichung einer wahren und dauernden Glückseligkeit in der Zeit versöhnen.

57 Beachte *P* 1341a23 und besonders 1341b32–1342a17.

Die politischen Umstände, unter denen Aristoteles versuchte, die Gemeinwesen aufzuklären, in denen seine Schriften vielleicht gelesen würden, sind ungefähr das Gegenteil der Umstände, unter denen wir im Westen leben: Während Aristoteles eine gewisse Wissenschaft oder Rationalität in die «geheiligte Stadt» einzuführen suchte, wobei er viel von jener Stadt intakt ließ, halten wir einen streng säkularen Staat für selbstverständlich und sehen jedes Eindringen von etwas, das wir als wesentlich religiös und damit privat erachten, in die öffentlichen Angelegenheiten mit tiefem Unbehagen. Die Tür, die Aristoteles einst aufzusperren und offenzulassen versuchte, ist schon vor langer Zeit aus den Angeln gehoben worden. Aristoteles' Behandlung von Religion und Politik behält dennoch ihre Bedeutung für uns, weniger wegen ihrer spezifischen Vorschriften – schwangere Frauen werden heute zu den Tempeln gehen, wie es ihnen gefällt – als vielmehr wegen der Bedenken, die Aristoteles' Vorsicht oder Besonnenheit leiteten, Bedenken, die ihre Bedeutung behalten. Denn seine Vorsicht wurde in der Hauptsache nicht von der Erwägung der politischen Zurückhaltung, die die Frömmigkeit zum Beispiel Oligarchen oder Tyrannen auferlegen könnte, und auch nicht vom Problem des Gesetzes diktiert; sie wurde vor allem vom Problem der Glückseligkeit diktiert, in erster Linie von der Bedrohung, die der Zufall für unsere Hoffnung auf Glückseligkeit darstellt. Zu verstehen oder zu fühlen, daß alles das, was uns am wichtigsten ist, der sinnlosen Macht des Zufalls ausgesetzt ist, ohne eine Macht über uns, die ihm steuern kann, ist wie die Erfahrung einer Art freien Falls.

Doch das Problem der Glückseligkeit geht über den Bereich des Zufalls hinaus. An einer Stelle fragt Aristoteles, ob diejenigen, die in Übereinstimmung mit der vollständigen Tugend handeln und die sich im Lauf eines langen Lebens hinreichend äußerer Güter erfreuen – kurz gesagt, jene, die gut und vom Glück begünstigt sind –, deshalb für «glücklich» erachtet werden können. Er antwortet nur, daß «wir als glückselige Menschen jene Lebenden bezeichnen dürfen, bei denen die genann-

ten Elemente vorhanden sind und vorhanden sein werden –
aber freilich glückselig nur als Menschen».[58] Es ist das Los
der Menschen, das heißt der Sterblichen, sich dagegen aufzu-
lehnen, daß sie sterblich sind, und sich statt dessen zu wünschen, unsterblich zu sein.[59] Die Untersuchung der Frage von
Religion und Politik in Aristoteles' politischer Wissenschaft
führt uns am Ende zu der Frage, welchen Status die Sehnsucht
nach der Ewigkeit oder der Unsterblichkeit in der menschlichen Seele hat. Wenn die Welt so beschaffen ist, daß wir
das, was wir am meisten begehren, nicht haben können, dann
liegt philosophische Resignation nahe, wo nachdenkliche
Frömmigkeit nichts fruchtet. Aristoteles' moderne Nachfolger,
die mit dieser Dichotomie offenkundig unzufrieden waren,
experimentierten mit dem Gedanken, daß wir, wenn die Politik neu gemacht und die menschliche Seele vor den Kräften,
die sie entstellen, gerettet werden und mithin gesunden kann,
in dieser Welt, der einzigen Welt, eine Zufriedenheit erreichen könnten, die ohne Beispiel ist. Die klassische politische
Wissenschaft bietet uns eine unverzichtbare Hilfe, wenn wir
zu diesem Experiment mit seinen unbestreitbaren Vorteilen
und seinen beträchtlichen Kosten kritische Distanz gewinnen
wollen.

Aus dem amerikanischen Englisch übersetzt von Wiebke Meier

---

58 *NE* 1101a19–21.
59 Beachte *NE* 1178b7–9 und 1177b26–1178a2.

PETER SCHÄFER

Theokratie: Die Herrschaft Gottes als Staatsverfassung in der jüdischen Antike

Das Verhältnis von Politik und Religion erfreut sich – in der Nachfolge von Leo Strauss und nicht zuletzt von Carl Schmitt – unter dem Begriff der «Politischen Theologie» wieder der verstärkten Aufmerksamkeit von Theologen und Philosophen.[1] Besondere Aktualität gewinnt dieses Thema durch das Wiedererstarken des religiös-politischen Radikalismus in der gegenwärtigen politischen Wirklichkeit, vorzugsweise, aber gewiß nicht ausschließlich, in islamisch geprägten Staaten. Was kann ein Judaist dazu beitragen? Noch dazu ein Judaist, der sich als Religionshistoriker vornehmlich des antiken und des mittelalterlichen Judentums versteht und der, ich gestehe es freimütig, besonders um Carl Schmitt eher einen Bogen gemacht hat. In diesem Sinne unterscheide ich mich durchaus programmatisch von Jacob Taubes, meinem Vorgänger auf dem Berliner Lehrstuhl für Judaistik, den ich von 1983 bis 2008 innehatte.[2]

Ich verdanke meine Teilnahme an der Vortragsreihe, aus der dieser Band hervorgegangen ist, der ebenso sanften wie ge-

---

1 Hilfreich dazu ist der abschließende Essay *Der Streit um die politische Theologie. Ein Rückblick*, in: Heinrich Meier: *Die Lehre Carl Schmitts. Vier Kapitel zur Unterscheidung Politischer Theologie und Politischer Philosophie*. Stuttgart/Weimar ³2009, S. 269–300. Vgl. auch Benjamin Lazier: *On the Origins of «Political Theology»: Judaism and Heresy between the World Wars*, in: New German Critique 35 (2008), S. 143–164 (zu Strauss, Scholem und Taubes).
2 Zu Taubes und Schmitt s. Herbert Kopp-Oberstebrink/Thorsten Palzhoff/Martin Treml (Hg.): Jacob Taubes/Carl Schmitt: *Briefwechsel*. München 2012; dazu die ernüchternde Rezension von Hans-Martin Lohmann in der Süddeutschen Zeitung vom 30. 1. 2012.

schickten Einflußnahme von Heinrich Meier, der mich davon
überzeugte, daß dieses Thema durchaus die Aufmerksamkeit
eines Judaisten verdient, der sich vornehmlich mit dem antiken
Judentum beschäftigt. War es doch kein geringerer als der Jerusalemer Priester Joseph ben Mattitjahu, der unter dem Namen
Josephus Flavius in die Geschichte eingehen sollte, der nicht
nur den griechischen Begriff der «Theokratie» prägte, sondern
der sogar als einer der Gründungsväter der Politischen Theologie gelten darf – wenn wir der handlichen Definition von Heinrich Meier folgen: «Aktuell ist der Begriff *Politische Theologie*,
insofern darunter eine politische Theorie oder politische Doktrin verstanden wird, die für sich in Anspruch nimmt, in letzter
Instanz auf göttliche Offenbarung gegründet zu sein.»[3] Ohne
Zweifel, Josephus hat in eindringlicher Konsequenz und Klarheit eine *jüdische* politische Theorie entworfen, die in Anspruch
nimmt, in letzter Instanz auf göttliche Offenbarung gegründet
zu sein – eine Theorie, so möchte ich hinzufügen, die ihresglei-
chen sucht und die in der modernen politischen Diskussion
wohl auch nicht die Beachtung erfahren hat, die sie verdient.

Ich werde mich also zunächst ausführlich Josephus' Entwurf
einer Politischen Theologie zuwenden: In einem ersten Schritt
werde ich den entscheidenden Text in dessen letztem Werk
Contra Apionem analysieren, dann seinen Stellenwert im Ge-
samtwerk des Josephus untersuchen und schließlich nach der
historischen Relevanz von Josephus' Politischer Theologie fragen – letzteres sowohl in seiner eigenen Zeit (d. h. am Ende des
1./Beginn des 2. Jh. n. Chr.) als auch für die Nachwelt (d. h. in
unserer Gegenwart).[4] Ich beginne mit einer kurzen Rekapitu-

3 Meier: *Streit*, S. 269.
4 Behandelt wird also ausdrücklich *nicht* die Frage, ob, und wenn ja,
   wann und in welchem Sinne, das *historische* biblische und nachbibli-
   sche Judentum als Theokratie bezeichnet werden kann. Diese Frage
   wird seit Vatke und Wellhausen in der Forschung diskutiert; s. Wilhelm
   Vatke: *Die biblische Theologie wissenschaftlich dargestellt*, Erster
   Band: *Die Religion des Alten Testamentes nach den kanonischen Büchern entwickelt.* Erster Theil. Berlin 1835; Julius Wellhausen: *Prolego-*

lation der Lebensgeschichte des Josephus und der Umstände, unter denen *Contra Apionem* entstanden ist.

Zu Beginn seiner *Vita* – geschrieben wohl bald nach den 93/94 n. Chr. veröffentlichten *Antiquitates* – gibt Josephus einen knappen Abriß seiner Lebensgeschichte (die *Vita* ist keine Autobiographie im eigentlichen Sinne, sondern behandelt fast ausschließlich Josephus' Aktivitäten als Kommandant während des ersten jüdischen Krieges in Galiläa). Er rühmt sich dort seiner noblen Herkunft aus einer der ältesten und wichtigsten Priesterfamilien, mütterlicherseits sogar als Nachfahre der Hasmonäerdynastie, die in Personalunion von Hoherpriester und König bis zum Eingreifen der Römer und der Usurpation des Königtums durch Herodes regierte. Geboren im ersten Jahr des Gaius Caligula, also 37/38 n. Chr., rühmt er sich des weiteren seiner herausragenden Kenntnisse des jüdischen Gesetzes (im zarten Alter von 14 Jahren besuchten ihn angeblich sogar die Hohenpriester und Vornehmen Jerusalems, «um genauere Auskunft über die Gesetzesbestimmungen von mir zu erhalten»),[5] und im Alter von 16 Jahren will er bei den drei wichtigsten jüdischen Sekten volontiert haben, die er in *Bellum* und *Antiquitates* so ausführlich beschreibt (den Essenern, Sadduzäern und Pharisäern), um sich dann mit 19 Jahren als Anhänger ausgerechnet der Pharisäer zu erkennen zu geben – was wenig zu seiner priesterlichen und hasmonäischen Herkunft paßte, auf die er so stolz war. Seine politische

mena zur Geschichte Israels. Berlin ⁴1895, S. 148, 159, 417 ff. Dazu der überaus detaillierte und gelehrte, aber auch etwas konfuse Aufsatz von Wolfgang Hübener: *Die verlorene Unschuld der Theokratie*, in: Jacob Taubes (Hg.): *Religionstheorie und Politische Theologie*. Bd. 3: *Theokratie*. München/Paderborn 1987, S. 29–64. Zu Wellhausens Geschichtskonstruktion s. Ulrich Kusche: *Die unterlegene Religion. Das Judentum im Urteil deutscher Alttestamentler*. Berlin 1991, S. 30–74.

5 *Vita* 9. Die Zitate aus Josephus' *Vita* folgen (mit gelegentlichen Änderungen) dem griechischen Text und der Übersetzung von Folker Siegert/Heinz Schreckenberg/Manuel Vogel (Hg.): *Flavius Josephus. Aus meinem Leben (Vita)*. Tübingen 2001.

Stunde schlug nach Ausbruch des jüdischen Krieges 66 n. Chr.:
Obwohl er zunächst vor dem Krieg warnte, schloß er sich bald
den Aufständischen an und wurde 67 n. Chr. Kommandant
der Aufstandstruppen ausgerechnet in Galiläa – ein besonders
verantwortungsvolles Kommando, denn es war zu erwarten,
daß die Römer ihre Gegenoffensive von der Provinz Syrien
aus, also von Norden her starten würden (was dann auch eintraf). Die besonders Hartgesottenen unter den Zeloten miß-
trauten seiner Kriegskunst und, wegen seiner priesterlich-has-
monäischen Herkunft, vor allem auch seinem Kriegs*willen*
von Anfang an – durchaus berechtigt, wie sich bald zeigen
sollte. Seine Aktivitäten als Kommandant in Galiläa waren
nämlich nicht von langer Dauer; sie endeten mit dem Fall der
Festung Jotapata noch im selben Jahr und seiner Gefangennahme durch die Römer. Vor Vespasian und dessen Sohn Titus
gebracht, prophezeite er Vespasian, daß dieser Caesar und
Alleinherrscher werden würde[6] – was er tatsächlich bald werden sollte (69 n. Chr.).

Josephus blieb zunächst als Gefangener im Lager Vespasians und wurde dann, als die Legionen in Ägypten und Judäa
Vespasian zum Imperator ausriefen, freigelassen. Er folgte
Titus nach Jerusalem und erlebte die Eroberung Jerusalems
und des Tempels mit, nachdem er vergeblich versucht hatte,
die Aufständischen zur Aufgabe zu bewegen. Als sein Landgut
in der Nähe Jerusalems von den römischen Truppen besetzt
wurde, entschädigte Titus ihn mit einem Landgut in der Küstenebene. Josephus blieb aber nicht in Judäa, sondern ging mit
Titus nach Rom, wo er sich, unter dem Schutz des flavischen
Kaiserhauses ganz seinen Studien widmete, ausgestattet mit
der römischen Bürgerschaft, einem angemessenen Wohnsitz
(dem Haus, in dem Vespasian selbst früher gewohnt hatte)

---

6 *Bellum* 3, 401. Die Zitate aus Josephus' *Bellum* folgen dem griechi-
 schen Text und (mit gelegentlichen Ausnahmen) der Übersetzung in:
 Otto Michel/Otto Bauernfeind (Hg.): *De Bello Judaico. Der jüdische
 Krieg.* Darmstadt ³1977.

und einer jährlichen Pension.[7] Vespasians Nachfolger Titus (70–81 n. Chr.) und Domitian (81–96 n. Chr.) hielten ihm, trotz zahlreicher Anfeindungen von jüdischer wie römischer Seite, die Treue.

Dies sind die Umstände, unter denen Josephus' Werke entstanden – eine atemberaubende Karriere von einem Jerusalemer Priester und jüdischen Kommandanten im Krieg gegen Rom zu einem Diasporajuden, Günstling des flavischen Kaiserhauses und hochangesehenen Bürger Roms. Seine in Griechisch geschriebenen Werke – nur von dem ersten, *Bellum*, sagt er selbst, daß er es ursprünglich in seiner Muttersprache Aramäisch verfaßt und später neubearbeitet ins Griechische übersetzt habe[8] – richteten sich nicht nur an ein gebildetes römisch-griechisches Publikum (wie er behauptet), sondern gleichermaßen auch an die griechischsprachigen *jüdischen* Bewohner des römischen Reiches.

Contra Apionem, die Hauptquelle für Josephus' Politische Theologie, ist das letzte seiner Werke, verfaßt nach den *Antiquitates* und der *Vita* vermutlich während der letzten Jahre der Regierung Domitians (also wohl nicht lange vor 96 n. Chr.). Es ist eine großangelegte Apologie des Judentums nach dem Untergang des jüdischen Staates, ausgewiesen als Polemik gegen den Grammatiker und Rhetor Apion, der wahrscheinlich das Amt des Leiters des Museions in Alexandria innehatte (also gewissermaßen des Leiters der Staatsbibliothek und Präsidenten des ägyptischen Kulturbesitzes). Der Titel des Werkes ist wohl nicht authentisch; zutreffender ist der von den frühen Kirchenvätern gebrauchte Titel «Über das Alter der Juden», denn genau darum geht es: um den Nachweis aus nichtjüdischen Quellen, daß Mose lange vor den griechischen Gesetzgebern lebte und die jüdischen somit sehr viel älter als die grie-

---

7 *Vita* 422 f.
8 *Bellum* 1, 3; nach *Contra Apionem* 1, 50, hatte er Helfer, die seinen griechischen Stil verbesserten.

chischen Gesetze sind. Apion fungiert darin als der Erzantise-
mit; seine Schrift *Aigyptiaka*, auf die Josephus sich bezieht, ist
verloren und uns hauptsächlich aus langen Zitaten in *Contra
Apionem* zugänglich. Ansonsten sind wir über ihn am besten
durch den Bürgerkrieg in Alexandria informiert, in dessen
Folge im Winter 39/40 n. Chr. zwei rivalisierende alexandrini-
sche Gesandtschaften bei Caligula in Rom intervenierten, eine
jüdische unter der Leitung des griechisch-jüdischen Philosophen Philo und eine griechische unter der Leitung Apions.[9]
Apions Werke waren in Rom wohlbekannt und rezipiert; noch
der große Exkurs über die Juden in Tacitus' *Historien* (verfaßt
im ersten Jahrzehnt des 2. Jh. n. Chr.) greift aus Apion vertraute Motive auf.[10] Josephus hatte also gute Gründe, sich mit
Apion auseinanderzusetzen.

   Während das erste Buch von *Contra Apionem* sich die wichtigsten antijüdischen Vorgänger Apions vornimmt, geht das
zweite Buch zunächst ausführlich auf Apion selbst ein (2,
1–144) und wendet sich dann positiv der jüdischen Verfassung
zu: « ... will ich nun kurz über die Struktur unserer Verfassung
im ganzen wie auch im Detail sprechen» (von kurz kann
allerdings keine Rede sein: es wird eine sehr ausführliche
Abhandlung).[11] Was ich als «Verfassung» übersetzt habe, ist
im Griechischen hier *politeuma*, ein Wort, das Josephus oft
gleichbedeutend mit *politeia* verwendet – «staatliche Verfas-

----

9 Ausführlich beschrieben in Philos *In Flaccum* und *Legatio ad Gaium*;
   dazu Peter Schäfer: *Judenhass und Judenfurcht. Die Entstehung des
   Antisemitismus in der Antike*. Berlin 2010, S. 198 ff.
10 Schäfer: *Judenhass und Judenfurcht*, S. 53 ff., 268 ff., 280 f.
11 *Contra Apionem* 2, 145. Die Zitate aus Josephus' *Contra Apionem*
   folgen dem griechischen Text der Loeb Classical Library sowie (mit
   gelegentlichen Änderungen) der Übersetzung in Heinrich Clementz
   (Hg.): *Des Flavius Josephus kleinere Schriften*. Halle a. d. S., o. J.
   [1905]. Siehe auch die Übersetzungen in Steve Mason (Hg.): *Flavius
   Josephus: Translation and Commentary*, Bd. 10: John M. G. Barclay:
   Against Apion: Translation and Commentary. Leiden 2007; Folker
   Siegert (Hg.): *Flavius Josephus. Über die Ursprünglichkeit des Judentums (Contra Apionem)*. Göttingen 2008.

sung» im weitesten Sinne des Wortes, auch «Gemeinwesen, Staat».[12] Das Thema des Alters des jüdischen Volkes noch einmal aufnehmend, behauptet er zunächst, daß Mose, der jüdische Gesetzgeber, alle anderen Gesetzgeber bei weitem übertreffe, namentlich Lykurg, Solon und Zaleukos und wen auch sonst immer die Griechen als Gesetzgeber bewundern, ja daß Homer nicht einmal das Wort «Gesetz» (*nomos*) in seinen Gedichten gebrauche. Mose, nachdem er einmal den Entschluß gefaßt hatte, «alle seine Handlungen und Gedanken nach dem Willen Gottes auszurichten», hielt es dagegen für angebracht, diese Erkenntnis auch seinem Volk zu vermitteln[13] – und deswegen will Josephus seine Leser nun mit ebendiesen jüdischen Gesetzen bekannt machen. Darauf folgt die entscheidende Stelle über die jüdische Theokratie, die im Wortlaut zitiert sei (ich übersetze absichtlich wörtlich, um den Duktus des griechischen Originals erkennbar zu machen):

(2, 164) «Nun sind aber unendlich die Unterschiede im Detail hinsichtlich der Bräuche und Gesetze bei allen Menschen. Eine zusammenfassende Aufzählung sieht etwa folgendermaßen aus:

12 Nicht zu verwechseln mit dem Verständnis von *politeia* als «Bürgerrecht», das eine so große Rolle in der Auseinandersetzung zwischen Ägyptern, Griechen und Juden in Alexandria spielt. Dazu Tessa Rajak: *The Jewish Dialogue with Greece and Rome. Studies in Cultural and Social Interaction.* Leiden 2001, S. 200 f. – Es ist mir angesichts der von Josephus verwendeten Terminologie schlicht unerfindlich, wie Bernhard Lang mit einem Federstrich behaupten kann, daß Theokratie bei Josephus nicht die Bezeichnung einer neuen Staatsform sei, sondern nur eine Religionsgemeinschaft meine (Bernhard Lang: *Zum Begriff der Theokratie*, in: Taubes: *Religionstheorie und Politische Theologie.* Bd. 3, S. 12). Diese Einschätzung ignoriert nicht nur den Sprachgebrauch des Josephus, sie offenbart auch ein problematisches Verständnis von Politik und Religion in der Antike. Vgl. auch seinen Artikel «Theokratie» im *Handbuch religionswissenschaftlicher Grundbegriffe* (Stuttgart 1988–2001, Bd. 5, S. 178–189), wo er im nachbiblischen Judentum das Musterbeispiel einer «Theokratie als unechtes Staatsgebilde» ausmacht.

13 *Contra Apionem* 2, 160.

Die einen haben die höchste politische Macht (*tēn exousian tōn politeumatōn*)[14] den Monarchien übertragen, die anderen den Dynastien weniger [Familien] (*tais oligōn dynasteias*),[15] andere aber den Massen (*tois plēthesin*). (165) Unser Gesetzgeber [Mose] aber richtete sich nach überhaupt keiner von diesen [Regierungsformen], sondern entwarf das Gemeinwesen (*to politeuma*) als Gottesherrschaft (*theokratia*), wie man wohl sagen könnte, wenn man dem Wort Gewalt antut, indem er Gott die Herrschaft (*archē*) und die Gewalt (*kratos*) zuwies.

(166) Und nachdem er [Mose] alle überzeugt hatte, daß sie auf jenen [Gott] als die Ursache alles Guten blicken sollten – das (Gute), das allen Menschen gemeinsam gewährt ist sowie das, was alles sie selbst erlangten, wenn sie in Not darum baten –, daß (weiterhin) seinem [Gottes] Wissen nichts entgehen könnte – weder in dem, was sie täten, noch, was auch nur ein einzelner bei sich selbst überlege –, (167) präsentierte er [Mose] ihn [Gott] (*auton apephēne*) als einen (*hena*) und ungeschaffenen (*agenēton*) und für alle Ewigkeit unveränderlichen, an Schönheit jede vergängliche Gestalt übertreffend und durch seine Kraft (*dynamis*) uns erkennbar, während er in seinem Wesen (*kat' ousian*) unerkennbar (*agnōstos*) bleibt.

(168) Daß die Weisesten unter den Griechen belehrt wurden, dies über Gott zu denken, nachdem jener [Mose] (ihnen) die Anfänge überliefert hatte, will ich jetzt nicht weiter erörtern; daß es aber vortreffliche und der Natur sowie der Herrlichkeit Gottes angemessene (Gedanken) sind, haben sie [die Griechen] überdeutlich bezeugt. Haben doch Pythagoras, Anaxagoras, Plato, nach ihm die Philosophen der Stoa und, wie es scheint, alle anderen so über die Natur Gottes gedacht.»[16]

---

14 Wörtlich: «die Macht der *politeumata*».
15 D. h. den Oligarchien.
16 *Contra Apionem* 2, 164–168. Ausführlich dazu Hubert Cancik: *Theokratie und Priesterherrschaft. Die mosaische Verfassung bei Flavius Josephus, c. Apionem 2, 157–198*, in: Taubes: *Religionstheorie und Politische Theologie*, Bd. 3, S. 65–77; Barclay: *Against Apion*, S. 261 ff.

Versuchen wir zunächst, den Gedankengang dieser klassischen griechischen Schachtelsätze zu rekapitulieren. Schlicht ausgedrückt sagt Josephus folgendes:

1. Es gibt im wesentlichen die folgenden Regierungsformen der uns bekannten Staatswesen: die Monarchie, die Oligarchie und die Demokratie.

2. Mose akzeptierte keine davon, sondern entwarf die Theokratie als alleinige Herrschaft und Gewalt Gottes.

3. Dieser Gott ist die Ursache alles Guten, und zwar sowohl des allgemeinen wie auch des individuellen, sowie allwissend, und zwar sowohl bezüglich der menschlichen Taten wie auch ihrer Gedanken.

4. Er ist ferner einer, ungeschaffen, auf ewig unveränderlich, von überragender Schönheit, erkennbar durch seine Kraft und unerkennbar in seinem Wesen.

5. Der erste, der zu dieser Gotteserkenntnis gelangte, war Mose; und die Griechen folgten ihm darin.

Bevor ich auf die wesentlichen Punkte dieses zentralen Textes eingehe, sei kurz der weitere Gedankengang in *Contra Apionem* resümiert:

1. Wie funktioniert die mosaische Theokratie (2, 170–189)? Mose war so klug, nicht die Frömmigkeit zu einer Tugend unter vielen zu machen, sondern alle anderen Tugenden der Frömmigkeit gegenüber Gott unterzuordnen. Ferner ging es ihm nicht nur um die praktische Verwirklichung der Gesetze, sondern er legte auch großen Wert auf die theoretische Unterweisung und machte so das Gesetz zum schönsten und besten Bildungsmittel (2, 175). Dies alles führte zu einer einzigartigen und wunderbaren Eintracht unter den Juden, die alle dieselbe Auffassung von Gott haben (2, 179) und denselben Lebensstil pflegen (2, 181). Und dann füllt Josephus den Begriff der Theokratie, den er bisher ohne weitere Erklärung einfach nur in die Welt gesetzt hatte, erstmals konkret mit Inhalt. Braucht doch die alleinige Herrschaft Gottes ihre Agenten auf Erden, die sie durchsetzen und kontrollieren, und diese Agenten Gottes sind – die Priester:

(2, 185) «Denn was könnte eine bessere oder gerechtere (Verfassung) sein als die, die Gott, den Lenker des Weltalls, an die Spitze stellt, die den Priestern gemeinsam die Verwaltung der wichtigsten Dinge (des Staates) überträgt und dem Hohenpriester die ausschließliche Beaufsichtigung der Priester? ... (188) Welche Herrschaft (*archē*) könnte heiliger sein als diese? Welche Ehrfurcht könnte angemessener gegenüber Gott sein als eine, in der die ganze Masse (des Volkes) mit Frömmigkeit ausgerüstet ist, die Priester mit besonderer Aufsicht betraut sind und das ganze Gemeinwesen (*politeia*) wie eine einzige heilige Festfeier organisiert ist?»

2. Welche sind die wichtigsten Gebote und Verbote (2, 190–219)? Hier beginnt er, wie nicht anders zu erwarten, wieder mit Gott: er ist allumfassend, vollkommen und selig; sich selbst und allen genügend; Anfang, Mitte und Ende von allem; offenbar durch seine Werke und Gnaden, nach Gestalt und Größe aber jenseits aller Beschreibung und bildlos; seine Werke dagegen können wir betrachten, die er freilich ohne Hände, ohne Mühe und ohne fremde Hilfe geschaffen hat (2, 190–192). Dieser eine und einzige Gott wird in einem ihm angemessenen Tempel von seinem einen und einzigen Volk verehrt, angeführt durch die Priester mit dem Hohenpriester an der Spitze (2, 193 ff.).

Dann folgen im einzelnen (und in sehr unterschiedlicher Ausführlichkeit) die Gesetze über die Ehe und die Kinder (2, 199 ff.), die Toten (2, 205), die Elternliebe, Richter, Eigentum, Zins (2, 206 ff.), das Verhalten gegenüber Fremden, Feinden und Tieren (2, 209 ff.), Strafbestimmungen (2, 215 ff.), das Leben nach dem Tode und das Martyrium für das Gesetz (2, 217 ff.).

3. In einem letzten umfangreicheren Teil vergleicht Josephus abschließend die jüdischen mit den griechischen Gesetzen und Verfassungsentwürfen (2, 220–286).

Damit ist der Kontext, in dem Josephus seine Idee von der Theokratie entfaltet, im wesentlichen abgesteckt. Ich werde nun drei Themenkreise genauer erörtern, nämlich erstens das Gottesbild des Josephus, dann die Rolle der Priester und schließlich seine Bevorzugung der Theokratie vor der Monarchie, Oligarchie und Demokratie.

Gott

Theokratie ist die alleinige Herrschaft Gottes; deshalb macht es Sinn, daß Josephus in diesem Zusammenhang seine Vorstellung von Gott entfaltet. Dies ist nicht zuletzt deswegen bedeutsam, weil der Historiker Josephus in seinem umfangreichen Werk sonst wenig Interesse für theologische Fragen erkennen läßt; genaugenommen sind die Überlegungen zur Theokratie der einzige Ort, an dem er sich als Theologe äußert. Sehr viel tiefgreifender und erfolgreicher als Theologe war Josephus' jüngerer Zeitgenosse Philo von Alexandria, und es ist durchaus möglich, daß Josephus Philos Werke kannte.[17] Daß der Gott der Juden einer und ein einziger ist, d. h. ohne andere Götter neben sich, sowie ungeteilt, d. h. nicht aus mehreren Personen bestehend, konnte jeder kundige Leser der Hebräischen Bibel entnehmen und im täglich gebeteten *Schema' Jisrael*, dem «Höre Israel» (Deut. 6, 4), immer wieder neu bestätigen. Was aber Josephus darüber hinaus zu Gott zu sagen hat, liest sich wie eine etwas schlichte Zusammenfassung Philos.[18] Für Philo ist Gott, ganz im platonischen Sinne, «das Seiende» (*to on*) schlechthin oder auch «der Ungewordene» oder «Ungeschaffene» (*ho agenētos*), dessen Wesen wir niemals erfassen können. Wenn Josephus sagt, daß Gott zwar seinem Wesen nach unerkennbar, aber durch seine «Kraft» (*dynamis*) erkennbar ist, bezieht er sich ganz offensichtlich auf Philo, der der Unterscheidung zwischen Gottes Wesen und seinen Kräften (*dynameis*) breiten Raum einräumt. Diese «Kräfte» oder

---

17 Rajak: *Jewish Dialogue*, S. 200.
18 Zu Philo ausführlicher Peter Schäfer: *Die Ursprünge der jüdischen Mystik*. Berlin 2011, S. 218 ff.

«Gewalten» sind die Aspekte des unerkennbaren und transzendenten Gottes, die – in ihrem Wesen ebenfalls unerkennbar – gleichwohl durch viele Stufen hindurch das transzendente *to on* verkörpern und dessen Übergang in die geschaffene Welt ermöglichen. Anders gesagt, sie sind die göttlichen Wirkkräfte, die zunächst zur Welt der Ideen führen und letztlich zur geschaffenen, sinnlich wahrnehmbaren Welt.

An der Spitze dieser Wirkkräfte stehen bei Philo der Logos und die Weisheit. Während der Logos als die schöpferische Kraft in Gott für die Entstehung der Welt der Ideen (des *kosmos noētos*) verantwortlich ist, ist die Weisheit für die sinnlich wahrnehmbare Welt (den *kosmos aistētos*) zuständig, also unsere irdische Welt; andere vermittelnde Kräfte in dem komplizierten Übergang von der Welt der Ideen zur Welt der Sinne sind die Engel und Erzengel. Bei Josephus werden der Logos und die Weisheit nicht eigens erwähnt – vor allem der Logos sollte ja dann seine eigentliche Karriere im Christentum machen und wurde im zeitgenössischen Judentum lange ignoriert bzw. bewußt unterdrückt; die Weisheit erfuhr erst in der Kabbalah wieder ihre jüdische Auferstehung –, aber beide sind zweifellos in Josephus' «Kraft» enthalten. Gemeinsam ist Josephus und Philo weiter die Betonung der Bildlosigkeit Gottes und der Tatsache, daß Gott beim Schöpfungsvorgang keiner Helfer bedurfte. Mit letzteren sind natürlich die Engel gemeint, aber hier ist Philo wieder sehr viel subtiler als Josephus. Er räumt nämlich ein, daß Gott sich für die Erschaffung des sterblichen Teils der menschlichen Seele sehr wohl der «Kräfte» bediente, und zwar aus dem einfachen Grund, weil dieser Teil der menschlichen Seele für das Böse zuständig ist. Da Gott nur für die Erschaffung des Guten verantwortlich sein kann und will, delegierte er den unerfreulichen Aspekt des Menschseins, die Offenheit für das Böse, an seine «Kräfte» und «Demiurgen».[19] Hier

---

19 Ausführlicher Peter Schäfer: *The Jewish Jesus. How Judaism and Christianity Shaped Each Other*. Princeton/Oxford 2012, S. 174 ff.

begibt sich Philo in tiefes theologisches Wasser; ob Josephus ihm dahin nicht folgen wollte oder auch nicht folgen konnte, wissen wir nicht.

Mit seinen kurzen und theologisch nicht unbedingt tiefschürfenden Bemerkungen zur Besonderheit des jüdischen Gottes richtet sich Josephus ohne Zweifel in erster Linie an ein gebildetes römisches Publikum. Die offensichtliche Bildlosigkeit des jüdischen Gottes ist ein durchgehendes Thema in der griechisch-römischen Literatur und wurde von vielen Autoren hervorgehoben (ich verweise nur auf Livius, die lateinischen Satiriker Petronius und Juvenal sowie, als Höhepunkt, Tacitus).[20] Oft ist die Diskussion der jüdischen Gottesvorstellung mit Angriffen gegen Proselyten oder «Gottesfürchtige» verbunden, d.h. gegen römische Bürger, die zum Judentum übertraten bzw., häufiger noch, mit dem Judentum sympathisierten, ohne den letzten und entscheidenden Schritt des Übertritts zu vollziehen. Die Attraktivität des jüdischen Gottes gerade auch für Römer, und zwar ganz besonders für gebildete und sozial höherstehende Römer, war also keineswegs nur ein literarischer Topos, sondern ganz im Gegenteil konkrete Wirklichkeit. Nicht nur dies, sie muß gegen Ende des 1. Jh. n. Chr. so zugenommen haben, daß Domitian, der letzte flavische Kaiser, sich veranlaßt sah, rigoros dagegen einzuschreiten. Der römische Historiker Sueton berichtet, daß Domitian besondere Maßnahmen ergriff, den *fiscus Iudaicus*, die Judensteuer, konsequent einzutreiben.[21] Dieser *fiscus Iudaicus* war die Steuer in Höhe von zwei Drachmen, die Vespasian nach der Zerstörung Jerusalems und des Tempels allen Juden auferlegt hatte (es handelte sich dabei um die ursprüngliche Tempelsteuer, die nun in einem für die gesetzestreuen Juden besonders entwürdigenden Akt an das Kapitol in Rom zu entrichten

---

20 Dazu ausführlich Schäfer: *Judenhass und Judenfurcht*, S. 57 ff.
21 Sueton: *Domitianus* 12, 2 = Menachem Stern: *Greek and Latin Authors on Jews and Judaism*. Jerusalem 1974–1984, Bd. 2, Nr. 320.

war). Domitian verschärfte die Eintreibung dieser Steuer, indem er sie auch auf Proselyten (genauer: Proselyten, die ihren Übertritt zum Judentum geheimhielten, nicht zuletzt um der Judensteuer zu entgehen) und assimilierte Juden (also Juden, die behaupteten, keine Juden mehr zu sein und folglich nicht der Judensteuer zu unterliegen) ausdehnte. Maßgebendes Kriterium sollte einzig und allein die vollzogene Beschneidung sein, gleichgültig, wann diese vollzogen wurde und ob der Beschnittene sich noch als Jude verstand oder nicht. Sueton erwähnt den Fall eines neunzigjährigen Mannes, bei dem der Prokurator öffentlich nachprüfen ließ, ob er beschnitten war.[22]

Wie groß Domitian die Gefahr der Zunahme des Proselytismus in der römischen Gesellschaft einschätzte, zeigt ein weiterer Vorfall, den der Historiker Dio Cassius berichtet: Im Jahre 95 n. Chr., also gegen Ende seiner Regierungszeit, ließ Domitian den Konsul Flavius Clemens hinrichten und schickte dessen Frau Flavia Domitilla in die Verbannung. Beiden wurde «Gottlosigkeit» (*atheotēs*) vorgeworfen, ein Verbrechen, das viele griechisch-römische Autoren den Juden zur Last legten. Daß es sich bei Flavius Clemens und seiner Frau keineswegs um Einzelfälle handelte, zeigt die eindeutige Präzisierung bei Dio Cassius: «Beiden wurde Gottlosigkeit (*atheotēs*) zum Vorwurf gemacht, weshalb auch viele andere, die sich in jüdische Lebensformen hineintreiben ließen (*es ta tōn Ioudaiōn ēthē exokellontes*), Verurteilung erfuhren. Einige von ihnen wurden hingerichtet, andere nur ihres Vermögens beraubt.»[23] Dies kann schwerlich ein Zufall sein: Ausgerechnet unter dem Kaiser, der verschärft gegen römische Proselyten und Sympathisanten mit dem Judentum vorging, propagiert Josephus sein Idealbild des jüdischen Gottes, der den Göttern der Griechen und Römer überlegen ist, und entwirft er die Theokratie, die alleinige Herrschaft eben-

---

22 Ibid.; dazu ausführlich Schäfer: *Judenhass und Judenfurcht*, S. 166 ff.
23 Dio Cassius: *Historia Romana* LXVII, 14,1 f. = Stern: *Greek and Latin Authors on Jews and Judaism*. Bd. 2, Nr. 435.

dieses Gottes, als die ideale Regierungsform. War dies besonders naiv oder besonders kühn? Glaubte Josephus als Günstling aller drei flavischen Kaiser (immerhin gewährte Domitian ihm noch die Steuerfreiheit für sein Landgut in Judäa) sich dies erlauben zu können? Durchaus möglich, denn der Vorwurf der Gottlosigkeit, also des Hochverrats, gegen Flavius Clemens (einen Vetter Domitians) mag auch politisch motiviert gewesen sein, weil Domitian in Clemens und dessen Familie politische Konkurrenz befürchtete. Und dennoch, sollte Domitian entgangen sein – oder sollte er ignoriert haben –, daß dieser Josephus mit seinem Werk *Contra Apionem* die politisch-theologische Grundlegung für die «vielen» lieferte, die sich nach Dio Cassius «in jüdische Lebensformen hineintreiben ließen» und die er hinrichten ließ oder wenigstens enteignete? Allerdings fällt auf, daß Josephus bei der konkreten Aufzählung der jüdischen Gesetze (die ich oben kurz referiert habe) genau die beiden Gesetze ausläßt, die eine so prominente Rolle bei den angehenden Proselyten spielen (und gegen deren Mißdeutung durch die griechischen und römischen «Antisemiten» er sich so wortreich in *Contra Apionem* zur Wehr setzt): den Sabbat und die Beschneidung. Ist dies Zufall oder spielt er absichtlich die beiden Gesetze herunter, die den größten Anstoß bei der römischen Staatsgewalt erregen mußten?[24]

Priester

Schauen wir uns nun das zweite Element in Josephus' Theokratie genauer an, die Herrschaft der Priester. Wir haben gehört, daß die Priester mit dem Hohenpriester an der Spitze die Herrschaft Gottes auf Erden garantieren. Unmittelbar nach der Beschreibung des jüdischen Gottes kommt Josephus noch einmal auf die Priesterherrschaft zurück und liefert die ge-

24 Philo war hier weniger skrupulös; s. *De Migratione Abrahami*, 89 ff.

nauere Begründung: (2, 193) «Ein Tempel für den einen Gott –
liebt doch das Gleiche immer das Gleiche[25] –, das gemeinsame
Eigentum aller, so wie Gott allen gemeinsam ist. Die Priester
vollziehen den Gottesdienst ohne Unterlaß, wobei der von seiner Abstammung her erste immer an ihrer Spitze stehen wird.
(194) Er, zusammen mit seinen Amtsgenossen, soll Gott Opfer
darbringen, über das Gesetz wachen, Streitigkeiten beilegen
und die einer rechtswidrigen Handlung Überführten bestra-
fen. Wer ihm nicht gehorcht, soll genau so bestraft werden, als
hätte er sich gegen Gott selbst vergangen.»[26] Die Trias «Ein
Gott – ein Tempel – ein Volk» ist einer der Kerngedanken von
Josephus' Gottesherrschaft: so wie die Juden – und nur die Juden – einen Gott haben, wird dieser Gott auch nur von dem
einen jüdischen Volk in dem einen und einzigen Tempel in Jerusalem verehrt. Die Priester sind nicht nur das ausführende
Organ dieses Gottesdienstes mit seinen Opfern im Tempel,
sondern sie überwachen auch die Befolgung des Gesetzes in
seinem vollen, d. h. exekutiven Sinne, da ihnen allein das
Recht zur Bestrafung der Gesetzesbrecher vorbehalten bleibt.
Sie sind die Bevollmächtigten und Stellvertreter Gottes auf Erden; wer sich gegen sie vergeht, vergeht sich gegen Gott. Josephus' Theokratie ist also letztlich eine Hierokratie (Priesterherrschaft). Bevor ich auf das Verhältnis dieser Hierokratie
zur Monarchie, Oligarchie und Demokratie eingehe, sei zunächst wieder auf den realpolitischen Zusammenhang zur
Zeit der Abfassung von *Contra Apionem* hingewiesen.

　　1. Die realpolitische Illusion, um nicht zu sagen Absurdität
eines Plädoyers für den Tempel und die Priesterherrschaft ist
unübersehbar. Josephus bringt sie ca. 20 Jahre nach der Zerstörung – und aus der Sicht der Römer zweifellos unwiderruf-
lichen Zerstörung – des Jerusalemer Tempels zu Papier, als
wäre dies alles nicht geschehen oder als wäre die Geschichte

25 Ein bekanntes griechisches Sprichwort.
26 *Contra Apionem* 2, 193 f.

umkehrbar. Judäa war zwar schon vor dem ersten jüdischen Krieg eine römische Provinz (6–41 n. Chr. und dann wieder ab 44 n. Chr.), mit einem Prokurator vom Rang eines Ritters und unter der Oberaufsicht des Statthalters von Syrien, rückte nach dem Krieg aber in den Status einer selbständigen römischen Provinz auf, mit einem Statthalter von prätorischem Rang. Diese «Beförderung» im römischen Provinzsystem war natürlich nicht Ausdruck des besonderen römischen Wohlwollens, sondern im Gegenteil ein Indikator dafür, wie gefährlich Rom die Bevölkerung der Provinz einstufte; der neue Status brachte nämlich u. a. die ständige Stationierung einer römischen Legion im völlig zerstörten Jerusalem mit sich (der Statthalter residierte mit Teilen dieser Legion in Caesarea Maritima) und, wie erwähnt, die Umwandlung der Tempelsteuer in den *fiscus Judaicus*. Die römischen Sieger hatten als besonders demütigende Maßnahme nach der Zerstörung des Tempels die jüdische Tempelsteuer in den an den Tempel des Jupiter Capitolinus in Rom zu entrichtenden *fiscus Judaicus* umgewandelt – und ausgerechnet Domitian verschärfte, wie wir gesehen haben, die Eintreibung des *fiscus Judaicus*. Ein größerer historischer Anachronismus ist kaum denkbar als ein Plädoyer für den Tempel in Jerusalem als Zentrum des jüdischen Staates zu genau dem Zeitpunkt, da Domitian die Eintreibung des *fiscus Judaicus* verschärfte. Wir stehen hier also vor einem ähnlichen Rätsel wie bei der Beurteilung von Josephus' Gottesbild: war er besonders naiv oder besonders kühn? Die Propagierung des Wiederaufbaus des jüdischen Tempels in Jerusalem – und dies ausgerechnet im Rom Domitians – wäre wohl eher tollkühn gewesen. Also doch der naive Entwurf einer neuen jüdischen Hierokratie als Idealbild, als Utopie eines in Rom von ebendiesem Domitian ausgehaltenen jüdischen Priesters, der die Zerstörung des Tempels im römischen Lager miterlebt hatte? So zugespitzt formuliert ist auch diese Alternative nicht besonders attraktiv. Ich komme darauf zurück.

2. Der Eindruck der Unzeitgemäßheit von Josephus' Gottesstaat verstärkt sich noch, wenn wir uns die Struktur des römi-

schen Staates und darin die Stellung der Priester vergegenwärtigen.[27] Rom kannte keine Priesterklasse, kein Berufspries-
tertum (mit ganz wenigen Ausnahmen), keine priesterliche
Erziehung und gewiß auch keine von den Priestern diktierte
Theologie. Der *Pontifex maximus* war in der Republik ein
vom Volke gewählter, zeitlich befristeter Amtsträger (wir werden sehen, was Josephus von solchen Bestrebungen im Judentum hielt). Der Senat kontrollierte die Religion und damit
auch die Priester. Schon Max Weber betonte die «politische
Machtlosigkeit der Priesterschaft» und die übergeordnete Autonomie des säkularen Rechts.[28]

In dem Maße, in dem das Prinzipat die Machtfülle des Senats
zunehmend beschnitt, änderte sich auch die Stellung der Religion im politischen Machtgefüge. Der Kaiser vereinigte nicht
nur die militärische und politische Gewalt in seiner Person, er
beanspruchte auch das Amt des *Pontifex maximus* für sich
selbst auf Lebenszeit. Und es ist wieder Domitian, der diese Ku-
mulation der Macht in seiner Person so sehr verstärkte, daß er
96 n. Chr. von seinen eigenen Höflingen ermordet wurde und
der Senat sein Andenken der *damnatio memoriae* überantwor-
tete: Zusätzlich zum Amt des *Pontifex maximus* machte er sich
auch zum *Censor perpetuus*, d. h. er okkupierte das Amt des für
die Einhaltung der öffentlichen wie privaten Moral zuständigen
Censors auf Lebenszeit und konnte damit nicht zuletzt den Senat nach seinem Gutdünken formen (d. h. vor allem, wenn er es
für nötig erachtete, säubern). Der Höhepunkt dieser Zentrali-
sierungsbestrebungen Domitians war die Wiederbelebung des
Kaiserkultes und die offizielle Annahme des Titels *Dominus et
Deus*.[29] Er erhob seinen verstorbenen Bruder Titus unter die

---

27 Ich folge hier weitgehend der ausgezeichneten Darstellung von Cancik: *Theokratie und Priesterherrschaft*, S. 72–76.
28 Max Weber: *Wirtschaft und Gesellschaft*. Tübingen 1921/22, ⁵1972
(Nachdruck 1980), S. 464, 472.
29 Sueton: *Domitianus* 13, 2 (ob dies eher antidomitianischer Propaganda von Sueton geschuldet ist, kann hier nicht diskutiert werden).

Götter und vollendete den Tempel für ihn und ihren vergött-
lichten Vater Vespasian. Hubert Cancik hat für diese Regierungsform der Flavier mit ihrem Höhepunkt unter Domitian
den zutreffenden Begriff «flavische Kaisermystik» geprägt:
«Die Aktualisierung der alten Mythologeme durch Künstler
und Dichter, die Bilder der alten Gestirnreligion und der neuen
Astrologie schaffen, zusammen mit hellenistischem Herrscher-
kult und der offenbar verhältnismäßig ausgeprägten persönlichen Religiosität dieses Kaisers eine ungewöhnlich dichte
Atmosphäre, die man als ‹flavische Kaisermystik› bezeichnen
könnte.»[30] Aber der Staat der Flavier und somit auch Domitians ist alles andere als eine Theokratie im Sinne des Josephus –
und schon gar nicht eine Hierokratie. Bei allem Kaiserkult
bleibt der Staat auch unter den Flaviern formell eine Republik,
denn die staatliche Gewalt der Kaiser ist nur vom Volk und vom
Senat geliehen (mit welchen rechtlichen Kunstgriffen auch immer, aber das Recht blieb autonom). Josephus' priesterliche
Theokratie muß für Domitian ein merkwürdiges und sicher
auch unzeitgemäßes Konstrukt gewesen sein, sollte er *Contra
Apionem* je gelesen oder davon gehört haben.

Theokratie

Nun also der genauere Blick auf die Staatsformen, die Josephus dezidiert ablehnt, im konkreten Vergleich mit der, die er
bevorzugt. Ich beginne mit der Monarchie und der Oligarchie.
   Wie schon die Hebräische Bibel war auch Josephus kein besonderer Freund der Monarchie. Die Idealzeit der Bibel ist die
Zeit des Mose und der Richter. Als das Volk zum alt geworde-
nen Richter Samuel kommt und die Einsetzung eines Königs
verlangt («Du bist nun alt und deine Söhne gehen nicht auf
deinen Wegen. Darum setze jetzt einen König bei uns ein, der

---

30 Cancik: *Theokratie und Priesterherrschaft*, S. 75.

uns regieren soll, wie es bei allen Völkern der Fall ist»),[31] ist
Samuel alles andere als begeistert und holt sich Rat bei Gott,
und Gott antwortet ihm: «Hör auf die Stimme des Volkes in
allem, was sie zu dir sagen. Denn nicht dich haben sie verworfen, sondern mich haben sie verworfen: Ich soll nicht mehr ihr
König sein!»[32] Der Wunsch Israels nach einem König bedeutet
also nichts anderes als den Abfall von Gottes Königtum. Obgleich Samuel das Volk eindringlich vor den Folgen des Wun-
sches, wie die anderen Völker zu sein, warnt, besteht es darauf,
und am Ende bleibt Samuel nichts anderes übrig, als nachzuge-
ben und Saul zum König einzusetzen. Ähnlich negativ sieht
auch Josephus die Monarchie: Der Prophet Samuel haßte die
Könige und war ein Anhänger der Aristokratie («vielmehr
hatte er eine besondere Vorliebe für die Aristokratie, welche
diejenigen, die sie annehmen, göttlich und gesegnet macht»);[33]
es ist genau die in der Bibel beschriebene Herrschaft des Mose
mit seinem Nachfolger Josua und den Richtern, die diese goldene aristokratische Zeit Israels ausmacht.[34] Auf den Wunsch
des Volkes nach einem König läßt er Samuel antworten: «Ich
sage euch in aller Aufrichtigkeit, welch große Gottlosigkeit ihr
mit eurem Wunsch nach einem König begangen habt (*hoti me-
gala ēsebēsate eis ton theon*).»[35] Und angesichts der zweiten
Proklamation und Salbung Sauls zum König schließt Josephus
ebenso lapidar wie resigniert: «Und so wurde die Staatsform
(*politeia*) der Hebräer in eine Monarchie verwandelt.»[36] Der
Wunsch nach einem König ist also das Ergebnis von Gottlosig-

31 1 Sam. 8, 5.
32 1 Sam. 8, 7.
33 *Antiquitates* 6, 36. Die Zitate aus Josephus' *Antiquitates* folgen dem
    griechischen Text der Loeb Classical Library sowie (mit gelegentlichen
    Änderungen) der Übersetzung in Heinrich Clementz (Hg.): *Des Flavius
    Josephus Jüdische Altertümer*. Halle a. d. S., o. J. [1898–99].
34 *Antiquitates* 6, 83–85; 6, 268.
35 *Antiquitates* 6, 88.
36 *Antiquitates* 6, 83.

keit (*asebeia*) und die Monarchie als Staatsform der verfassungsmäßige Ausdruck des Abfalls Israels von seinem Gott.

Die Vorliebe des Josephus für die Aristokratie der Vor-Königszeit steht in deutlicher Spannung zu seiner klaren Ablehnung der Oligarchie in *Contra Apionem* – wie überhaupt die Gegenüberstellung von Theokratie versus Monarchie, Oligarchie und Demokratie einen außerordentlich schematischen und simplifizierenden Eindruck macht. Was die Monarchie betrifft, konnte Josephus in Wirklichkeit schwerlich verschleiern, daß die Hasmonäer (immerhin seine Vorfahren mütterlicherseits) das Königtum und das Amt des Hohenpriesters in Personalunion vereinigten – also nach seiner Nomenklatur in *Contra Apionem* sowohl die Monarchie als auch die Priesterherrschaft verkörperten. Und was die Aristokratie betrifft, so stellt er in den *Antiquitates* unmißverständlich klar, daß nicht nur Aristokratie und Oligarchie für ihn identisch sind, sondern daß diese Aristokratie/Oligarchie zur Zeit des Zweiten Tempels in Wirklichkeit eine Hierokratie war[37] – bis die Hasmonäer diese reine Form der Aristokratie/Oligarchie durch die Annahme des Königstitels verunreinigten (es war Aristobul I., 104–103 v. Chr., der als erster Hasmonäer offiziell den Königstitel annahm). Dies macht er noch einmal überdeutlich, wenn er die Ereignisse um den römischen Feldherrn Pompejus berichtet. Pompejus hatte auf seinem Eroberungszug im Osten des Reiches 64 v. Chr. das Schicksal des seleukidischen Reiches besiegelt und stand vor den Toren Jerusalems. 63 v. Chr. brach er nach Damaskus auf, und dort warben gleich drei jüdische Gesandtschaften um seine Gunst: Aristobul II., der regierende Hasmonäerkönig und Hohepriester, sein Bruder Hyrkan, der ihm die Herrschaft streitig machte, sowie eine Abordnung des

---

37 *Antiquitates* 11, 111: «In der Folgezeit begingen die Bewohner von Jerusalem den Gottesdienst wieder mit aller Pracht. Ihre Staatsverfassung (*politeia*) war aristokratisch und gleichzeitig oligarchisch. Denn die Hohenpriester standen an der Spitze des Staates, bis die Nachkommen der hasmonäischen Familie die Königswürde erlangten.»

Volkes (was immer unter letzterem genau zu verstehen ist):
«Dort [in Damaskus] hörte er die Juden und deren Führer an,
Hyrkan und Aristobul, die untereinander im Streit lagen, während das Volk (*to ethnos*) gegen beide (geltend machte), daß es
nicht angemessen sei, von einem König regiert zu werden. Es
sei nämlich väterliche Sitte (bei ihnen), der Autorität der Priester des bei ihnen verehrten Gottes zu gehorchen; diese beiden
Nachkommen von Priestern aber suchten das Volk in eine andere Regierungsform zu drängen, auf daß es in den Stand der
Sklaverei versetzt werde.»[38] Die eigentliche Antithese zur Monarchie ist also die Hierokratie, die ironischerweise von den
Hasmonäern (die selbst Priester waren) in die entwürdigende
Sklaverei der Monarchie verwandelt wurde. Daß er diese Hierokratie sonst auch Aristokratie und Oligarchie nennt, wischt
Josephus in *Contra Apionem* mit großer Geste weg. Jetzt ist
sein Idealstaat eine Hierokratie, aber eben keine Oligarchie
oder Aristokratie mehr – wie er auch völlig offen läßt, aus welchen Schichten sich diese seine neue Hierokratie rekrutieren
soll. Etwa aus den alten oligarchischen Familien der Sadduzäer? Dies ist schwer vorstellbar, denn diese waren mit der Zerstörung des Tempels und dem Untergang des jüdischen Staates
wohl für immer diskreditiert, jedenfalls in den Augen der Römer. Dann aus anderen, weniger prominenten Priesterfamilien?
Auch dies ergibt wenig Sinn, zumindest wenn wir an Josephus'
eigene vornehme Herkunft denken. Der Eindruck der Wider-
sprüchlichkeit in Josephus' Aussagen und der Realitätsferne
seines Verfassungsentwurfes verstärkt sich, je genauer wir hin-
sehen und seine Ausführungen in *Contra Apionem* mit denen
in seinen früheren Werken vergleichen.

Die dritte Herrschaftsform, die Josephus vehement ablehnt, ist die Herrschaft der Massen, also die Demokratie.
Hier sind seine Aussagen bemerkenswerterweise am konse-
quentesten: Es kann kein Zweifel bestehen, daß Josephus die

---

38 *Antiquitates* 14, 41.

Massen des Volkes (*plēthos* oder *dēmos*) aus tiefstem Herzen verachtete und verabscheute. Hier ist er ganz der priesterliche Aristokrat. Dies kommt nirgendwo deutlicher zum Ausdruck als im *Bellum*, wo er durchweg die Massen mit der Gefolgschaft der Zeloten identifiziert und damit für das Mißlingen des Aufstands verantwortlich macht. Die Zeloten waren schon seine persönlichen Gegner während der kurzen Karriere als Feldherr in Galiläa, und das zunehmende Schreckensregiment der Zeloten in Jerusalem sollte ihm recht geben. Es versteht sich von selbst, daß er mit seiner Abneigung gegen die Massen im allgemeinen und gegen die Zeloten im besonderen bei seinem römischen Publikum auf offene Ohren stoßen mußte.

Josephus' Abneigung gegen die Zeloten als Repräsentanten der Massen wird besonders offenkundig bei seiner Beschreibung der Maßnahmen der extremen Zeloten unter Johannes von Gischala, nachdem diese während der Schlußphase des Krieges die Macht in Jerusalem ergriffen hatten. Sie gingen sofort gegen die prorömisch eingestellte Oberschicht vor, indem sie deren prominenteste Vertreter gefangensetzen und ermorden ließen. Noch schlimmer in seinen Augen: Sie ließen die herrschenden hohepriesterlichen Familien ausschalten und erdreisteten sich, den Hohenpriester durch das Los zu bestimmen: «Zu diesen Greueltaten gesellte sich, schmerzhafter noch zu ertragen als der angerichtete Schaden, der Spott hinzu. Um den Grad der Bestürzung des Volkes zu erproben und zu prüfen, wie weit ihre Macht reichte, schickten sie sich an, die Hohenpriester durch das Los zu bestimmen, obwohl… deren Amtsnachfolge aufgrund der Abstammung hätte erfolgen sollen. In Wirklichkeit bedeutete dieser Schritt die Auflösung des besser begründeten Rechts und eine Machenschaft, um sich an der Macht zu halten, indem man die höchsten Stellen selbst besetzte. Deshalb beriefen sie eine der hohepriesterlichen Sippen, die Enjachin hieß, und warfen das Los für einen Hohenpriester. Zufällig traf dieses Los auf einen Mann, mit dem die Ungesetzlichkeit dieser Wahl besonders deutlich in Erscheinung trat. Sein Name war Phanni (= Pinchas), Sohn des Samuel aus dem Dorfe Aphthia. Aufgrund seines bäurischen Wesens wußte er nicht einmal genau, was es mit dem hohepriesterlichen Amt für eine Bewandtnis habe, geschweige denn, daß er die Anforderung hohepriesterlicher Abstammung erfüllt hätte. Also schleppten sie ihn wider seinen Willen vom Lande herein und kleideten ihn, wie auf der Bühne, für eine ihm unpassende Rolle ein, indem sie ihm das heilige Gewand anlegten und ihn darüber belehrten, was er bei gegebener Gelegenheit zu tun habe. Für sie war dieser ungeheure Frevel nur Spott und Scherz, während den anderen Priestern, die von ferne diesem Spiel mit dem Gesetz zusehen mußten, die Tränen in die Augen traten und sie über die Auflösung der heiligen, ehrwürdigen Ämter seufzten.»[39]

Was Josephus hier so empört als Spott und Persiflage einer altehrwürdigen Institution abtut, kann man auch ganz anders lesen. Natürlich, die Hohenpriester wurden zuvor niemals durch das Los, sondern immer durch ihre Abstammung bestimmt – nur, dieses angeblich «besser begründete Recht» der Abstammung war alles andere als unumstritten. Die Übernahme des Hohenpriesteramtes durch die Makkabäer und Hasmonäer war in Wirklichkeit eine Usurpation, denn die Makkabäer und Hasmonäer gehörten nicht zur Familie der Zadokiden, der nach der Tradition alleine das Hohepriesteramt zustand. Und die seit Herodes herrschenden hohepriesterlichen Familien waren noch weniger legitimiert, denn Herodes hatte die hasmonäische Hohepriesterlinie durch Ermordung ihres letzten Repräsentanten ausgeschaltet und das Amt ausschließlich nach seinem eigenen politischen Vorteil aus unterschiedlichen Priesterfamilien besetzt. Wenn die Zeloten den Hohenpriester daher aus einer anderen und offenbar wenig prominenten Familie bestimmen ließen (der Familie Enjachin), ging es ihnen nicht nur um die Ausschaltung der privilegier-

39 *Bellum* 4, 152–157.

ten aristokratischen Priesterfamilien, sondern vielleicht sogar um die Restitution der in Vergessenheit geratenen Zadokiden als alleiniger hohepriesterlicher Dynastie (möglicherweise stammte die Priestersippe Enjachin nämlich von den Zadokiden ab).[40] Mehr noch, mit der Wahl durch das Los führten sie darüber hinaus sehr wahrscheinlich gezielt ein demokratisches Element in das Hohepriesteramt ein, das zwar nicht durch die Tradition vorgegeben, aber kaum weniger legitim war als die Aufteilung des Amtes unter wenigen privilegierten Familien. In dem unmittelbar nach dem Krieg geschriebenen *Bellum* steht Josephus also noch ganz auf seiten der privilegierten aristokratischen Priesterfamilien und findet es unerträglich, daß die Zeloten sich nun anmaßen, die Familie zu bestimmen, aus der der Hohepriester hervorgehen soll (und dann auch noch durch das Losverfahren). Das Volk, das den Zeloten bis zum bitteren Ende folgte, hatte nach Josephus letztlich nichts anderes verdient.

Gegen Monarchie, Aristokratie/Oligarchie und Demokratie hebt sich schließlich die von den Priestern umgesetzte Theokratie als die angeblich immer schon gültige und ideale jüdische Staatsform ab. Auch hier ist es aufschlußreich, das Idealbild dieser Theokratie, das Josephus seinen römischen wie jüdischen Lesern nahelegen will, mit seinen früheren Ausführungen zu vergleichen. Und da stoßen wir auf einen überraschenden Befund: Wer denn hat nach Josephus in der jüngeren jüdischen Geschichte je den ernsthaften Versuch unternommen, die Theokratie durchzusetzen, und ist dabei schmählich gescheitert? Niemand anders als ausgerechnet die von Josephus so verachteten Zeloten!

In seinen früheren Werken verbindet Josephus die Entstehung der Zeloten als einer politisch wirksamen «Partei» mit der Umwandlung Judäas in eine römische Provinz (6 n. Chr.)

---

40 So Joachim Jeremias: *Jerusalem zur Zeit Jesu*. Göttingen ³1962, S. 217 f. (= II. B., S. 53 f.).

und nennt als ihren ersten Führer einen gewissen Judas aus Galiläa[41]: «Das Gebiet des Archelaos wurde in eine Provinz umgewandelt, und als Prokurator wurde Coponius, ein Mann aus römischem Ritterstand, entsandt, der vom Kaiser obrigkeitliche Gewalt einschließlich des Rechts, die Todesstrafe zu verhängen, empfing. Während seiner Amtszeit verleitete ein Mann aus Galiläa mit Namen Judas die Einwohner der soeben genannten Provinz zum Abfall, indem er es für einen Frevel erklärte, wenn sie bei der Steuerzahlung an die Römer bleiben und nach Gott irgendwelche sterblichen Gebieter auf sich nehmen würden. Es war aber dieser Mann Wanderredner (*sophistēs*) einer eigenen Sekte (*idias haireseōs*), der den anderen Juden in nichts glich.»[42]

Bei der hier erwähnten Steuerzahlung an die Römer, gegen die Judas die Provinz aufwiegelte, handelte es sich um die neuen Steuern im Anschluß an den Census des Quirinius (6/7 n. Chr.), der auch bei Lukas (in der Weihnachtsgeschichte)[43] und in der Apostelgeschichte[44] erwähnt ist.[45] Wichtigstes Merkmal dieser Zeloten ist, daß sie neben Gott keinen weltlichen Herrscher anerkennen. Dies wird besonders deutlich an der vielzitierten Stelle, wo er die Zeloten als eine «Philosophenschule» bezeichnet, und zwar genauer als «vierte Philosophenschule», nämlich zusätzlich zu den drei Hauptschulen der Pharisäer, Sadduzäer und Essener (Josephus spricht sowohl von «Sekten» [*haireseis*][46] als auch von Philosophenschulen,[47] letzteres wohl im Blick auf seine griechischen und römischen Leser, die mit Philosophenschulen mehr anfangen konnten als

41 Nach *Antiquitates* 18, 4 stammt er dagegen aus Gamala in der Gaulanitis.
42 *Bellum* 2, 117 f.; vgl. *Antiquitates* 18, 1–10.
43 Lk. 2, 2.
44 Apg. 5, 37 (hier auch Judas der Galiläer).
45 *Bellum* 2, 117 f.; vgl. *Antiquitates* 18, 1–10.
46 *Bellum* 2, 162; *Antiquitates* 13, 171.
47 «Es treiben nämlich bei den Juden drei Gruppen Philosophie (*philosopheitai*)» *Bellum* 2, 119; *Antiquitates* 18, 11 (*philosophiai*).

mit Sekten): «Der vierten Philosophenschule (*tē de tetartē tōn philosophiōn*) (der Juden) stand der Galiläer Judas als Führer vor. Diese Schule stimmt in allen anderen Hinsichten mit den Pharisäern überein, doch ist ihre Liebe zur Freiheit (*tou eleutherou erōs*) unüberwindlich und als Herrscher und Herrn (*hēgemona kai despotēn*) kennt sie Gott allein an. Ganz ungewöhnliche Todesarten erdulden sie und die Todesstrafe bei Verwandten und Freunden schätzen sie gering ein, wenn sie nur keinen Menschen als Herrn anzuerkennen brauchen. Da ihre Hartnäckigkeit indes allgemein durch Augenschein bekannt ist, glaube ich von weiteren Bemerkungen über sie absehen zu können. Ich brauche ja nicht zu fürchten, daß das, was von mir über sie gesagt wurde, keinen Glauben fände; im Gegenteil muß ich besorgt sein, daß die Worte des Berichtes zu schwach sind, um die Geringschätzigkeit zu schildern, mit der sie das Übermaß der Schmerzen auf sich nehmen.»[48]

Judas der Galiläer, der Gründer der Zeloten, hatte mehrere Söhne, die während der sich zuspitzenden Unruhen vor dem Krieg (Simon und Jakob) und während des Krieges selbst (Menachem und Jair?) eine herausragende Rolle spielten. Hier wird die «Lehre» der Zeloten[49] als unüberwindliche Freiheitsliebe charakterisiert, verbunden mit der alleinigen Anerkennung der Königsherrschaft Gottes. Beides gehört eng zusammen und bildet das Leitmotiv in allen Schilderungen der zelotischen Bewegung. Jede Form der weltlichen Herrschaft – und ganz besonders natürlich die eines römischen Kaisers – widerspricht der Königsherrschaft Gottes und muß daher bekämpft werden. In diesem Kampf gegen die römische Herrschaft sind die Zeloten kompromißlos und opfern bereitwillig auch ihr eigenes Leben (hier zollt Josephus ihnen sogar, bei all seiner Abneigung, widerwillig Respekt).

48 *Antiquitates* 18, 23 f.
49 Daß sie angeblich den Pharisäern nahesteht, während er sie oben noch als völlig singulär bezeichnet hat, ficht Josephus nicht weiter an.

Was Josephus also ungefähr 20 Jahre nach dem Krieg in *Contra Apionem* als Idealbild des jüdischen Staates entwirft, die alleinige Herrschaft Gottes, versuchten schon die Zeloten, in die politische Wirklichkeit umzusetzen. Und er läßt auch keinen Zweifel daran, wer für diese Umsetzung zuständig war und wie sie vonstatten ging. Was das «wer» betrifft, so ist die klare Antwort: die Zeloten und gewiß nicht die Priester wie in *Contra Apionem*, und was das «wie» betrifft, so ist die ebenso klare Antwort: brutale physische wie psychische Gewalt gegen die Römer und nicht zuletzt auch gegen die eigenen Volksgenossen, die anderer Meinung waren; rechtliche Grundlage zur Durchsetzung des theokratischen Ideals ist in beiden Fällen eindeutig die Torah – so wie die Zeloten bzw. die Priester sie verstanden.

Dieser ambivalente Befund ist den modernen Historikern des antiken Judentums nicht entgangen und hat manchmal zu heftigen Reaktionen geführt. Ich zitiere nur Tessa Rajak, die sich ausführlich mit der Theokratie des Josephus befaßt hat: «Es wäre absurd anzunehmen, daß Josephus jemals auch nur annähernd der kompromißlosen theokratischen Doktrin nahestand, die er den revolutionären Gruppen der Jahre 66–73/74 zuschreibt, welche sich weigerten, irgendeinen anderen Herrn als Gott anzuerkennen, obwohl genau dies es ist, was als Theokratie im vollen Sinne des Wortes verstanden werden kann. Die Urheber dieser Doktrin, die Anhänger der sogenannten vierten Philosophie ..., unterschieden sich angeblich von den Pharisäern in genau diesem Punkt. Josephus verabscheut ihren Extremismus und macht die Erben der vierten Philosophie für die Zerstörung seiner Nation verantwortlich.»[50] Ich kann dies nur unterschreiben: Josephus verabscheute nicht nur die Zeloten, sondern auch deren Verständnis von Theokratie und machte deren Versuch, diese konkret politisch durchzusetzen, für den Untergang des jüdischen Staates und die Zerstörung des Tempels verantwortlich. Und dennoch

---

50 Rajak: *Jewish Dialogue*, S. 202.

preist er 20 Jahre später ungeniert die Theokratie als ewiges Idealbild des jüdischen Staates an, als ob es den mißlungenen Versuch der Zeloten nie gegeben hätte. Stärker könnte die Kühnheit oder eben auch Realitätsferne des theokratischen Entwurfs in *Contra Apionem* kaum hervortreten.

In dem Dilemma zwischen Kühnheit und Realitätsferne möchte ich mich endlich für die Kühnheit entscheiden. Will man Josephus' Theokratieentwurf in *Contra Apionem* nicht als seniles Alterswerk bar jeder politischen Stoßkraft abtun, bleibt nur diese Möglichkeit: Nicht die Theokratie als jüdische Verfassung ist mit den Zeloten gescheitert, sondern die Zeloten sind gescheitert, weil sie die falschen Personen zur falschen Zeit mit den falschen Mitteln waren. Die echten Träger der Theokratie können nicht irgendwelche hergelaufenen jüdischen Rebellen sein, sondern nur die Priester, die von Gott dazu bestimmt wurden. Und das Mittel kann nicht Terror gegen die römische Besatzung und die eigenen Landsleute sein, sondern ganz im Gegenteil, die Theokratie kann nur *mit* der römischen Besatzung, d. h. unter Duldung und mit Unterstützung des römischen Staates, durchgesetzt werden. Ein Gott, ein Volk, ein Tempel – unter den wohlwollenden Augen Roms und zur endgültigen Befriedung des jüdischen Volkes – dies, so möchte ich behaupten, ist die eigentliche Botschaft des Josephus.

Daß das Schicksal des jüdischen Volkes in den neunziger Jahren des 1. Jh. n. Chr. noch keineswegs entschieden war und daß Josephus mit seinem Theokratie-Vorschlag sehr wohl in eine aktuelle Debatte eingegriffen haben mag, zeigt der Fortgang der Geschichte. Judäa war alles andere als befriedet, und 134 n. Chr. sollte der zweite große Aufstand gegen Rom ausbrechen (der sog. Bar Kokhba-Aufstand), mit dem Judäa sich wieder von der römischen Oberherrschaft zu befreien suchte.[51] Der selbster-

51 Dazu Peter Schäfer: *Geschichte der Juden in der Antike. Die Juden Palästinas von Alexander dem Großen bis zur arabischen Eroberung.* Tübingen ²2010, S. 173 ff.

nannte militärische Oberbefehlshaber war Simon bar Kosiba –
wir kennen seinen wirklichen Namen aus den in den Höhlen
der Wüste Juda gefundenen Originalbriefen und Dokumenten
(Bar Kokhba – «Sternensohn» ist eine messianische Umdeu-
tung seines Namens) –, und der Aufstand war zunächst überraschend erfolgreich, so erfolgreich, daß Kaiser Hadrian nicht
nur mehrere zusätzliche Legionen, sondern schließlich auch seinen besten Feldherrn, Julius Severus, aus Britannien nach Judäa
beordern mußte, um den Aufstand endgültig niederzuschlagen.
Bar Kokhbas Führungsstil, von dem wir ebenfalls einen Eindruck aus den Funden in der Wüste Juda bekommen, zeichnete
sich durch besondere rituelle Observanz und Rigorismus in der
Befolgung der Torah aus (Einhaltung des Sabbats, Feier der
Feste, Verzehntung der Feldfrüchte), ähnlich wie bei den Zeloten des ersten Aufstands. Die von den Aufständischen geprägten Münzen propagieren eindeutig den Wiederaufbau des
Tempels,[52] und auf einigen Münzen erscheint neben dem Namen des Aufstandsführers zusätzlich der eines Priesters mit Namen Elazar. Der Titel, den Bar Kokhba benutzt (in den Dokumenten und auf den Münzen) ist immer *Nasi* – «Fürst», niemals
«König». Man hat daraus geschlossen, daß er den Königstitel
bewußt vermied (um sich von den Hasmonäern und von Herodes abzusetzen), so wie auch Elazar ausdrücklich nur als «Priester» und nie als «Hoherpriester» auftritt.

Unsere Einblicke in den Verlauf und vor allem auch die
Ideologie des zweiten Krieges gegen Rom sind sehr viel geringer als die in den ersten Krieg – nicht zuletzt, weil uns für den
zweiten Krieg ein Historiker vom Rang des Josephus fehlt –,
aber so viel ist sicher: Der Bar Kokhba-Aufstand war das genaue Gegenprogramm zu der von Josephus in *Contra Apionem* entworfenen Gottesherrschaft. Bar Kokhba und seine
Anhänger wollten zweifellos auch die Gottesherrschaft wieder

---

52 Manche Forscher glauben, daß mit dem Wiederaufbau sogar begonnen wurde, doch ist dies wenig wahrscheinlich.

durchsetzen, aber gewiß keine Theokratie in der alleinigen Hand und Verantwortung der Priester, also keine Hierokratie. Die Priester sollten den ihnen zustehenden Platz im neuerbauten Tempel einnehmen, aber die eigentliche Ausübung der Herrschaft in dem neuen jüdischen Staat blieb dem *Nasi* Bar Kokhba, d. h. dem militärischen und politischen Führer, vorbehalten. Dies ergibt sich klar aus den Dokumenten aus der Wüste Juda, in denen der *Nasi* Simon bar Kosiba Anspruch auf den Besitz des Landes erhebt: Das von den Römern befreite Territorium geht in den offiziellen Besitz des *Nasi* als Repräsentanten des neuen Israel über. Und daraus resultiert der zweite und entscheidende Unterschied der Gottesherrschaft unter Bar Kokhba zur Theokratie des Josephus: Judäa unter dem *Nasi* Bar Kokhba sollte wieder ein selbständiger jüdischer Staat werden; von einer freiwilligen Anerkennung der römischen Oberherrschaft kann keine Rede sein.

Die Rabbinen

Nun hat die Geschichte, wie wir nur zu gut wissen, weder den Traum von der Theokratie in der Version des Josephus noch den in der Version Bar Kokhbas erfüllt. Bar Kokhbas Versuch war nach etwas mehr als drei Jahren gescheitert, und Josephus konnte wohl noch mit eigenen Augen sehen, wie sich in Judäa die Gruppe zu etablieren begann, die sich am Ende durchsetzen sollte: die Rabbinen. Wer sind diese Rabbinen? Sie sind die selbsternannten Führer des jüdischen Volkes ohne eigenen Staat und ohne Tempel. Sie legitimieren sich nicht durch Abstammung, wie die Priester, sondern ausschließlich durch die Auslegung der Torah und die Autorität, die ihnen dieses Vorrecht der Auslegung verleiht. Sie sind also Schriftgelehrte mit einer ganz neuen Vorstellung von Theokratie. Ihre Gottesherrschaft ist allein durch die richtige Auslegung der Torah und die dadurch ermöglichte richtige Befolgung der göttlichen Gebote garantiert. Mit den Rabbinen beginnt sich

somit eine weitere Form der Theokratie zu etablieren – nicht
die Hierokratie des Josephus und auch nicht die Gottesherrschaft unter dem *Nasi* Bar Kokhba, sondern eine Theokratie
der Schriftgelehrten.

Es ist sicher kein Zufall, daß die rabbinische Literatur eine
Gründungslegende des rabbinischen Judentums überliefert,
die der Erzählung des Josephus von seiner Gefangennahme im
römischen Lager verdächtig nahekommt. Wir erinnern uns:
Nach dem Fall der Festung Jotapata in Galiläa während des
ersten Krieges prophezeite Josephus dem siegreichen Feldherrn Vespasian, daß dieser Kaiser werden würde, und wurde,
als seine Prophezeiung eintraf, unter die Fittiche des flavischen
Kaiserhauses genommen. Genau dies wird auch von Jochanan
ben Zakkai, dem Gründungsvater des rabbinischen Judentums, berichtet: Als er die aussichtslose Lage des von den Römern belagerten Jerusalem erkennt, läßt Jochanan ben Zakkai
sich in einem Sarg aus Jerusalem herausschmuggeln und in das
Lager Vespasians bringen. Dort entsteigt er dramatisch dem
Sarg und verkündet dem erstaunten Vespasian, daß dieser Kaiser werden würde. Als die Prophezeiung eintrifft, stellt Vespasian ihm eine Bitte zur Belohnung frei, und Jochanan ben Zakkai sagt: «Ich erbitte von dir Javne, daß ich dort Torah lerne,
dort Gebetsriemen anfertige und dort alle übrigen Gebote er-
fülle. Er [Vespasian] antwortete ihm: Es sei dir als Geschenk
gegeben!»[53] Eine Parallelversion präzisiert: «Gib mir Javne,
seine Weisen (d. i. die Rabbinen) und die Dynastie Rabban
Gamliels.»[54] Anders als Josephus denkt Jochanan ben Zakkai
also nicht nur an seine eigene Rettung, sondern erbittet sich
die Stadt Javne in der Küstenebene als Zufluchtsort der Rabbinen, wo diese ungestört Torah lernen – und selbstverständlich auch auslegen – und alle Gebote erfüllen können. Javne
wurde dann in der Tat das erste Zentrum der rabbinischen Re-

---

53 *Avot de-Rabbi Nathan*, Version B, Kap. 6, ed. Schechter, S. 19.
54 b *Gittin* 56 b.

stitution und Neudefinition des Judentums nach der Zerstörung Jerusalems und des Tempels.

Um sich die alleinige Autorität in der Auslegung der Torah zu sichern, ließen sich die Rabbinen einen genialen Kunstgriff einfallen. Sie entwickelten den Mythos von der doppelten Form der Torah, der schriftlichen und der mündlichen Torah: Mose wurde auf dem Berg Sinai nicht nur die schriftliche Torah von Gott offenbart, sondern zugleich und zusammen mit dieser schriftlichen Torah erhielt er die ihr komplementäre mündliche Torah. Dies bedeutet im Klartext, daß alle zukünftigen Auslegungen der Torah in die Offenbarung am Sinai hineingenommen wurden, Bestandteil dieser einmaligen historischen Offenbarung waren – und da nur die Rabbinen die Garanten einer sachgemäßen Auslegung der Torah waren, ist die göttliche Autorität ihrer zukünftigen Auslegungen für immer sichergestellt. Zahlreiche Texte in dem riesigen Corpus an Schriften, das die Rabbinen uns hinterlassen haben (Mischna, Tosefta, Midraschim, Jerusalemer und Babylonischer Talmud) belegen dieses Selbstverständnis der Rabbinen. Ich verweise nur auf zwei Beispiele, um den wichtigen Punkt zu illustrieren. Das erste Beispiel findet sich im Babylonischen Talmud: «Als Mose in den Himmel hinaufstieg, die Torah in Empfang zu nehmen (nach rabbinischer Auffassung wurde Mose vom Berg Sinai in den Himmel erhoben), traf er Gott an, wie dieser damit beschäftigt war, Kränze oder Krönchen für die Buchstaben der Torah zu flechten (dies bezieht sich auf die Haken und Verzierungen, die sich auf manchen Buchstaben der sorgfältig geschriebenen Torahrollen befinden).» Er fragt Gott, was das zu bedeuten habe, und erhält als Antwort: «Da ist ein Mann, der nach vielen Generationen sein wird, und Aqiva ben Josef ist sein Name. Der wird dereinst über jedes Häkchen oder Krönchen (auf den Buchstaben) Haufen über Haufen von Lehren vortragen. Da sprach (Mose) zu (Gott): Herr der Welt, zeig ihn mir! (Gott) erwiderte: Wende dich um. Da wandte (Mose) sich um und setzte sich hinter die achte Reihe (der Schüler Aqivas: Mose befindet sich also plötzlich im Lehrhaus des viel später lebenden R. Aqiva – und sein Platz hinter der achten Reihe, d. h. ganz hinten, wo die schlechten Schüler sitzen, läßt bereits ahnen, wie es weitergeht, nämlich:) Er aber verstand ihre Unterhaltung nicht und war darüber bestürzt. Als (Aqiva) zu einem (bestimmten) Problem Stellung nahm, fragten ihn seine Schüler: Meister, woher (weißt) du dies? Worauf (Aqiva) antwortete: Dies ist eine Lehre des Mose vom Sinai! Da wurde (Mose) beruhigt.»[55]

R. Aqiva ist einer der berühmtesten Rabbinen des frühen 2. Jh. n. Chr. (er starb der Tradition nach als Märtyrer im Bar Kokhba-Aufstand), und was er hier vorträgt, ist die Auslegung der Torah in ihrer geschichtlichen Entfaltung. Diese Auslegung hat ein solches Eigengewicht erhalten, daß ihr organischer Zusammenhang mit der schriftlichen Torah vom ersten Empfänger dieser schriftlichen Torah, von Mose, nicht mehr ohne weiteres verstanden werden kann – und doch ist sie, als mündliche Torah, untrennbar mit der schriftlichen Torah verbunden, dieselbe Torah, die Mose am Sinai entgegengenommen hat. Dies bedeutet letztlich nichts anderes, als daß der mündlichen Torah dieselbe Dignität zuerkannt wird wie der schriftlichen Torah, daß – anders gesprochen – die Auslegung der schriftlichen Torah durch die Rabbinen in demselben Sinne *Offenbarung* ist wie die schriftliche Torah, die Mose am Sinai übergeben wurde.

Dieses Grundprinzip des rabbinischen Selbstverständnisses findet seinen fast kanonischen Ausdruck im Traktat *Pirqe Avot* («Sprüche der Väter») der Mischna. Der Traktat beginnt mit dem Satz: «Mose empfing Torah vom Sinai und überlieferte sie dem Josua, Josua den Ältesten, die Ältesten den Propheten, und die Propheten überlieferten sie den Männern der Großen Synagoge.»[56] Es geht hier um die Offenbarung der Torah am Sinai (offensichtlich durch Gott) und ihre Weitergabe

55 b *Menachot* 29 b.
56 m *Avot* 1, 1.

an die folgenden Generationen. Mose ist der erste Empfänger der Torah, der sie in einer lückenlosen Sukzessionskette weitergibt. Auf Mose folgt sein Nachfolger Josua, der das Volk Israel in das Gelobte Land führte; dann kommen die Ältesten, vermutlich die Stammesführer, gefolgt von den Propheten und den Mitgliedern der Großen Synagoge (was immer sich hinter letzteren verbirgt: wahrscheinlich eine fiktive Regierungsinstitution in persischer und hellenistischer Zeit). Mit der Torah haben alle diese Glieder der Sukzessionskette – ausgenommen allenfalls die Propheten – wenig zu tun. Worum es wirklich geht, erfahren wir in der Fortsetzung. Auf die Männer der Großen Synagoge folgen Simon der Gerechte und Antigonos von Socho (zwei mysteriöse pseudo-historische Gestalten), dann fünf sog. Gelehrtenpaare (historisch nicht weniger mysteriös), und schließlich Hillel und Schammai. Mit den beiden letzteren gelangen wir in das frühe 1. Jh. n. Chr. und betreten etwas festeren historischen Boden. Weiter geht es mit Gamliel I. (den wir als Gamaliel aus dem Neuen Testament kennen),[57] seinem Sohn Simon b. Gamliel und anderen Rabbinen, bis die Kette schließlich in R. Jehuda, dem Patriarchen, und zahlreichen weiteren Rabbinen des 2. Jh. n. Chr. kulminiert. R. Jehuda, der Patriarch, ist kein geringerer als der Redaktor der Mischna am Ende des 2. Jh., des ersten kanonischen Werkes des rabbinischen Judentums. Die «Sprüche der Väter» liefern also den Legitimationsbeweis für die Rabbinen und ihre Lehre von der mündlichen Überlieferung: Die Rabbinen sind die wahren und legitimen Nachfolger des Mose und der Propheten. Die von ihnen vermittelte, d. h. verbindlich ausgelegte Torah *ist* die Torah des Mose.

Die Brisanz dieses rabbinischen Anspruchs wird erst richtig deutlich, wenn wir uns bewußt machen, wer bzw. was in der Traditionskette der «Sprüche der Väter» fehlt: die Institution der Priester mit ihrem Stammvater Aaron. Und diese Lücke

---

57 Apg. 5, 34; 22, 3.

wird um so offenkundiger, wenn wir die rabbinischen «Sprüche der Väter» mit dem vergleichen, was Josephus über die Weitergabe der Torah zu sagen hat. In seinen *Antiquitates* schreibt Josephus: «Alle diese heiligen Bücher (der Torah) übergab er [Mose] den Priestern (*taut' oun ta biblia paradidōsi tois hieroisi*), desgleichen auch die Lade, in welcher er die auf zwei Tafeln geschriebenen Zehn Gebote niederlegte, und die Stiftshütte.»[58] Für Josephus ist es also selbstverständlich, daß die Priester von Mose nicht nur die Stiftshütte (das Wüstenheiligtum) erhielten, in dem sie als Priester amtieren würden, sondern eben auch die Bücher der Torah – sind es doch die Priester, die, wie wir gesehen haben, mit der Auslegung der Torah und dem Vollzug des Opfers im Tempel die Herrschaft Gottes auf Erden garantieren. Für die Rabbinen ist es ebenso selbstverständlich, daß die Torah den Rabbinen anvertraut wurde und nicht den Priestern – und daß der Tempel mit seinen Priestern obsolet ist. Natürlich hoffen sie darauf, daß der Tempel dereinst wieder erbaut wird, aber dies wird erst in ferner Zukunft geschehen (mit Sicherheit in der messianischen Zeit), und in der Zwischenzeit ist die religiöse wie auch politische Macht den Rabbinen übergeben. Zwar blieb die politische Macht begrenzt, solange Judäa bzw. Palästina als Provinz von Rom und dann von Byzanz abhängig war, aber die rabbinischen Patriarchen als die von Rom anerkannten Rechtsvertreter des jüdischen Volkes verstanden es lange Zeit, sich mit Rom zu arrangieren und ihre Form der Theokratie zu konsolidieren.

Die tempel- und priesterlose Theokratie der Rabbinen war, wie wir heute wissen, zukunftsträchtiger als die Hierokratie des Josephus. Der Tempel mit seinen Opfern wurde in der Tat obsolet,[59] aber das Ideal der schriftgelehrten Theokratie sollte

---

58 *Antiquitates* 4, 304.
59 Dazu zuletzt Guy G. Stroumsa: *Das Ende des Opferkults. Die religiösen Mutationen der Spätantike*, Berlin 2011, vor allem Kap. 3: Wandlungen des Rituals, S. 86 ff.

die Norm des Judentums werden – bis in die Gegenwart. Schlagen wir daher zum Schluß den Bogen in diese Gegenwart und schauen wir, ob heute noch eine jüdische Theokratie denkbar ist und wenn ja, wie diese aussehen könnte.

Der Staat Israel

Der eigene Staat sollte den Juden für viele Jahrhunderte verwehrt bleiben. Auf Rom folgte Byzanz, auf Byzanz der Islam mit christlichen Zwischenspielen, und der Traum von der Neugründung des jüdischen Staates ging erst 1948 in Erfüllung. Der Staat Israel wurde aufgrund des UNO-Teilungsbeschlusses vom November 1947 am 14. Mai 1948 durch David Ben Gurion in Tel Aviv ausgerufen. Das Gründungsdokument ist die Unabhängigkeitserklärung, in der gleich zu Anfang das historische Recht des jüdischen Volkes festgestellt wird, in Eretz Jisrael, d. h. im – nicht weiter definierten – Land Israel zu leben: «In Eretz Jisrael stand die Wiege des jüdischen Volkes; hier wurde sein geistiges, religiöses und politisches Antlitz geformt; hier erlangte es staatliche Selbständigkeit; hier schuf es seine nationalen und universellen Kulturgüter und schenkte der Welt das ewige Buch der Bücher.» Mit Gewalt aus ihrem Land vertrieben, strebten die Juden durch die ganze weitere Geschichte hindurch nach der Rückkehr in ihre Heimat – als besondere Stationen werden die Pioniere und Siedler, Theodor Herzl als «Schöpfer des jüdischen Staatsgedankens» und die Zionistenkongresse, die Balfour-Deklaration von 1917 sowie die Katastrophe der Schoah erwähnt – bis zur endgültigen Erreichung dieses Zieles am 14. Mai 1948. Der entscheidende Satz lautet: «Wir, die Mitglieder des Volksrates, die Vertreter der jüdischen Bevölkerung Palästinas und der zionistischen Bewegung, sind daher heute, am Tage der Beendigung des Britischen Mandats über Eretz Jisrael, zusammengetreten und proklamieren hiermit kraft unseres natürlichen und historischen Rechtes und aufgrund des Beschlusses der Vollversammlung der Vereinten Nationen die Errichtung eines *jüdischen* Staates in Eretz Jisrael, des Staates Israel.» Im folgenden wird ein provisorischer Staatsrat eingesetzt und erklärt, daß der neue Staat Israel «auf den Grundlagen der Freiheit, Gleichheit und des Friedens im Lichte der Weissagungen der Propheten Israels» gegründet sein, allen seinen Bürgern die «volle soziale und politische Gleichberechtigung... ohne Unterschied der Religion, der Rasse und des Geschlechts» gewähren, «die Freiheit des Glaubens, des Gewissens, der Sprache, der Erziehung und Kultur» garantieren, die «heiligen Stätten aller Religionen sicherstellen und den Grundsätzen der Verfassung der Vereinten Nationen treu sein» wird. Ausdrücklich wird auch den «Angehörigen des arabischen Volkes, die im Staat Israel leben», die «volle bürgerliche Gleichheit» und die «Vertretung in allen Institutionen des Staates» garantiert.

Wichtig für unseren Zusammenhang sind zwei Dinge: Das eine ist der betonte und unmißverständliche Hinweis darauf, daß der neue Staat Israel als ein «*jüdischer* Staat im Land Israel» definiert wird. Da dieser Staat aber gleichzeitig auch Mitgliedern anderer Religionen, nicht zuletzt «Angehörigen des arabischen Volkes» (das heißt ja wohl christlichen wie muslimischen Arabern) offensteht, ist der Konflikt mit den Interessen und Ansprüchen dieser nichtjüdischen Staatsbürger vorprogrammiert. Und zweitens fällt auf, daß etwas ganz Entscheidendes fehlt: Es fehlt jeder konkrete Hinweis darauf, welche Verfassung der neue Staat zur Grundlage seiner exekutiven wie legislativen Gewalt zu machen gedenkt – ganz besonders angesichts der Tatsache, daß er sich dezidiert als jüdischer Staat versteht. Dies blieb auch den Staatsgründern nicht verborgen, und so setzte der Provisorische Staatsrat einen Ausschuß zur Ausarbeitung einer Verfassung ein, der im Januar 1949 in eine gewählte Verfassunggebende Versammlung mündete. Diese Verfassunggebende Versammlung kam aber über ein Übergangsgesetz nicht hinaus, das zur Gründung der Ersten Knesset als der legislativen Körperschaft des Staates Israels führte. Zur Ausarbeitung einer Verfassung sollte es bis heute nicht kommen; statt dessen wurden und werden einzelne Grundgesetze («basic laws») erlassen, die Verfassungsrang haben und Bestandteile einer zukünftigen Verfassung sein sollen (so dezidiert mit der 1998 durch Aharon Barak, den damaligen Präsidenten des Obersten Gerichtshofs, verkündeten «constitutional revolution»).

Es gibt sicher verschiedene Gründe dafür, daß die Ausarbeitung einer regulären Verfassung schon in den Anfängen stekkenblieb, so etwa die Frage, ob der neugegründete Staat für alle Juden in der Welt sprechen konnte, bevor der Großteil, wie erhofft, nach Israel zurückkehren würde, oder auch der Hinweis auf andere Staaten (Großbritannien), die sehr gut ohne eine übergeordnete Verfassung auskamen. Ein ganz entscheidender Grund war aber ohne Zweifel der Widerstand der religiösen Kräfte gegen eine säkulare Staatsverfassung, denn eine solche Verfassung hätte auch das Verhältnis von Staat und Religion bestimmen – d. h. genau das verfassungsrechtlich definieren müssen, was mit dem «jüdischen Staat» der Unabhängigkeitserklärung gemeint ist. Für orthodoxe Juden kann ein jüdischer Staat nur durch das jüdische Gesetz, die Torah, definiert werden; eine säkulare Verfassung, die über der Torah steht, ist undenkbar. Die in Parteien organisierten orthodoxen Juden arrangieren sich mit der Regierung – nicht zuletzt, indem sie immer mehr Privilegien für ihre Klientel aushandeln –, aber dies funktioniert nur so lange, als es keine übergeordnete Verfassung gibt, die das Verhältnis von Staat und Religion regelt. Ultraorthodoxe religiöse Gruppen wie etwa die *Neture Qarta* («Wächter der Stadt») gehen sogar so weit, den Staat Israel als säkularen Staat nicht anzuerkennen.

Was also in der ungelösten Verfassungsfrage zum Ausdruck kommt, ist genau die Spannung zwischen der schriftgelehrten Theokratie der Rabbinen bzw. Rabbiner[60] und einem säkula-

---

60 In der Antike sprechen wir von Rabbinen und im Mittelalter und der Neuzeit von Rabbinern.

ren demokratischen Staatswesen. Für erstere kann nur die Torah die Richtschnur allen religiösen wie politischen Handelns
sein, für letzteres nur eine säkulare Verfassung, die selbstverständlich auch der Torah übergeordnet sein muß. Diese Spannung ist in der Geburtsurkunde des Staates Israel angelegt,
und es bleibt weiterhin offen, ob sie sich jemals auflösen wird –
und wenn ja, in welche Richtung. In der Zwischenzeit ist die
legislative Gewalt zwischen einer staatlichen und einer rabbi-
nisch-religiösen Gerichtsbarkeit aufgeteilt, wobei den rabbinischen Gerichtshöfen (*Bate Din*) alleine das Personenstands-
recht zusteht und damit die Entscheidung über gültige Ehe-
schließungen und letztlich über die Frage, wer als Jude gilt
und wer nicht. Die Einhaltung des Sabbatgebotes wird strikt
von den Orthodoxen überwacht (mit unterschiedlicher Konsequenz in unterschiedlichen Städten: Jerusalem und Tel Aviv als
die beiden extremen Pole); streng religiöse Orthodoxe (*Chare-
dim*) sind (bisher noch) vom Militärdienst befreit. In häufig
wechselnden Koalitionen gelang es den religiösen Parteien,
immer stärkeren Einfluß geltend zu machen und immer mehr
Sonder- und Vorrechte für die Orthodoxie zu erwirken. Ein
alarmierendes Beispiel für den sich immer mehr erweiternden
Radius der orthodox-religiösen Einflußnahme sind in neuester
Zeit Bestrebungen zu diktieren, wie eine züchtige Kleidung für
Frauen auszusehen habe, oder die Geschlechtertrennung im
öffentlichen Busverkehr durchzusetzen. Ultraorthodoxe Juden
haben schon seit längerem eine Geschlechtertrennung auf verschiedenen Buslinien eingeführt, wonach Frauen nur im hinteren Teil des Busses Platz nehmen dürfen. Der Oberste Ge-
richtshof entschied zwar im Januar 2011, daß Frauen nicht
dazu *gezwungen* werden dürfen, im hinteren Teil des Busses zu
sitzen, sondern das Recht haben, sich dort hinzusetzen, wo sie
wollen, aber dies hat die Praxis der «kosheren» Busse nicht
beendet – im Gegenteil, die Ultraorthodoxen versuchen sie
weiterhin und immer flächendeckender durchzusetzen. Andere
Forderungen (dies alles gilt in ganz besonderer Weise für Jerusalem) betreffen die Abbildungen von Frauen auf Plakaten

(nicht nur Reklame, sondern auch auf Wahlplakaten von Frauen, die etwa für den Stadtrat kandidieren) oder das gemischte Singen von Männern und Frauen im Chor (religiöse Soldaten weigern sich, bei offiziellen Feiern Frauen zuzuhören), ja es wird sogar die Frage gestellt, ob Frauen Männer im Militär kommandieren dürfen.

Nicht nur säkulare Israelis, sondern auch die Gerichte und die Regierung gehen gegen solche Exzesse einer Trennung zwischen Männern und Frauen vor. Tatsache ist aber, daß die Ultraorthodoxen diesen Kampf nicht aufgeben, sondern im Gegenteil auf immer weitere Bereiche ausweiten. Dies ist nach den Maßstäben eines modernen demokratischen Staates beunruhigend, um so mehr, wenn man versucht, sich vorzustellen, wie das Verhältnis von fanatisch-orthodoxen und religiös gemäßigten oder säkularen Israelis angesichts des hohen Geburtenüberschusses der Orthodoxen in zehn oder zwanzig Jahren aussehen wird. Israel ist, so scheint mir, das herausragende Beispiel eines Staates, in dem die beiden konkurrierenden Systeme einer Theokratie der Schriftgelehrten und eines modernen demokratischen Staates nach westlichem Verständnis einen immer offenkundiger werdenden und sich immer mehr zuspitzenden Kampf um die Vorrangstellung ausfechten. Wie dieser Kampf ausgehen wird, wissen wir nicht, aber die jüngsten Ereignisse stimmen nicht unbedingt optimistisch. Wenn überhaupt, so bietet sich nur eine Lösung an: die Verfassungsfrage wie bisher und ad libitum offen zu halten und zu hoffen, daß der israelischen Regierung die immer wieder notwendige Kalibrierung der widerstreitenden Kräfte gelingen möge.

Das extremste Beispiel einer modernen Theokratie ist zweifellos die islamische Republik Iran mit dem nicht gewählten und nur Gott verantwortlichen Stellvertreter des im Verborgenen lebenden Zwölften Imam, der als Staatsoberhaupt fungiert und dem der Oberste Richter, der Schlichtungsrat, der Wächterrat und nicht zuletzt die Streitkräfte unterstehen – als Gegengewicht und in Konkurrenz zum gewählten Parlament und Staatspräsidenten. Anders als in Israel ist im iranischen

Gottesstaat der Kampf zwischen schriftgelehrter Theokratie und moderner Demokratie aber eindeutig zugunsten der Theokratie entschieden, zumal auch die Legislative sich immer daran messen lassen muß, ob ihre Gesetze dem Koran und der islamischen Tradition entsprechen. Werden ultraorthodoxe jüdische Schriftgelehrte in Israel versuchen, auch die staatliche Macht an sich zu reißen – sicher nicht in einer Revolution, sondern schlicht durch die Schaffung demographischer Tatsachen – und dann eine moderne Theokratie errichten? Dies ist immer noch schwer vorstellbar, aber liegt es nicht in der Logik des Konzeptes einer radikal zu Ende gedachten Theokratie? Es wäre jedenfalls naiv anzunehmen, daß eine jüdische Theokratie heute grundsätzlich und fundamental anders aussehen müßte als eine islamische Theokratie.

GIORGIO AGAMBEN

Archäologie des Befehls

Der Titel «Archäologie des Befehls» verlangt eine Vorbemerkung. Meine Überlegungen sind von der Idee geleitet, daß nur die Archäologie Zugang zur Gegenwart gewährt. Wie Michel Foucault einmal schreibt, ist historische Forschung lediglich der Schatten, den die Befragung der Gegenwart auf die Vergangenheit wirft. Wenn wir die Gegenwart verstehen wollen, kommen wir – zumindest wir Europäer – nicht umhin, uns mit der Vergangenheit auseinanderzusetzen. Weshalb gilt dies, wie ich präzisiert habe, vor allem für uns Europäer? Meines Erachtens zeigt sich gerade heute, daß die Bedeutung des Wortes «Europa», wenn es denn eine haben sollte, weder eine politische noch religiöse oder gar ökonomische ist, sondern darin besteht, daß Europäer – anders als beispielsweise Asiaten oder Amerikaner, für die Geschichte und Vergangenheit eine völlig andere Bedeutung haben – nur durch die Auseinandersetzung mit ihrer Geschichte, durch die Bewältigung ihrer Vergangenheit zu ihrer Wahrheit vordringen können. Denn die Vergangenheit ist kein – oft fälschlich als «kulturell» bezeichnetes – Erbe, über das man nach Belieben verfügen kann. Vielmehr ist sie für das Dasein des Europäers von so elementarer Bedeutung, daß er sich dessen nur auf archäologischem Weg, nur im Rückblick auf das, was er gewesen ist, versichern kann. Das erklärt auch das besondere Verhältnis der Europäer zu ihren Städten, ihrer Kunst und ihrer Landschaft. Es geht also nicht um die Bewahrung eines Erbes, auf das man gegebenenfalls auch verzichten kann, sondern um eine Bedingung des Fortbestehens. Die Alliierten wußten, daß sie mit der Zerstörung der deutschen Städte auch die deutsche Identität auslöschen, so wie die Investoren und Regierungen unserer Tage wissen, daß sie mit der Zerstörung der italienischen Landschaft und der Verwandlung der Städte in touristisches Niemandsland die Existenz dessen untergraben, was man Italien zu nennen gewohnt war. Wenn ich «Identität» als Relation, nämlich als Verhältnis zur Vergangenheit bestimmt habe, dann deshalb, weil sie keine Substanz ist, die als solche positiv bestimmt werden könnte. Sie gleicht vielmehr, wie es Shlomo Pines einmal mit Blick auf das Judentum formuliert hat, der Spitze: Durchbrochen und diskontinuierlich wie diese verbindet und trennt sie verschiedene Zeiten und Kulturen. Das macht die Krise, in der sich Europa gegenwärtig befindet, so bedrohlich. Denn sie ist, wie die Demontage der Universitäten und die zunehmende Musealisierung der Kultur zeigt, nicht ökonomischer Natur (das Wort «Ökonomie» ist heutzutage Devise, nicht neutraler Begriff), sondern betrifft das Verhältnis zur Vergangenheit. Es versteht sich von selbst, daß es lebendige Vergangenheit nur in der Gegenwart geben kann. Sieht aber die Gegenwart in der Vergangenheit nur noch das Abgelebte, werden Universitäten und Museen, werden alle Praktiken und Institutionen, die sich der Überlieferung der Vergangenheit verschrieben haben, fragwürdig. Schon vor geraumer Zeit kam Alexandre Kojève, Philosoph und hoher Beamter des entstehenden Europa, zu dem Schluß, daß der *homo sapiens* ans Ende seiner Geschichte gelangt sei und nun vor der Alternative stehe, sich entweder in eine (vom *American way of life* verkörperte) posthistorische Animalität zu schicken oder für den Snobismus zu entscheiden (den die Japaner verkörperten, die an ihren Teezeremonien festhalten, obgleich sie jegliche geschichtliche Bedeutung verloren haben). Europa hält eine Kultur bereit, die jenseits der amerikanischen Reanimalisierung und der jedes historischen Inhalts entleerten japanischen Humanität auch nach dem Ende der Geschichte menschlich und lebendig bleibt, weil sie sich mit jedem Moment ihrer Geschichte ins Verhältnis zu setzen vermag und aus dieser Konfrontation neues Leben bezieht.

Es war mir auch deshalb wichtig, die Bedeutung des Wortes Archäologie zu klären, weil ich mich, kaum daß ich meine Untersuchung begonnen hatte, zwei Problemen konfrontiert sah, auf die ich nicht vorbereitet war. Das erste bestand darin, daß der Titel der Untersuchung – Archäologie des Befehls – aporetisch oder widersprüchlich ist. Archäologie ist die Suche nach einer *arché*, nach einem Ursprung. Das griechische Wort *arché* bedeutet jedoch zweierlei: sowohl «Ursprung»und «Anfang» als auch «Führung» und «Befehl». Das Verb *archo* bedeutet sowohl «erster sein», «anfangen», als auch «gebieten», «Führer sein». Bekanntlich war der Archont (was wörtlich als «derjenige, der vorangeht» übersetzt werden könnte) der höchste Beamte Athens.

Diese Homonymie oder besser Polysemie ist in unseren Sprachen so allgemein verbreitet, daß es uns nicht erstaunt, in den Wörterbüchern unter einem Lemma auf den ersten Blick stark voneinander abweichende Bedeutungen verzeichnet zu finden, die erst die geduldige Arbeit der Sprachwissenschaftler auf ein gemeinsames Etymon zurückführt. Ich bin der Überzeugung, daß diese Doppelbewegung von semantischer Streuung und Sammlung unseren Sprachen wesentlich ist, ja, daß sich die Bedeutung eines Wortes nur in dieser Doppelbewegung realisieren kann. Wie dem auch sei, mit Blick auf den Terminus *arché* ist es natürlich nicht abwegig, von der Idee des Ursprungs auf die des Befehls zu kommen, weil sich aus der Tatsache, erster zu sein und voranzugehen, die des Führers gleichsam von selbst ergibt. Und umgekehrt: Wer gebietet, ist auch erster. Am Anfang steht der Befehl.

So steht es auch in der Bibel. In der griechischen Übersetzung der Rabbiner Alexandrias aus dem dritten Jahrhundert v. Chr. beginnt das Buch *Genesis* mit dem Satz: «*en arché*, im Anfang schuf Gott Himmel und Erde»; allerdings schuf er sie, wie wir unmittelbar darauf erfahren, vermittels eines Befehls, genauer eines Imperativs: *genetheto*, «und Gott sprach: es werde Licht». Und im *Johannesevangelium* heißt es: «*en arché*, im Anfang war das Wort»; doch was sollte ein Wort, das am Anfang steht, vor allem anderen, anderes sein als ein Befehl. Meiner Meinung nach ist die korrekteste Übersetzung dieses berühmten *incipit*

nicht «im Anfang war das Wort», sondern «im Befehl – will heißen in der Befehlsform – war das Wort». Hätte sich diese Übersetzung durchgesetzt, wäre nicht nur in der Theologie, sondern
auch und gerade in der Politik vieles klarer.

Es ist gewiß kein Zufall, daß in unserer Kultur die *arché*, der
Ursprung zugleich Befehl, leitendes Prinzip ist. Es zeugt von
einem ironischen Wissen um diese Koinzidenz, daß das griechische Wort *archos* sowohl Befehlshaber als auch After bedeutet: Der Geist der Sprache, der zu scherzen beliebt, macht
aus dem Lehrsatz, dem zufolge der Ursprung auch «Grundlage» und Prinzip der Herrschaft ist, ein Wortspiel. Das hohe
Ansehen, das der Ursprung in unserer Kultur genießt, beruht
auf dieser strukturellen Homonymie: Der Ursprung beherrscht
und regiert nicht nur die Geburt, sondern auch das Wachstum,
die Entwicklung, den Kreislauf und die Übertragung – mit einem Wort: die Geschichte – dessen, was er hervorgebracht hat.
Handele es sich um ein Wesen, eine Idee, ein Wissen oder eine
Praxis: Ihr Ursprung ist nicht bloßer Anfang, der von dem ersetzt wird, was auf ihn folgt; vielmehr initiiert, das heißt kom-
mandiert und regiert der Ursprung unaufhörlich, was er ins
Sein gebracht hat.

Dies gilt nicht nur für die Theologie, der zufolge Gott die
Welt nicht nur geschaffen hat, sondern in einer fortwährenden
Schöpfung unablässig regiert, da sie andernfalls untergehen
würde; auch in der philosophischen Tradition und den Gei-
steswissenschaften besteht ein konstitutiver Zusammenhang
von Ursprung und Geschichte, von dem, was begründet und
beginnt, und dem, was führt und regiert. In diesem Zusammenhang sei an die entscheidende Bedeutung erinnert, die dem
Begriff des «Anfangs» in Heideggers Denken zukommt. Der
Anfang wird nicht Vergangenheit, hört nie auf gegenwärtig zu
sein, da er die Geschichte des Seins bestimmt und komman-
diert. Das Wort «Geschichte» führt Heidegger mit einer jener
etymologischen Ableitungen, derer er sich gerne bedient, auf
«schicken» und «Geschick» zurück und legt so nahe, daß das,
was wir eine historische Epoche nennen, in Wirklichkeit etwas

ist, was von einer *arché* geschickt wird, die in dem, was sie schickt, im Verborgenen wirksam bleibt. Daß in Heideggers Denken *arché* in der Bedeutung von Anfang und *arché* in der Bedeutung von Befehl restlos zusammenfallen, prägt auch seine Konzeption der Seinsgeschichte.

Ich möchte an dieser Stelle lediglich erwähnen, daß die Frage des Zusammenhangs von Ursprung und Befehl im nachheideggerschen Denken zwei bemerkenswerte Weiterentwicklungen erfahren hat. Die erste – die man als anarchische Interpretation Heideggers bezeichnen könnte – entfaltet Reiner Schürmann in seinem schönen Buch *Le Principe d'anarchie* (1982), in dem er den Versuch unternimmt, Ursprung und Befehl voneinander zu trennen, um zu einem gleichsam reinen Ursprung zu gelangen, einem bloßen «Anwesen» bar jeden Befehls. Die zweite Weiterentwicklung – die man nicht ganz zu Unrecht als demokratische Interpretation Heideggers bezeichnen könnte – ist der symmetrisch entgegengesetzte Versuch Jacques Derridas, den Ursprung auszuschalten, um einen reinen Imperativ zu erhalten, dessen einzige Forderung lautet: «Interpretiere!» (Mich hat die Anarchie seit jeher mehr angezogen als die Demokratie, doch natürlich steht es jedem frei, darüber zu denken, wie er will.) Jedenfalls glaube ich, daß Sie nun verstehen, was ich meinte, als ich von den Aporien sprach, mit denen sich eine Archäologie des Befehls auseinanderzusetzen hat: Der Befehl hat keine *arché*, weil der Befehl selbst *arché*, Ursprung ist – oder zumindest am Anfang steht.

Das zweite Problem, dem ich mich konfrontiert sah, bestand darin, daß die Auseinandersetzung mit dem Befehl in der philosophischen Tradition keine Rolle spielt. Es gab und gibt Untersuchungen zum Gehorsam, die – wie Etienne de La Boéties wunderbarer *Discours de la servitude volontaire* – der Frage nachgehen, warum Menschen gehorchen, doch findet sich so gut wie nichts zur notwendigen Voraussetzung des Gehorsams, das heißt zum Befehl und zur Frage, warum Menschen befehlen. Ich bin indessen zu der Überzeugung gelangt, daß Macht nicht nur dadurch definiert wird, sich Gehorsam

zu verschaffen, sondern auch und vor allem durch das Vermögen, Befehle zu geben. Ein Regime stürzt nicht, wenn ihm
nicht mehr oder nicht mehr uneingeschränkt gehorcht wird,
sondern wenn es keine Befehle mehr gibt.

Alexander Lernet-Holenias *Die Standarte*, einer der schönsten Romane des 20. Jahrhunderts, beschreibt, wie sich das
Vielvölkerheer des österreichisch-ungarischen Kaiserreichs gegen Ende des Ersten Weltkriegs aufzulösen beginnt. Völlig unerwartet weigert sich ein ungarisches Regiment, dem Marsch-
befehl des österreichischen Kommandanten Folge zu leisten.
Der Kommandant, fassungslos angesichts dieses plötzlichen
Ungehorsams, zögert, berät sich mit den anderen Offizieren,
weiß nicht, was er tun soll. Als er bereits mit dem Gedanken
spielt, das Kommando niederzulegen, findet sich doch noch
ein Regiment, das seine Befehle befolgt und das Feuer auf die
Meuterer eröffnet. Selbst dann, wenn sich eine Macht auf-
löst, gilt: Solange Befehle gegeben werden, findet sich auch
jemand – und sei es nur einer –, der sie ausführt. Eine Macht
bricht erst dann zusammen, wenn sie aufhört, Befehle zu geben. Das war in Deutschland der Fall, als die Mauer fiel, und
in Italien nach dem 8. September 1945: Es mangelte nicht am
Gehorsam, sondern es wurden keine Befehle mehr gegeben.
Deshalb ist eine Archäologie des Befehls, eine Untersuchung,
die nicht nach den Ursachen des Gehorsams, sondern nach denen des Befehls fragt, so dringlich und unverzichtbar.

Da mir die Philosophie keine Definition des Befehls liefern
konnte, entschied ich mich, zunächst seine sprachliche Form
zu analysieren. Was ist ein Befehl aus sprachlicher Sicht? Welche Grammatik, welche Logik liegt ihm zugrunde?

Hier wiederum hielt die philosophische Tradition den entscheidenden Hinweis bereit: die von Aristoteles in *Peri her-
meneias* vorgenommene Aufteilung der sprachlichen Äußerungen und der Ausschluß eines Teils. Denn offensichtlich ist
diese grundlegende Unterscheidung dafür verantwortlich, daß
der Befehl in der abendländischen Logik kaum Beachtung
fand. «Nicht jede Rede», schreibt Aristoteles (*De interpreta-*

tione 17a1 ff.), «ist apophantisch, sondern nur die, der es zukommt, wahr oder falsch zu sein (*aletheuein* und *pseudesthai*).
Nicht allen kommt dies zu. So ist z. B. eine Bitte zwar eine
Rede (*logos*), aber weder wahr noch falsch. Mit diesen anderen wollen wir uns nicht beschäftigen, denn ihre Erörterung ist
Sache der Rhetorik oder der Poetik; Gegenstand der jetzt an-
zustellenden Betrachtung ist die apophantische Rede.» Hier
lügt Aristoteles. Schlägt man seine Abhandlung über *Poetik*
auf, stellt man fest, daß auch hier neben der Bitte eine große
Anzahl nichtapophantischer Äußerungen, zu denen auch der
Befehl gehört, von der philosophischen Betrachtung ausgeschlossen werden: «Die Kenntnis der Redefiguren (*schemata
tes lexeos*) ist Sache der Schauspielkunst (*hypokritikes*) und
dessen, der sie beherrscht: z. B. was ein Befehl (*entolé*) ist und
was eine Bitte, ein Bericht, eine Drohung, eine Frage und eine
Antwort und was es sonst noch an derartigem gibt. Aus der
Kenntnis oder Unkenntnis in diesen Dingen erwächst der
Dichtkunst kein ernstzunehmender Vorwurf. Denn ist es von
Belang, daß Homer, wie Protagoras behauptet, eine Bitte mit
einem Befehl verwechselt hat, wenn er sagt ‹Singe mir, Göttin,
den Zorn›? Jemanden zu bitten, etwas zu tun oder zu lassen,
ist laut Protagoras nämlich ein Befehl. Deshalb können wir
diesen Gegenstand übergehen, weil er zu einer anderen Disziplin als der Poetik gehört» (*Poetica* 56b9–25).

Betrachten wir den Schnitt, mit dem Aristoteles das sprachliche Feld teilt, um sodann eines der Teile aus dem Zuständigkeitsbereich der Philosophie auszuschließen. Es gibt eine Rede,
einen *logos*, den Aristoteles «apophantisch» nennt, weil er
aufzeigen (das ist die Bedeutung des Verbs *apophaino*) kann,
ob etwas existiert oder nicht und deshalb notwendig wahr
oder falsch ist. Ferner gibt es noch eine andere Rede, einen
anderen *logos* – wie die Bitte, den Befehl, die Drohung, den
Bericht, die Frage und die Antwort (und, wie man ergänzen
könnte, den Ausruf, den Gruß, den Rat, den Fluch, die Läste-
rung usw.) –, der nicht apophantisch ist, nichts über das Vorhandensein oder Nichtvorhandensein von etwas aussagt und

deshalb der Wahrheit gegenüber indifferent ist. Die aristotelische Entscheidung, die nichtapophantische Rede von der Philosophie auszuschließen, hat die Geschichte der abendländischen Logik nachhaltig geprägt. Jahrhundertelang hat sich die Logik – also das Nachdenken über Sprache – ausschließlich mit der Analyse apophantischer Sätze beschäftigt, die wahr oder falsch sein können, die nichtapophantische Rede jedoch, die weder wahr noch falsch ist, jenen riesigen Bereich der Sprache, dessen wir uns täglich bedienen, für unwegsam erklärt und nie betreten. Als der Wahrheit gegenüber indifferent wurde sie – wenn nicht ganz ignoriert – der Zuständigkeit der Rhetoren, Moralisten und Theologen überlassen.

Wesentlicher Bestandteil dieser *terra incognita* ist der Befehl. War es unvermeidbar, ihn zu erwähnen, wurde er kurzerhand zum Willensakt erklärt und in den Zuständigkeitsbereich des Rechts und der Moral abgeschoben. Selbst ein Denker wie Hobbes, dem man gewiß nicht vorwerfen kann, konventionell gewesen zu sein, definiert in seinen *Elements of Law Natural and Politic* den Befehl schlicht als «that speech by which we signify to another our appetite or desire to have anything done, or left undone, for reason contained in the will itself.»[1]

Erst im 20. Jahrhundert beginnen sich die Logiker für das zu interessieren, was als «präskriptive Sprache» bezeichnet werden könnte. Ich gehe auf dieses Kapitel der Geschichte der Logik, das inzwischen eine umfangreiche Literatur hervorgebracht hat, nicht näher ein, weil es vordringlich darum zu gehen scheint, die impliziten Aporien des Befehls zu umgehen, indem man eine Rede im Imperativ in eine Rede im Indikativ übersetzt. Mir ist hingegen an einer Definition des Imperativs als solchem gelegen.

Was geschieht, wenn jemand eine nichtapophantische Rede in der Befehlsform äußert, z. B. «Geh!» Um die Bedeutung die-

---

1 Thomas Hobbes: *The Elements of Law Natural and Politic*. Ed. Ferdinand Tönnies. London 1889. Part I, chap. 13, 6, S. 67–68.

ser Aufforderung zu verstehen, ist es hilfreich, sie mit demselben Verb in der dritten Person des Indikativs zu vergleichen: «Er geht» oder «Karl geht». Dieser Satz ist apophantisch im aristotelischen Sinn, da er wahr sein kann (wenn Karl geht) oder falsch (wenn Karl sitzt); in jedem Fall aber bezieht er sich auf etwas in der Welt, zeigt auf, ob etwas existiert oder nicht. Wenn auch mit dem Indikativ morphologisch nahezu identisch, ist bei der Befehlsform «Geh!» gerade das Gegenteil der Fall: Sie zeigt weder das Vorhandensein noch das Nichtvorhandensein von etwas an, weder beschreibt oder bestreitet sie einen Zustand, noch bezieht sie sich auf etwas in der Welt, ohne deshalb falsch zu sein. Daß die Bedeutung des Imperativs im Akt seiner Ausführung bestehe, ist ein weitverbreiteter Irrtum, den es um jeden Preis zu vermeiden gilt. Denn der Befehl, den ein Offizier seinen Soldaten gibt, ist allein aufgrund der Tatsache, geäußert worden zu sein, vollständig: Ob er befolgt oder ignoriert wird, ändert nichts an seiner Gültigkeit.

Wir können also festhalten, daß es in der Welt, wie sie ist, nichts gibt, was dem Imperativ entspricht. Deshalb weisen uns Juristen und Moralisten unermüdlich darauf hin, daß sich der Imperativ nicht auf ein *Sein*, sondern ein *Sollen* bezieht. Auf der in der deutschen Sprache eindeutigen Opposition von Sein und Sollen hat Kant seine Ethik begründet und Kelsen seine Reine Rechtslehre errichtet. Bei ihm heißt es: «Wenn ein Mensch durch irgendeinen Akt den Willen äußert, daß ein anderer Mensch sich in bestimmter Weise verhalte, [...] kann der Sinn seines Aktes nicht mit der Aussage beschrieben werden, daß sich der andere so verhalten wird, sondern nur mit der Aussage, daß sich der andere so verhalten soll.»[2] Doch trägt die Unterscheidung von Sein und Sollen Wesentliches zum Verständnis der Bedeutung des Imperativs «Geh!» bei? Ist es überhaupt möglich, die Semantik des Imperativs zu bestimmen?

2 Hans Kelsen: *Reine Rechtslehre*. Zweite, vollständig neu bearbeitete und erweiterte Aufl. Wien 1960, S. 4.

Bedauerlicherweise hilft uns in diesem Fall auch die Sprachwissenschaft nicht weiter, da die Linguisten immer dann in
Verlegenheit geraten, wenn sie die Bedeutung des Imperativs
angeben sollen. Dennoch möchte ich auf die kursorischen
Bemerkungen Antoine Meillets und Emile Benvenistes, zweier
der bedeutendsten Sprachwissenschaftler des 20. Jahrhunderts, kurz eingehen. Meillet, der die morphologische Identität
von Indikativ und Imperativ hervorhebt, stellt fest, daß in den
indoeuropäischen Sprachen der Imperativ gemeinhin mit dem
Wortstamm zusammenfällt. Daraus schließt er, daß der Imperativ die «Grundform (*forme essentielle*) des Verbs»[3] sei. Auch
wenn im Unklaren bleibt, ob *essentielle* hier nicht nur im Sinne
von «grundlegend», sondern auch in dem von «ursprünglich»
verwendet wird, liegt der Gedanke nicht fern, daß der Imperativ die Urform des Verbs ist. In einem Aufsatz, in dem er Austins Einordnung des Befehls unter die Kategorie des Performativs kritisiert (auf die Frage des Performativs werden wir zurückkommen), schreibt Benveniste, daß der Imperativ «nicht
denotativ ist und nicht danach strebt, einen Inhalt mitzuteilen,
sondern er kennzeichnet sich als pragmatische Form und will
auf den Hörer einwirken, ihm ein Verhalten vorschreiben»;
er ist kein Verbtempus, sondern «das bloße Semantem, das
als Befehlsform mit einer bestimmten Intonation gebraucht
wird».[4] Versuchen wir, diese so lakonische wie rätselhafte Definition zu entfalten. Der Imperativ ist «bloßes Semantem»: Als
solches drückt er die reine ontologische Beziehung von Sprache
und Welt aus. Das bloße Semantem wird jedoch nicht denotativ verwendet, bezieht sich also nicht auf einen konkreten Aus-
schnitt oder Zustand der Welt, sondern dient dazu, von dem-
jenigen, an den es gerichtet ist, etwas zu fordern. Was fordert
der Imperativ? Offensichtlich fordert der Imperativ «Geh!» als

3 Antoine Meillet: *Linguistique historique et linguistique générale*. Paris
   1975, S. 191.
4 Emile Benveniste: *Probleme der allgemeinen Sprachwissenschaft*.
   Übers. von W. Bolle. München 1974, S. 306.

«bloßes Semantem» nichts anderes als sich selbst, nichts anderes als das bloße Semantem «gehen», das nicht verwendet
wird, um etwas mitzuteilen oder einen Sachverhalt zu beschreiben, sondern um einen Befehl zu erteilen. Wir haben es also mit
einer signifikanten, jedoch nicht denotativen Äußerung zu tun,
die sich selbst anordnet, das heißt mit dem reinen semantischen
Verhältnis von Sprache und Welt. *Die ontologische Beziehung*
von Sprache und Welt wird nicht wie in der apophantischen
Rede festgestellt, sondern befohlen. Und dennoch handelt es
sich um eine Ontologie, nur daß sie nicht die Form des «ist»,
sondern die des «sei» hat, die Beziehung von Sprache und Welt
nicht beschreibt, sondern gebietet.

Ich möchte eine Hypothese aufstellen, die, zumindest in
dem Stadium, in dem sich meine Untersuchung momentan befindet, deren vielleicht wesentlichstes Ergebnis ist. Die abendländische Kultur wird durch zwei Ontologien geprägt, die bei
aller Verschiedenheit aufeinander bezogen sind: eine Ontologie der apophantischen Assertion, die sich des Indikativs bedient, und eine Ontologie des Befehls, die sich im Imperativ
ausdrückt. Erstere möchte ich (mit der dritten Person Singular
des Indikativs des griechischen Wortes für «sein») «Ontologie
des *esti*» nennen, letztere (mit dem entsprechenden Imperativ)
«Ontologie des *esto*». Der grundlegende ontologische Satz im
Lehrgedicht des Parmenides, mit dem die abendländische Metaphysik beginnt, lautet: *esti gar einai*, «es ist nämlich Sein»;
wir müssen neben diesem noch einen weiteren Satz annehmen,
der eine andere Ontologie begründet: *esto gar einai*, «es sei
nämlich Sein». Dieser sprachlichen Unterscheidung entspricht
die Aufteilung der Wirklichkeit in zwei voneinander geschie-
dene, gleichwohl aufeinander bezogene Bereiche: Die erste
Ontologie bestimmt die Philosophie und die Wissenschaft, die
zweite das Recht, die Religion und die Magie. Recht, Religion
und Magie – die in ihren Anfangsgründen nicht immer einfach
zu unterscheiden sind – bilden einen Bereich, dessen Sprache
nur die Befehlsform kennt. Ich glaube sogar, daß man die Religion als den Versuch definieren kann, ein Universum auf der

Grundlage eines Befehls zu errichten. Bemerkenswerterweise formuliert nicht nur Gott seine Gebote in der Befehlsform, auch die Menschen verwenden sie, wenn sie ihren Gott anrufen. Sowohl in der antiken Welt als auch im Judentum und im Christentum wird in den Gebeten seit jeher der Imperativ verwendet: «Unser tägliches Brot gib uns heute …». In der abendländischen Kulturgeschichte trennen und überschneiden sich die beiden Ontologien unablässig, bekämpfen sich ebenso schonungslos wie sie sich unablässig verschränken und verbinden. Das aber heißt, daß die abendländische Ontologie in Wirklichkeit eine bipolare Maschine ist, deren imperativischer Pol, der in der Antike jahrhundertelang im Schatten der apophantischen Ontologie gestanden hatte, mit dem Anbruch des christlichen Zeitalters immer mehr an Bedeutung gewann.

Um die der Ontologie des Befehls eigene Wirksamkeit zu verstehen, muß ich noch einmal auf den Performativ zurückkommen, der im Zentrum von Austins berühmtem Buch *How to Do Things with Words* aus dem Jahr 1962 steht. In diesem Buch wird der Befehl in die Kategorie der Performative oder *speech acts* eingeordnet, also zu jenen Äußerungen gezählt, die keinen Sachverhalt beschreiben, sondern ihre Bedeutung durch den bloßen Akt der Äußerung zu einer Tatsache werden lassen. Nehmen wir den Sachverhalt des Eides: Die Leistung eines Eides besteht lediglich darin, die Worte «ich schwöre» zu sagen. Wie funktioniert ein Performativ? Was verleiht dem Wort die Macht, Faktum zu werden? Die Linguisten wissen keine Erklärung. Sollten wir mit dem Performativ auf so etwas wie eine magische Macht der Sprache gestoßen sein?

Um dieses Problem einer Lösung näher zu bringen, möchte ich noch einmal auf meine Hypothese zurückkommen, der zufolge die abendländische Ontologie eine bipolare Maschine ist. Der Doppelstruktur der Maschine entspricht die Unterscheidung von Assertiv und Performativ – oder, wie die Linguisten auch sagen, von lokutionärem und illokutionärem Akt: Der Performativ ist das sprachliche Relikt aus einer Zeit, in der das Verhältnis von Worten und Sachen nicht aussagend, sondern befehlend war. Mit anderen Worten: Der Performativ ist eine Überlagerung der beiden Ontologien, in der die Ontologie des *esto* die Ontologie des *esti* aufhebt und ersetzt. Angesichts der erstaunlichen Resonanz, die die Kategorie des Performativs nicht nur bei Linguisten, sondern auch bei Philosophen, Juristen und Literatur- und Kunstwissenschaftlern gefunden hat, drängt sich die Vermutung auf, die zentrale Bedeutung dieses Begriffs verdanke sich dem Umstand, daß in den heutigen Gesellschaften die Ontologie des Befehls die Ontologie der Assertion immer mehr verdrängt. Diese Entwicklung können wir mit den Psychoanalytikern Wiederkehr des Verdrängten nennen: Insgeheim werden unsere Gesellschaften, die sich für laizistisch und säkular halten, von Religion, Magie und Recht – und dem gesamten Bereich nichtapophantischer Rede, der jahrhundertelang im dunkeln lag – regiert.

Ich möchte sogar behaupten, daß die sogenannten demokratischen Gesellschaften, in denen wir leben, als Gesellschaften beschrieben werden könnten, in denen die Ontologie des Befehls an die Stelle der Ontologie der Assertion getreten ist, jedoch nicht in der offensichtlichen Form des Imperativs, sondern in der hinterlistigeren der Beratung, der Aufforderung, der Warnung im Namen der Sicherheit, so daß die Befolgung eines Befehls als Zusammenarbeit erscheint, in der man sich die Befehle selber gibt. Ich denke hier nicht nur an die Werbung und die Sicherheitsvorschriften, sondern auch an den Bereich der technischen Dispositive. Sie zeichnen sich dadurch aus, daß das Subjekt, das sie benutzt, glaubt, ihnen zu gebieten (indem es sogenannte «Command-» oder «Befehlstasten» betätigt), jedoch in Wahrheit lediglich dem Befehl gehorcht, der in die Struktur des Dispositivs eingeschrieben ist. Der freie Bürger der demokratisch-technologischen Gesellschaften ist ein Wesen, das mit jedem Befehl, den es erteilt, lediglich seinen Gehorsam unter Beweis stellt.

Ich hatte versprochen, einen Rechenschaftsbericht über meine laufende Untersuchung zu einer Archäologie des Befehls zu geben. Er wäre jedoch nicht vollständig, wenn ich nicht auf

einen weiteren Begriff zu sprechen käme, der von Anfang an
meine Nachforschungen zum Befehl begleitet hat. Ich spreche
vom Willen. Wird in der philosophischen Tradition der Befehl
erwähnt, wird er stets zu einem «Akt des Willens» erklärt; das
aber heißt – da es bislang noch niemandem gelungen ist, die
Bedeutung von «wollen» näher zu bestimmen – *obscurum per
obscurius*, Dunkles mit noch Dunklerem erklären zu wollen.
Deshalb entschied ich mich, einem Hinweis Nietzsches nachzugehen, der mit seiner Behauptung, daß wollen nichts anderes als befehlen sei, die übliche Erklärung einfach umkehrt.

Daß das klassische griechische Denken den Begriff des Willens nicht kannte, gehört zu den wenigen Punkten, über die unter den Historikern der antiken Philosophie Einigkeit herrscht.
Zumindest in der grundlegenden Bedeutung, den der Begriff
für uns hat, taucht er erst im römischen Stoizismus auf, um
seine volle Entfaltung in der christlichen Theologie zu finden.
Wenn man aber seinen Entstehungsprozeß zurückverfolgt,
zeigt sich, daß er aus einem anderen Begriff hervorgegangen ist,
der für die griechische Philosophie von zentraler Bedeutung
war und mit dem des Willens eng verbunden bleibt: der Begriff
der *dynamis*, der Potenz. Ich möchte sogar folgende These wagen: Im Zentrum der griechischen Philosophie stehen die Potenz und die Möglichkeit, in dem der christlichen Theologie –
und in ihrem Gefolge in dem der modernen Philosophie – der
Wille. War der Mensch der Antike ein Wesen der Potenz, ein
Wesen, das *kann*, so ist der moderne Mensch ein Wesen des
Willens, ein Subjekt, das *will*. Insofern bezeichnet der Übergang von der Sphäre der Potenz zu jener des Willens die
Schwelle zwischen den Alten und den Modernen. Mit anderen
Worten: Mit dem Beginn des Zeitalters der Moderne tritt das
Modalverb «wollen» an die Stelle des Modalverbs «können».

Es lohnt sich, über die grundlegende Funktion der Modalverben in unserer Kultur und insbesondere in der Philosophie
nachzudenken. Bekanntlich wird die Philosophie als Wissenschaft vom Sein bezeichnet. Allerdings stimmt dies nur, wenn
man hinzufügt, daß sie das Sein immer gemäß seinen Modali-

täten denkt, daß es also je schon in «Möglichkeit», «Kontin-
genz» und «Notwendigkeit» unterteilt und gegliedert ist, als
Gegebenes immer schon von einem Können, einem Wollen
oder einem Müssen gekennzeichnet ist. Die Modalverben haben jedoch eine Besonderheit: Wie die antiken Grammatiker
schreiben, sind sie «unvollständig» (*elleiponta to pragmati*)
und «leer» (*kena*).[5] Ihre Bedeutung erhalten sie erst, wenn
ihnen der Infinitiv eines anderen Verbs folgt. Anders als «ich
gehe», «ich schreibe» und «ich esse», die nicht leer sind, verlangen «ich kann», «ich will» und «ich muß» die Ergänzung
durch ein ausgesprochenes oder stillschweigend mitgedachtes
Verb: «ich kann gehen», «ich will schreiben», «ich muß es-
sen». Bemerkenswerterweise sind diese leeren Verben der Philosophie so wichtig, daß sie es sich zur Aufgabe gemacht hat,
ihre Bedeutung zu ergründen. Ich möchte sogar behaupten,
daß man die Philosophie als den Versuch bezeichnen kann, die
Bedeutung eines leeren Wortes zu erfassen, als ob es bei dieser
Bewährungsprobe um etwas Grundlegendes gehen würde,
darum, ob unser Leben möglich oder unmöglich und unser
Handeln frei oder notwendig ist. Deshalb hat jeder Philosoph
seine Weise, diese leeren Verben zu verbinden und zu trennen,
das eine zu mögen und das andere zu verabscheuen oder aber
sie zu verknüpfen, in der vergeblichen Hoffnung, sie füllen zu
können, indem er eine Leere in der anderen spiegelt. Das Verdienst, diese Verknüpfung am weitesten getrieben zu haben,
gebührt Kant. Auf der Suche nach der angemessensten Formulierung seiner Ethik entfährt ihm in der *Metaphysik der Sitten*
ein in jeder Hinsicht absurdes Satzgefüge: «Man muss wollen
können.»[6] Doch vielleicht ist es gerade diese Verknüpfung
der drei Modalverben, die den Raum der Moderne definiert

---

5 Frédérique Ildefonse: *La naissance de la grammaire dans l'antiquité
   grecque.* Paris 1997, S. 364–365.
6 Immanuel Kant: *Grundlegung zur Metaphysik der Sitten*, in: *Werke in
   sechs Bänden.* Hg. von Wilhelm Weischedel. Darmstadt 1963, Bd. 4,
   S. 54.

und zugleich die Unmöglichkeit, in ihm so etwas wie eine Ethik zu artikulieren. Wenn uns heute allerorten die hohle Phrase «ich kann» entgegentönt, drängt sich angesichts des grassierenden Verlusts jeglicher ethischen Erfahrung die Vermutung auf, daß der Schwätzer uns eigentlich sagen möchte: «ich muss können wollen», mit anderen Worten: «ich befehle mir zu gehorchen».

Um zu verdeutlichen, was mit dem Übergang von der Potenz zum Willen auf dem Spiel steht, habe ich ein Beispiel gewählt, bei dem die Strategie, der die neue, der Moderne zugrundeliegende Deklination der Modalverben folgt, besonders deutlich hervortritt: die theologische Auseinandersetzung mit dem Problem der göttlichen Allmacht, dem Extremfall der Potenz. Bekanntlich hat die Allmacht Gottes dogmatischen Rang. Der Anfang des Credos, mit dem das Konzil von Nicäa den unabdingbaren Inhalt des katholischen Glaubens festgelegt hat, lautet: *Credimus in unum deum patrem omnipotentem.* Doch gerade dieser scheinbar so erbauliche Glaubenssatz hatte unannehmbare, Anstoß erregende Konsequenzen, die die Theologen in große Verlegenheit brachten. Denn wenn Gott bedingungslos und uneingeschränkt alles vermag, folgt daraus, daß er alles tun kann, was keine logische Unmöglichkeit impliziert: sich nicht in Jesus, sondern in einem Wurm oder – noch anstößiger – in einer Frau inkarnieren, Petrus verdammen und Judas erlösen, lügen und Böses tun, seine gesamte Schöpfung vernichten oder – was die Theologen kurioserweise mehr als alles andere entsetzte und erregte – die Jungfräulichkeit einer entjungferten Frau wiederherstellen (Petrus Damianus' Traktat *De divina omnipotentia* ist nahezu ausschließlich diesem Thema gewidmet). Schließlich kann Gott – und hier haben wir es mit so etwas wie einem mehr oder minder unbewußten theologischen Humor zu tun – lächerliche oder nutzlose Handlungen begehen, beispielsweise plötzlich zu rennen beginnen (oder, wie wir hinzufügen könnten, ein Fahrrad verwenden, um von einem Ort zum anderen zu gelangen). Die Liste Anstoß erregender Folgen der göttlichen Allmacht ließe sich endlos fortsetzen. Die Allmacht wirft einen Schatten, hat eine dunkle Seite, die Gott zum Bösen, zum Unvernünftigen, ja selbst zum Lächerlichen befähigt. Zwischen dem 11. und dem 14. Jahrhundert sind die Theologen von diesen Schattenseiten geradezu besessen. Das Ergebnis sind unzählige Opuskel, Traktate und *quaestiones*, die die Geduld des Forschers auf eine harte Probe stellen.

Wie meinen die Theologen das Ärgernis der göttlichen Allmacht begrenzen und ihr den entschieden zu großen Schatten nehmen zu können? Einer philosophischen Strategie folgend, die schon Aristoteles meisterhaft beherrschte, jedoch erst von der scholastischen Theologie zur Perfektion gebracht wird, teilen und artikulieren sie die Potenz in dem Begriffspaar *potentia absoluta* und *potentia ordinata*. Auch wenn die Bestimmung des Verhältnisses dieser beiden Begriffe von Autor zu Autor variiert, die allgemeine Stoßrichtung des Dispositivs ist folgende: *de potentia absoluta*, also mit Blick auf die Potenz als solche, gleichsam abstrakt betrachtet, ist Gott zu allem fähig, wie anstößig es uns auch erscheinen mag; aber *de potentia ordinata*, also hinsichtlich der Anordnung und des Befehls, die sein Wille der Potenz gegeben hat, kann Gott nur tun, wozu er sich entschlossen hat. Und Gott hat beschlossen, nicht in einer Frau, sondern in Jesus Mensch zu werden, nicht Judas, sondern Petrus zu erlösen, seine Schöpfung nicht zu vernichten und vor allem nicht ohne ersichtlichen Grund zu rennen.

Es liegt auf der Hand, welche strategische Funktion diesem Dispositiv zugedacht wird. Es soll die Potenz bändigen und einhegen, das Chaos und die Unermeßlichkeit der göttlichen Allmacht begrenzen, die andernfalls jeden Versuch, eine geordnete Weltregierung zu errichten, zum Scheitern verurteilen würde. Das Instrument, das diese Begrenzung der Potenz gleichsam von innen heraus leisten soll, ist der Wille. Die Potenz *kann* wollen. *Hat* sie aber *gewollt, muß* sie ihrem Willen gemäß handeln. Und wie Gott kann und muß auch der Mensch wollen, kann und muß auch er den dunklen Abgrund seiner Potenz einhegen. Nietzsches Vermutung, daß wollen und befehlen dasselbe sind, trifft also zu. Befehlsempfänger des Willens aber ist die Potenz. Das letzte Wort möchte ich einer literarischen Figur überlassen, die geduldig am Kreuzungspunkt von Wille und Potenz verharrt: Herman Melvilles Schreiber Bartleby. Auf die Frage: *You will not?*, die ihm der Mann des Gesetzes stellt, antwortet er beharrlich mit einer Formel, die den Willen gegen sich selbst richtet: *I would prefer not to …*

Aus dem Italienischen übersetzt von Andreas Hiepko

HANS JOAS

Sakralisierung und Entsakralisierung

Politische Herrschaft und religiöse Interpretation

«Mein ist die Rache, spricht der Herr.» Bibellesern ist dieses
Wort gewiß vertraut, aber auch säkulare Geister dürften ihm
schon begegnet sein, etwa deshalb, weil Leo Tolstoi es zum
Motto seines Eheromans *Anna Karenina* gemacht hat. Es
stammt aus dem Buch *Deuteronomium* (5 Mose 32, 35) und
ist Teil von Moses' Abrechnung mit dem ungehorsamen Volk,
eine fürchterliche Drohung mit harter Strafe und dem nicht
mehr aufzuhaltenden Untergang. Dasselbe Wort begegnet uns
auch im *Römerbrief* des Paulus, der es zitiert, ihm aber eine
eigene Wendung gibt (Römer 12, 19): «Nehmt keine Rache,
holt euch nicht selbst euer Recht, meine Lieben, sondern über-
laßt das Gericht Gott.» In seiner ursprünglichen Lesart klingt
es heute für viele, Gläubige und Ungläubige, nur erschreckend,
da sich ihre Vorstellung von Gott, so sie denn eine haben, ganz
zu der einer liebenden, verständnisvollen, alles verzeihenden
übermenschlichen Person gewandelt hat. «Fürchtegott» ist als
Vorname ausgestorben. Anders verhält es sich mit der großen
Wendung bei Paulus, der Aufforderung zu menschlichem Ver-
zeihen und zur Versöhnung, weil Gott das Monopol über Rache und Strafe zugesprochen wird. «*Mein* ist die Rache», nicht
«Mein ist die *Rache*», ist nun die angemessene Betonung. Aber
auch gegenüber dieser milderen Form, die viele Zeitgenossen
attraktiv finden werden, erheben sich rasch Zweifel. Ist die
Idee eines umfassenden menschlichen Racheverzichts denn
überhaupt in irgendeinem guten Sinn realistisch? Ist es nicht
vielmehr so, wie Max Weber in seiner berühmten *Zwischenbetrachtung* formulierte, daß «Gewalt und Bedrohung mit

Gewalt» «nach einem unentrinnbaren Pragma alles Handelns
unvermeidlich stets erneut Gewaltsamkeit» gebiert?[1] Wenn
Gott allein das Recht zur Rache hat, wer spricht dann unter
den Menschen für ihn, wer interpretiert Gottes Willen? Steckt
nicht doch auch in dieser Geste der Unterordnung unter Gottes
Willen eine Anmaßung und ein Machtwille, die Gefahr, daß
bestimmte Kräfte sich als «Gottes Sprachrohr oder Schwert»[2]
gebärden?

Das sind Fragen, die man Fragen einer politischen Theologie nennen könnte, Fragen nach *der* Religion als solcher oder
bestimmten Religionen als Friedensbringer oder Gewaltquelle,
als beidem, aber unter jeweils aufzuklärenden unterschiedlichen Bedingungen, vielleicht als beidem in eins, weil das gute
Gewissen eben die Tücke hat, auch Selbstermächtigung zu
fördern.

In diesem Beitrag geht es vor allem darum, einen Vorschlag
zu entwickeln, wie wir die hiermit angedeuteten Probleme aus
der Perspektive einer historisch-vergleichenden Religionssoziologie in den Griff zu bekommen und zu lösen versuchen
sollten. Kaum Platz wird deshalb dem Vergleich mit anderen
begrifflichen Vorschlägen und Theorien eingeräumt. Alle wissen, wie schwer es ist, «Religion» zu definieren, und nicht geringer ist die Schwierigkeit, «Politik» und «das Politische» zu
fassen, insbesondere wenn wir nicht nur Phänomene moderner Staatlichkeit im Blick haben. Ganz besonders anschaulich
wird die begriffliche Verwirrung in den Debatten über die
Frage, inwiefern die Totalitarismen des zwanzigsten Jahrhunderts eigentlich mit den Säkularisierungsprozessen seit dem
achtzehnten Jahrhundert zusammenhängen. Stellt man die
Antworten auf diese Frage zusammen, gerät man in einen
wahren Dschungel von Redeweisen: Religionsersatz oder Er-

---

1 Max Weber: *Zwischenbetrachtung*, in: ders.: *Gesammelte Aufsätze zur
   Religionssoziologie*. Bd. I. Tübingen 1920, S. 547.
2 Rolf Schieder: *Sind Religionen gefährlich?* Berlin 2008, S. 88.

satzreligion, politische Religion oder säkulare Religion, Pseu-
doreligion, Kryptoreligion, verkappte oder neue Religion,
Transzendenzverlust oder praktische Transzendenz, all diese
Begriffe und viele mehr werden bemüht oder erfunden, um der
Intuition gerecht zu werden, die Totalitarismen entwickelten
selbst eine an die historischen Religionen erinnernde Gestalt.
Ohne also auf diese Ansätze und Bemühungen einzugehen,
soll nur das entscheidende Desiderat formuliert werden, dem
ein gegenwärtiger Versuch auf diesem Gebiet meines Erachtens vor allem genügen muß. Dieses Desiderat ergibt sich aus
dem in meinen Augen zentralen Charakteristikum der gegenwärtigen religionspolitischen Konstellation. Auf einer tieferen
Ebene nämlich als die Fragen nach der Rolle eines religiös mo-
tivierten Terrorismus, nach der Religion als förderlich oder
hinderlich für die Integration bestimmter Einwanderergrup-
pen oder nach der Bedeutung des Islam bei einem möglichen
Beitritt der Türkei zur Europäischen Union – tiefer als diese
Fragen scheint mir zu liegen, daß sich zwei scheinbare Gewißheiten, die seit dem achtzehnten Jahrhundert die religionspolitischen Debatten bestimmten, als unhaltbar erwiesen haben.[3]
Die scheinbare Gewißheit, von der die Gläubigen lange ausgingen, von der sie sich aber heute verabschieden müssen, ist
die, daß der Mensch anthropologisch auf Religion hin angelegt sei und daß, wo gegen diese Notwendigkeit verstoßen
werde – durch Zwang oder menschliche Hybris oder konsu-
mistische Oberflächlichkeit – nur moralischer Verfall eintreten
könne. Der von seriöser Theologie wie blanker Glaubensapo-
logetik immer wieder vorausgesagte Verfall der Moral – da
ohne Gott alles erlaubt sei – ist in den am stärksten säkularisierten Gesellschaften, die es gegenwärtig gibt, nicht eingetre-

---

3 Dies ist die Ausgangsthese von Hans Joas: *Glaube als Option. Zu-*
kunftsmöglichkeiten des Christentums. Freiburg i. Br. 2012. Vgl. außerdem ders.: *Gesellschaft, Staat und Religion. Ihr Verhältnis in der Sicht*
der Weltreligionen, in: Hans Joas/Klaus Wiegandt (Hg.): *Säkularisie-*
rung und die Weltreligionen. Frankfurt a. M. 2007, S. 9–43.

ten. So einfach, wie es mancher gerne hätte, scheinen die empi-
rischen Zusammenhänge von Religion und Moral nicht zu
sein.

Umgekehrt müssen sich auch diejenigen Ungläubigen und
Religionskritiker von einer scheinbaren Gewißheit heute verabschieden, die in der Religion etwas geschichtlich Überholtes
sehen und entsprechend dazu neigen, Gläubige als rückstän-
dig, existierende Formen religiösen Lebens als Relikte und sich
selbst in ihrem Unglauben als Speerspitze des welthistorischen
Fortschritts zu imaginieren. Durch die wirtschaftliche und
wissenschaftlich-technische Modernisierung von Gesellschaften und Kulturen außerhalb Europas und Nordamerikas zeigt
sich, daß vieles, was für einen gesetzmäßigen kausalen Zusammenhang von Modernisierung und Säkularisierung gehalten
wurde, auf Kontingenzen der europäischen Geschichte zu-
rückgeht. Selbst die verbliebenen Verfechter der Annahme, es
gebe einen solchen Zusammenhang, räumen heute ein, daß
unsere Welt in absehbarer Zeit immer religiöser werde; sie
kommen zu diesem Zugeständnis, sobald sie die demographische Dimension berücksichtigen, die unterschiedliche Frucht-
barkeit säkularisierter und religiös vitaler Gesellschaften. Die
Möglichkeit, eine an den Tatsachen abzulesende geschichtliche Tendenz als Argument gegen den Glauben zu verwenden,
ist damit ebenso erschüttert wie umgekehrt die pharisäische
Selbstgewißheit, durch den Glauben schon ein moralisch bes-
serer Mensch zu sein.

Wer an der Vorstellung festhält, radikale Säkularisierung sei
aus anthropologischen Gründen unmöglich, für den stellen
sich die Totalitarismen notwendig als bloßer Ersatz der historischen Religionen dar, als Resultat von Säkularisierung oder
von Versuchen, Säkularisierungsverluste zu kompensieren.
Darin steckt die Gefahr, das Neue in diesen Neuschöpfungen
ganz zu übersehen oder es Altem und Bekanntem in der Religionsgeschichte anzuähneln, vielleicht sogar auf eine mystifi-
zierte unterirdische Wirkungsgeschichte (gnostischer oder mil-
lenaristischer) Motive zurückzuführen. Wer umgekehrt an der

Vorstellung festhält, Modernisierung führe zur Säkularisierung, der wird die quasi-religiösen Züge der Totalitarismen als Symptome einer noch nicht völligen Überwindung der Religion wahrnehmen, als Vorstellungen, Praktiken und Institutionen, die wie die tradierten Religionen keine Zukunft haben.[4]

Das entscheidende Desiderat in der heutigen Lage ist deshalb, über diese Totalitarismen, aber nicht nur über sie, sondern über die gesamte Weltgeschichte des Verhältnisses von Religion und Politik zu sprechen, ohne diese beiden Pseudogewißheiten länger in Anspruch zu nehmen. Dafür ist es in einem ersten Schritt nötig, einen scharfen begrifflichen Unterschied zwischen dem Sakralen und der Religion zu machen – zumindest in dem Sinne, daß das Sakrale nicht aus Religionen abgeleitet wird, sondern umgekehrt Religionen als Versuche gesehen werden, die Erfahrung des Sakralen zu interpretieren, durch Praktiken und Narrationen zu ermöglichen und durch Institutionsbildung auf Dauer zu stellen. Die Entstehung von Sakralität in menschlichen Erfahrungen ist nun aber der Ausgangspunkt des angekündigten Vorschlags. Jede Vorstellung, daß es sich bei «Religion» und «Politik» um zwei ursprünglich voneinander klar trennbare Entitäten handele, wird dabei von vornherein vermieden. Es geht vielmehr darum, nicht aus den Augen zu verlieren, daß wir von Menschen, ihren Handlun-

---

4 Äußerst instruktiv in dieser Hinsicht sind die Debatten über den Begriff «politische Religion» und die Leistungskraft bzw. die Grenzen des großen Entwurfs von Michael Burleigh. Vgl. u. a. Philippe Burrin: *Political Religion: The Relevance of a Concept*, in: History and Memory 9 (1997), S. 321–349; Hans Maier (Hg.): *Wege in die Gewalt. Die modernen politischen Religionen*. Frankfurt a. M. 2000; David D. Roberts: ‹Political Religion› and the Totalitarian Departures of Inter-war Europe: On the Uses and Disadvantages of an Analytical Category, in: Contemporary European History 18 (2009), S. 381–414; Michael Burleigh: *Irdische Mächte, göttliches Heil. Die Geschichte des Kampfes zwischen Politik und Religion von der Französischen Revolution bis in die Gegenwart.* München 2008.

gen, Erfahrungen und sozialen Zusammenschlüssen sprechen sollten, und nicht von «Faktoren» oder «Systemen». Nur wenn wir dies im Auge behalten, können wir das historische Wechselspiel von Sakralität und Macht mit Aussicht auf Erfolg zu entwirren versuchen.

Die Entstehung der Sakralität stellt ein grundlegendes anthropologisches Phänomen dar.[5] Menschen machen Erfahrungen, in denen sie sich über die Grenzen ihres Selbst hinausgerissen fühlen – Erfahrungen der «Selbsttranszendenz». Machen sie solche Erfahrungen, können sie nicht umhin, die erlebte Kraft, die ihren eigenen Willen übersteigt, von der aber auch ihre Lebenskraft abhängt, auf Quellen zurückzuführen, die außerhalb von ihnen liegen. Diesen Quellen müssen Eigenschaften zugeschrieben werden, die sich von den Eigenschaften der alltäglich begegnenden Dinge, Personen oder Situationen unterscheiden. Wenn auf diese Erfahrungen des Sakralen und auf ihre Quellen die Frage nach dem moralisch Akzeptablen angewandt wird, dann wird aus dem Sakralen, in dem Gutes und Böses, Göttliches und Teuflisches stecken können, das unbedingt Gute. Wie die Erfahrung der Selbsttranszendenz eine irreduzible Gegebenheit menschlichen Lebens darstellt, so kann man dann von einem «Faktum der Idealbildung»[6] sprechen. Damit ist zunächst nicht mehr gemeint als die empirische Tatsache, daß Menschen in ihrem Zusammenleben Ideale konstituieren, d. h. Vorstellungen über das Gute und das Böse hervorbringen, die ihnen als offensichtlich, als subjektiv evident, in diesem Sinne keiner weiteren Begründung bedürftig,

---

5 In den folgenden dürren und knappen Sätzen fasse ich den Grundgedanken meiner beiden Bücher *Die Entstehung der Werte*. Frankfurt a. M. 1997 und *Braucht der Mensch Religion? Über Erfahrungen der Selbsttranszendenz*. Freiburg i. Br. 2004 zusammen.

6 Diese Formulierung habe ich zuerst im Rahmen einer methodologischen Rechtfertigung meines Versuchs, die Geschichte der Menschenrechte als die einer Sakralisierung (der Person) zu schreiben, verwendet. Vgl. Hans Joas: *Die Sakralität der Person. Eine neue Genealogie der Menschenrechte*. Berlin 2011, S. 155.

sondern allen Begründungen als unentbehrliches Gewißheitsfundament zugrundeliegend, erscheinen, und deren Evidenz sie mit affektiver Intensität ergreift. Ich habe die Formulierung «Faktum der Idealbildung» in bewußter, aber ungewollt vermessen klingender Anspielung auf Kants Rede vom *Faktum der reinen praktischen Vernunft* gewählt, doch wird in meiner Formulierung ein doppelter Unterschied zu Kants Moralphilosophie ebenfalls sofort deutlich. Der Begriff des Ideals ist viel weiter als der der Moral, auf den Kant zielte, und betont das Attraktive mehr als das Restriktive. Indem weiterhin von Ideal*bildung* und nicht einfach von Ideal oder Moral die Rede ist, wird statt auf eine immerwährende überhistorische Geltung auf eine unvorhersehbare, durch und durch historische Entstehung aufmerksam gemacht.

Dieser Grundgedanke soll gleich in einigen Hinsichten spezifiziert werden. Ganz wichtig ist, daß es sich bei der Idealbildung nicht um einen intentionalen Prozeß handelt. Wir können nicht beschließen, etwas als Ideal zu betrachten, sondern wir müssen umgekehrt davon ergriffen werden, weshalb wir in allen solchen Fällen uns als passiv erleben, als Empfänger einer Gabe, Hörer einer Botschaft, Gefäß einer Inspiration. Nietzsches Rede von der «Fabrikation» in der *Genealogie der Moral* ist deshalb dem in Rede stehenden Phänomen ganz unangemessen.[7] Weiterhin ist hervorzuheben, daß die Fallhöhe zwischen Ideal und Wirklichkeit nicht fix ist, sondern selbst historisch variabel. Mit der Betonung des Faktums der Idealbildung ist auch nicht im Sinne einer idealistischen Geschichtsphilosophie die Annahme verbunden, daß die Geschichte ein Prozeß der fortschreitenden, teleologischen Verwirklichung des Ideals sei. Ganz im Gegenteil hebt der Akzent auf der Ideal*bildung* gerade hervor, daß in der Geschichte immer wieder neue Ideale entstehen, die mit alten brechen und dem Handeln eine verän-

---

7 Ausführlicher zu Leistung und Grenze von Nietzsches Beitrag: *Die Entstehung der Werte*, S. 37–57.

derte Richtung geben. Der historische Wandel in seiner Vielge-
staltigkeit, nicht die Logik *einer* Entwicklung wird so in den
Blick gerückt. Neuentstehung von Idealen schließt das Verblassen alter Ideale ein, zumindest die Verschiebung von Vorstellungen, den Zwang zu neuen Synthesen. Solcher Wandel kann
schleichend oder plötzlich geschehen. Was wir Säkularisierung
nennen, ist in dieser Perspektive auch insofern mehrdeutig, als
es sich bei ihr um eine Verschiebung der affektiven Intensität
von einem Vorstellungsgehalt zu einem anderen handeln
kann – etwa dort, wo an die Stelle des Christentums die Bindung an den Sozialismus trat –, aber auch um ein bloßes Nach-
lassen der Intensität, «l'institution démotivée»,[8] ohne neue Gehalte also, an die affektiv intensive Bindungen entstehen.

Ich habe von der «Idealbildung» gesprochen und nicht von
der «Entstehung der Werte», auch um den Konnotationen
auszuweichen, die der Wert-Begriff für manche deutsche Philosophen und Theologen anhaltend hat. Noch wichtiger aber
ist das Motiv, das gemeinte Phänomen nicht intellektualistisch
einzuengen, als ginge es vornehmlich um die Entstehung von
Zustimmung zu propositional ausformulierbaren Gehalten. In
der Wirklichkeit handelt es sich bei dem gemeinten Phänomen
um einen ganzheitlichen Prozeß, in dem tiefere Schichten der
Person angesprochen werden als ihr Argumentationsvermö-
gen. Deshalb empfiehlt es sich, hier auch von «Sakralisierung»
zu reden, von der zutiefst verstörenden oder begeisternden Begegnung mit ergreifenden Kräften, die uns ein Bild des Guten
oder Bösen liefern, das wir immer nur unzulänglich in einzelne
zustimmungsfähige Sätze transformieren und das auch das
Gute und das Böse nicht säuberlich geschieden enthalten muß.

Auf diese Grundgedanken vom Faktum der Idealbildung
und von der historisch kontingenten Dynamik von Prozessen

---

8 François Héran: *L'institution démotivée. De Fustel de Coulanges à
Durkheim et au-delà*, in: Revue française de sociologie 28 (1987),
S. 67–97.

der Sakralisierung und Entsakralisierung liefen – in unterschiedlicher Begrifflichkeit – die Überlegungen wichtiger Denker vom Anfang des zwanzigsten Jahrhunderts hinaus. Sie alle wehrten sich sowohl gegen alle «materialistischen» Versuche, Ideale als bloße Ideologien oder Illusionen zu denunzieren, als auch gegen «idealistische» Überhöhungen der menschlichen Vorstellungen vom Guten gegenüber den anderen Dimensionen menschlichen Handelns. Zu diesen Denkern gehören die amerikanischen Pragmatisten William James und John Dewey, der zwischen Neoidealismus und Pragmatismus sich bewegende Josiah Royce, der Begründer der französischen Soziologie Émile Durkheim, in Deutschland Georg Simmel, Max Scheler, Ernst Troeltsch und in bestimmten Hinsichten Max Weber. Vielleicht am klarsten kommt der Grundgedanke bei Émile Durkheim zum Ausdruck, wenn er sich in der «Zusammenfassung» seines klassischen Werkes von 1912 über die elementaren Formen des religiösen Lebens[9] zwar darum bemüht nachzuweisen, daß es die Gesellschaften sind, die Religionen hervorbringen, zugleich aber sich heftig dagegen abgrenzt, im Sinne eines historischen Materialismus verstanden zu werden. Durkheim zielte auf die für den Menschen typische Fähigkeit, «sich das Ideale vorzustellen und es dem Wirklichen hinzuzufügen», während das Tier ihm zufolge nur eine Welt kennt: «die Welt, die es durch innere wie äußere Erfahrung wahrnimmt».[10] Für ihn hatte es nun aber keinen Sinn, diese anthropologische Grundtatsache so zu behandeln, als sei sie «eine geheime Fähigkeit (...), die der Wissenschaft nicht zugänglich ist»,[11] sondern ganz im Gegenteil ist es gerade diese menschliche Gabe, die in ihren konkreten Formen empi-

---

9 Émile Durkheim: *Die elementaren Formen des religiösen Lebens.* Frankfurt a. M. 1981, S. 556–597; außerdem ders.: *Einführung in die Moral* (1917), in: Hans Bertram (Hg.): *Gesellschaftlicher Zwang und moralische Autonomie.* Frankfurt a. M. 1986, S. 33–53.
10 Durkheim: *Die elementaren Formen des religiösen Lebens*, S. 564.
11 Ebd., S. 565.

risch untersucht werden muß. Dabei muß vor allem der Irrtum vermieden werden, die Idealbildung so zu behandeln, als sei sie eine Art «Luxus, den der Mensch entbehren könnte»;[12] sie ist vielmehr seine Existenzbedingung. «Eine Gesellschaft kann nicht entstehen, noch sich erneuern, ohne gleichzeitig Ideale zu erzeugen. Diese Schöpfung ist für sie nicht irgendwie Ersatzhandlung, mit der sie sich ergänzt, wenn sie einmal gebildet ist, sie stellt vielmehr den Akt dar, mit dem sie sich bildet und periodisch erneuert. (...) Die ideale Gesellschaft steht nicht außerhalb der wirklichen Gesellschaft; sie ist ein Teil von ihr; statt zwischen ihnen geteilt zu sein, wie zwischen zwei Polen, die sich abstoßen, kann man nicht der einen angehören, ohne auch der anderen anzugehören.»[13] Zu einer Gesellschaft – heißt das – gehört zentral die Idee, die sie sich von sich selbst macht, und der sie nicht notwendig entspricht, aber zu entsprechen strebt.

Bei den pragmatistischen Denkern findet sich derselbe Gedanke, aber überwiegend in einer auf den individuellen Menschen gerichteten Weise. William James etwa führt eine Unterscheidung zwischen unserem Selbst «in actu» und dem «in posse» ein[14] und hebt hervor, daß wir den individuellen Menschen nicht angemessen verstehen, wenn wir ihn nur in seinen gegebenen Eigenschaften und Leistungen erfassen und nicht auch in den ihm vorschwebenden Idealen. Aus der Selbstbeobachtung wissen wir alle, wie sehr wir uns eingeengt und verkürzt finden, wenn andere von unserer Potentialität absehen und uns auf das nachweislich Gegebene reduzieren, doch im Umgang mit anderen begehen wir diesen Fehler gleichwohl immer wieder. Natürlich gibt es auch Ironiker und Skeptiker, das heißt Menschen mit einem gebrochenen Verhältnis zum eigenen Ideal oder zu vielen Idealen, aber ein völliges Fehlen

12 Ebd., S. 566.
13 Ebd., S. 566 (Übersetzung verändert).
14 William James: *The Varieties of Religious Experience*. New York 1902, S. 138, FN 2; auch S. 210.

eines Bezugs zur Idealität beim Individuum ist für James gleichzusetzen mit schwärzester Depression, dem Leben in einer Welt, die für uns keine attraktiven Qualitäten entwickelt. In der Philosophie von Josiah Royce wird dieser Gedanke, daß wir über die «power to form ideals» verfügen und daß diese «a product of my nature as a social being» sei,[15] zum Ausgangspunkt weitreichender ethischer und religionstheoretischer Überlegungen. Ernst Troeltsch entwickelte aus demselben Grundgedanken seine Konzeptionen eines Auswegs aus den relativistischen Gefahren des Historismus und einer Universalgeschichte der Religion.[16]

Doch genug der wissenschaftsgeschichtlichen Selbstvergewisserung. An dieser Stelle mag es so klingen, als sei meine Botschaft im Kern lediglich ein wohlwollender Humanismus. Das wäre zwar vielleicht nicht das Schlimmste, ich ziele aber in eine ganz andere Richtung. Denken wir nämlich nicht vornehmlich an Individuen und nehmen wir die Vielfalt der Ideale ernst, ihre große kulturelle und geschichtliche Varianz, die Tatsache, daß den einen als evident gut erscheinen mag, was für die anderen evident böse ist, dann nähern wir uns der Einsicht, daß das «Faktum der Idealbildung» nicht einfach das Wahre, Schöne, Gute an sich meint, sondern eine Kehrseite hat. Die Idealbildung ist nämlich in ihrer ursprünglichen Gestalt eine Idealisierung bestimmter besonders gelungener Zustände des Kollektivs, aus dem dieses Ideal hervorgeht; *die*

15 Josiah Royce: *The Problem of Christianity* (1913). Washington, D. C. 2001, S. 110, aber auch ders.: *The Philosophy of Loyalty*. New York 1908.

16 Ernst Troeltsch: *Der Historismus und seine Probleme* (1922). Berlin 2008 (= Kritische Gesamtausgabe, Bd. 16.1 und 16.2); dazu Joas: *Sakralität*, S. 147–203. Zu Troeltschs Programm insgesamt vgl. Hans Joas: *Selbsttranszendenz und Wertbindung. Ernst Troeltsch als Ausgangspunkt einer modernen Religionssoziologie*, in: Friedrich Wilhelm Graf/Friedemann Voigt (Hg.): *Religion(en) denken. Transformationen der Religionsforschung*. Berlin 2010 (Troeltsch-Studien, Neue Folge Bd. 2), S. 51–64.

Sakralisierung bestimmter Gehalte ist ursprünglich immer auch eine Selbstsakralisierung des Kollektivs. Nur aus einer anachronistisch individualistischen Perspektive denken wir zuvörderst an das Individuum und seine Erfahrung der Diskrepanz zwischen dem Ideal und seinem realen Vermögen. In den Jäger- und Sammlergesellschaften scheint es aber, wie Forschungen zu den australischen Aborigines[17] belegen, vielmehr so zu sein, daß das Ideal überhaupt nur im kollektiven Selbstgenuß des gelingenden Rituals als solchem besteht. Kein Individuum wird dabei dauerhaft als Verkörperung des kollektiven Idealzustands erlebt.

Die personale Verkörperung des Ideals nimmt sich in einer solchen Entwicklungsrekonstruktion schon als weiter fortgeschrittene Stufe aus. Dies soll nicht heißen, daß die ursprüngliche Selbstsakralisierung des Kollektivs verschwindet. Andere Stämme, die nicht an der Ekstase des kollektiven Rituals teilhaben und insofern nicht in die Nähe zu den erlebten überwältigenden Kräften kommen, werden als «unheilig», ihre Mitglieder als bloße «Schattenkreaturen»[18] erlebt, die das wahre, das gesteigerte Leben nicht kennen. Im eigenen Kollektiv liegt es nahe, denen eine besondere Idealität zuzusprechen, die das kollektive Ritual am besten kennen, den erfahrenen Alten und den «Experten» der Vorbereitung, Durchführung und Ausdeutung des Ritualgeschehens. Diese Personalisierung kann aber noch ganz auf der Ebene der Dynamik von Sakralisierungsprozessen verbleiben, ohne eigentliche Ausdifferenzierung von Macht oder gar Politik: Menschen können schlicht Vorbild sein, ohne aus ihrer Vorbildhaftigkeit verbindliche Ansprüche auf Gefolgschaft oder gar materielle Privilegien abzuleiten.

---

17 W. E. H. Stanner: *Religion, Totemism, and Symbolism*, in: Ronald M. Berndt/Catherine M. Berndt (Hg.): *Aboriginal Man in Australia.* Sydney 1965, S. 207–237.
18 In einer Formulierung von Werner Stark: *Grundriß der Religionssoziologie.* Freiburg i. Br. 1974, S. 19.

Doch wird von da an jeder Schritt der Macht- und Herr-schaftsbildung im Horizont dieser Selbstsakralisierung des Kollektivs erlebt werden. Den Alten oder den Zauberern (Scha-manen, Medizinmännern usw.) kann damit ebenso Macht zu-wachsen, wie umgekehrt den im Kampf mit anderen bewährten Kriegern eine größere Erfülltheit von sakralen Kräften zuge-schrieben werden wird. Damit gibt es nicht nur Zustände des Kollektivs, in denen dieses als ganzes sich gehoben fühlt, und nicht nur geachtete Ältere und Vorbilder, sondern macht-gestützte Sakralität und als sakral erlebte Macht. Die Varianz der Formen ist dabei enorm. Ich rede bewußt von «Macht» und «Sakralität», weil «Religion» und «Politik» Zustände sugge-rieren, die gerade noch nicht gegeben sind, nämlich eine profes-sionelle Systematisierung des Sakralen oder die Herausbildung elementarer staatlicher Strukturen. Mit deren Entstehung und starker Ausbildung in Ägypten, Mesopotamien oder China steigert sich die Konzentration der Sakralität in machtvollen Personen, die es schon bei der Sakralisierung von «Häuptlin-gen» gab, in Orten ihres Lebens oder ihrer Totenruhe und des durch sie oder in ihrem Auftrag durchgeführten Kultes ins Un-ermeßliche. Nun kann keine Rede mehr davon sein, daß das Ideal einfach ein gehobener Zustand des Kollektivs oder ein als vorbildhaft erlebter Mensch sei; jetzt können Machtmittel zur Befestigung des einen Kultes eingesetzt werden, Ansprüche auf Unterordnung durch die kosmische Rolle des Herrschers be-gründet, Opferpraktiken auf Menschenopfer hin systematisch ausgeweitet. Unsere Phantasie ist bis heute von Bildern durch-setzt, die auf die Gewaltförmigkeit der archaischen Staatlich-keit zurückgehen: die Pharaonen oder Nebukadnezar oder die Menschenopfer der Azteken – wobei dahingestellt bleiben soll, was von diesen Bildern historischer Wirklichkeit oder feindli-cher Greuelpropaganda entsprang.

Die Fusion von Religion und Politik im archaischen Staat ist damit zumindest auf imaginärer Ebene ein Schreckensszenario von anhaltender Wucht geblieben. Von zentraler Bedeutung für unsere Frage nach dem Verhältnis von politischer Herrschaft und religiöser Interpretation ist nun aber, daß die Religionsgeschichte selbst die stärkste Reaktion auf das in den Stammesreligionen, erst recht aber in den archaischen Religionen enthaltene Gewaltpotential hervorgebracht hat. Schon Max Weber hat, wenn er von einem «prophetischen Zeitalter» nicht nur bei den Juden sprach und von der Ethisierung von Erlösungsvorstellungen, an wichtige Strömungen der Religionsgeschichtsschreibung des neunzehnten Jahrhunderts anknüpfend, den zutiefst religiösen Bruch mit der machtgestützten Sakralität der archaischen Staaten kenntlich gemacht.[19] Karl Jaspers hat in seinem Buch *Vom Ursprung und Ziel der Geschichte* von 1949, einem Buch, das auch eine wichtige Antwort auf die Herausforderungen des Totalitarismus darstellt, an Weber und andere anknüpfend, von einer «Achsenzeit» im antiken Judentum, Griechenland, Indien, Iran und China gesprochen, in einer Epoche, in der – so Jaspers – eine neue Weise der Reflexion auf die Grundbedingungen menschlicher Existenz eingesetzt habe.[20] Er rückte dabei die Möglichkeit der wechselseitigen Verständigung zwischen den Zivilisationen in den Vordergrund, die aus diesen Umbrüchen hervorgingen und sich aus ihnen bis heute nähren. An diese lange Zeit nur wenig rezipierten Gedankengänge und an ähnliche Überlegungen etwa Eric Voegelins schließt seit einigen Jahrzehnten eine breite Strömung historisch-vergleichender Religionssoziologie an, angeführt von zwei der bedeutendsten Soziologen überhaupt, Shmuel Eisenstadt und Robert Bellah. Dabei sind die genauen Charakteristika dieser «Achsenzeit», ihre Auslöser und Folgen, durchaus umstritten. Der israelische Soziologe Eisenstadt war es zunächst, der – zusammen mit dem Harvard-Sinologen Benjamin Schwartz – das entscheidende Charakteristikum dieser religiösen Umwälzung in der

---

19 Max Weber: *Religiöse Gemeinschaften*, in: *Max-Weber-Gesamtausgabe.* Bd. I/22–2. Tübingen 2001, S. 183 f.
20 Karl Jaspers: *Vom Ursprung und Ziel der Geschichte.* Zürich 1949.

Entstehung der Vorstellung von «Transzendenz» und ihren politisch-soziologischen Konsequenzen erblickte.[21]

Bis heute wird oft so getan, als sei ein Bezug zur «Transzendenz» Kennzeichen jeder Religion, wobei der Preis für diese Redeweise ein völlig trivialisiertes Verständnis von Transzendenz ist. Dabei war während des größten Teils der Menschheitsgeschichte das Göttliche Teil der Welt – ohne eine Trennung von der Welt des bloß Irdischen. Die Geister und Götter konnten direkt beeinflußt, wenn nicht manipuliert werden, da sie eben Teil der Welt waren oder das Reich der Götter (z. B. auf dem Olymp) zumindest nicht viel anders funktionierte als die irdische Welt.

Wenn nun aber eine scharfe quasi-räumliche Grenze zwischen dem Weltlichen und dem Göttlichen gezogen wird, stellt dies eine enorme Steigerung des Faktums der Idealbildung dar. Nun kann das Göttliche als das Eigentliche gedacht werden, das Wahre, das ganz Andere, dem gegenüber das Irdische nur defizitär sein kann. Es gibt nun ein Reich des konkret Guten, das über alle irdisch vorstellbaren Qualitäten hinausgeht.

Bei dieser Differenzbildung handelt es sich nicht nur um einen metaphysischen Gedanken, sondern um die Artikulation einer unerhört gesteigerten Spannung zwischen Ideal und Wirklichkeit. Die Religion, die gerade in den archaischen Staaten als starkes Mittel der Sakralisierung von Macht und Herrschaft erscheinen konnte, wird zu einem Mittel der Entsakralisierung ebendieser Macht. Mit der Vorstellung von Transzendenz ist kein Gotteskönigtum vereinbar. Wenn Gott oder die Götter ihren Ort außerhalb des Mundanen haben, kann kein Herrscher selbst mehr Gott sein. Der Herrscher ist von

---

21 Eric Voegelin: *Ordnung und Geschichte* (1956). München 2005; Shmuel Eisenstadt: *Die Achsenzeit in der Weltgeschichte*, in: Hans Joas/Klaus Wiegandt (Hg.): *Die kulturellen Werte Europas*. Frankfurt a. M. 2005, S. 11–39; Benjamin Schwartz: *The Age of Transcendence*, in: Daedalus 104:2 (1975), S. 1–7; Robert Bellah: *Religion in Human Evolution: From the Paleolithic to the Axial Age*. Cambridge, Mass. 2011.

dieser Welt – und hat sich nun vor der wahren jenseitigen Welt zu rechtfertigen. Die Religion kann so den Ausgangspunkt bilden für eine über die staatliche Herrschaft hinausreichende neue Form der Kritik an Herrschaft und an ihren Mitteln sowie den Formen der von ihr gestützten sozialen Ungleichheit. Wenn Gott Gebote erläßt, denen der Herrscher nicht genügt, wird es zur Pflicht, im Namen Gottes gegen ihn aufzustehen und Gott mehr zu gehorchen als den Menschen, auch den mächtigsten unter ihnen. Spielräume für «Intellektuelle» avant la lettre entstehen, Priester, die auf Grundlage heiliger Texte predigen und handeln, Propheten, die zur Umkehr aufrufen oder diese, wie Buddha, exemplarisch verkörpern. Die Selbstsakralisierung des Kollektivs öffnet sich einen Spalt weit, da nun das ethnische Kollektiv und das religiöse nicht mehr notwendig miteinander identisch sind. An die Stelle der Blutsbrüderschaft gegen Feinde kann die Idee der Menschheit treten, die alle ethnischen Partikularitäten universalistisch überschreitet; an die Stelle heroischer Gewaltanwendung die Idee des Gewaltverzichts und des versöhnenden Selbstopfers. Zumindest wird durch den achsenzeitlichen Durchbruch die Grundlage gelegt, auf der etwa das Christentum (und später auch der Islam) erwachsen konnten. Die Geschichte von Jesus Christus ist eine des Bruches mit der Selbstsakralisierung seines Volkes ebenso wie mit der des römischen Imperiums.

Ich spreche von einer Entsakralisierung politischer Macht und ziehe diesen Begriff dem einer Rationalisierung oder Säkularisierung für das hier in Rede stehende Phänomen vor. Es geht nicht um eine Reduktion der Sakralität insgesamt, sondern um eine neuartige, gewissermaßen reflexiv gewordene Verortung. Anstatt den Verzweigungen der religionshistorisch-soziologischen Forschung zu diesen Fragen näher nachzugehen,[22] soll hier – diesen Punkt abschließend – ein Beispiel gegeben werden.

22 Dazu jetzt Robert Bellah/Hans Joas (Hg.): *The Axial Age and Its Consequences*. Cambridge, Mass. 2012.

Der evangelische Alttestamentler Eckart Otto hat in faszinie-
render Weise nachgewiesen, daß eine besonders blutrünstig
klingende Passage des Buches *Deuteronomium* (13, 2–10), in
der vor der Verführung zum Götzendienst gewarnt und dazu
aufgefordert wird, jeden solchen Verführer zu töten und selbst
dann an der Hinrichtung eigenhändig mitzuwirken, wenn es
sich um den eigenen Bruder, Sohn, Tochter, Frau, besten Freund
handelt – daß diese ganze Passage eine wörtliche Übernahme
des Loyalitätseids darstellt, den die Granden des assyrischen
Reiches und ihre Vasallen, auch der judäische König Manasse
(696–642 v. Chr.), dem assyrischen König schwören mußten.
Durch die Umpolung des Loyalitätseids auf Gott aber wird der
König der Juden umgedeutet «zum ersten Torafrommen seines
Volkes» (5 Mose 17, 14–20).[23] Gott oder doch die Kultge-
meinde und die Schriftgelehrten werden damit zur Quelle des
Rechts und treten in dieser Hinsicht an die Stelle des Königs.

Bei aller Würdigung der mit der Achsenzeit oder, wenn es
denn nicht eine bestimmte Epoche sein sollte, mit den genannten religiösen Veränderungen zu welchem Zeitpunkt auch immer verbundenen Sprengkraft darf dieser Punkt nicht so behandelt werden, als sei von hier aus eine dauerhafte Entsakralisierung politischer Macht zum stabilen kulturellen Besitz der
achsenzeitlichen Zivilisationen geworden. Rückblickend kann
der angebliche welthistorische Bruch manchmal fast als bloße
Episode erscheinen, da sich alle in diesem Sinn entsakralisie-
rende religiöse Kraft immer gleich wieder als Quelle neuer religiöser Legitimation politischer Macht in Dienst nehmen ließ.
Das Christentum etwa wurde zur Staatsreligion des römischen
Reiches; in Byzanz kam es sogar zu «Hybridisierungen»[24] von
Kaiser- und Christuskult, und auch das lateinische Christen-

---

23 Eckart Otto: *Auszug und Rückkehr Gottes. Säkularisierung und
Theologisierung im Judentum*, in: Hans Joas/Klaus Wiegandt (Hg.):
Säkularisierung und die Weltreligionen, S. 125–171, v. a. S. 133–141,
hier S. 139.
24 Stark: *Grundriß*, S. 13.

tum hat trotz aller inneren Spannungen zwischen Kirche und
politischer Macht eine Fülle von Verflechtungen und integrier-
ten religiös-politischen Legitimationsformen hervorgebracht.
«Verstaatlichung» des Glaubens bleibt eine ständige Verführung auch der nachachsenzeitlichen Religionen.

Dabei ist sie nicht die einzige. Wo der Staat eher schwach
ist, kann sich die nachachsenzeitliche politische Selbstsakralisierung auf das Volk selbst richten und diesem eine von Gott
her privilegierte Rolle der Auserwähltheit zuschreiben. Man
muß diese nicht negativ mythisieren; es ist im Gegenteil nach-
vollziehbar, daß das Gefühl einer unerhört überlegenen religiösen Einsicht, die dem eigenen Volk zuteil wird, in Begriffen
der Auserwähltheit für ebendiese «Offenbarung» interpretiert
wird. Entscheidend wird dann, ob die eigene Auserwähltheit
als eine «with tenure» erlebt wird,[25] als eine völlig einmalige,
unkündbare und unbedingte Bevorzugung dieses einen Volkes
durch Gott, oder als bedingt und auch anderen zuteil wer-
dend. Berühmt ist die Stelle beim Propheten Amos, in der ein
Sonderrecht für das Volk Israel bestritten wird; dort sagt der
Herr: «Meint ihr Israeliten, ihr wärt in meinen Augen etwas
Besseres als die Leute von Kusch, die am Ende der Welt woh-
nen? Gewiß, ich habe euch aus Ägypten herausgeführt, aber
ebenso die Philister aus Kreta und die Syrer aus Kir. Ich, der
Herr, der mächtige Gott, sehe genau, was man in Israel, diesem verdorbenen Königreich, treibt. Deshalb lasse ich es spur-
los von der Erde verschwinden» (Amos 9, 7).[26] Wie die «Ver-

25 Conor Cruise O'Brien: *God Land: Reflections on Religion and Na-
    tionalism*. Cambridge, Mass. 1988, S. 42, zitiert nach Dieter Lange-
    wiesche: *Reich, Nation, Föderation. Deutschland und Europa*. Mün-
    chen 2008, S. 71.
26 Ich zitiere hier wie an allen Stellen aus der revidierten Fassung 1997
    der *Bibel im heutigen Deutsch*. Die genannte Stelle spielt eine wichtige
    Rolle in Michael Walzers Unterscheidung zweier Arten von Univer-
    salismus in Judentum *und* Christentum. Vgl. etwa *Lokale Kritik – glo-
    bale Standards. Zwei Formen moralischer Auseinandersetzung*. Berlin
    1996, S. 144.

staatlichung» des Glaubens eine Gefahr für den moralischen Universalismus darstellt, so eine Ethnisierung oder Kulturalisierung, wie sie in der Vorstellung der unbedingten Auserwähltheit eines Volkes enthalten ist.

In der Geschichte des nordamerikanischen Selbstverständnisses wiederholten sich diese Spannungen in geradezu exemplarischer Weise. Die lange Zeit schwach ausgeprägte Staatlichkeit machte den Siedlern die Vorstellung, ein «auserwähltes Volk» zu sein, besonders plausibel. Durch die Geschichte der USA zieht sich das damit unvermeidliche Spannungsverhältnis von Universalismus und Partikularismus und die Neigung zur universalistischen Überhöhung partikularistischer Ziele durch Vorstellungen von einer den Amerikanern aufgegebenen Mission zur Zivilisierung, Befriedung und Demokratisierung der Welt. Eine klassische Formulierung dieses Motivs lautet so: «God has not been preparing the English-speaking and Teutonic peoples for a thousand years for nothing but vain and idle self-contemplation and self-admiration. No. He made us master-organizers of the world to establish system where chaos reigned. He has given us the spirit of progress to overwhelm the forces of reaction throughout the earth. He has made us adept in government that we may administer government among savage and senile peoples. Were it not for such a force as this the world would relapse into barbarism and night. And of all our race He has marked the American people as His chosen nation to finally lead in the redemption of the world.»[27] Ich sehe in solcher Wiederkehr eines alttestamentlichen Motivs freilich nicht so sehr die Auswirkung einer untergründig kontinuierlichen Motiventwicklung, sondern die Eignung bestimmter alter Deutungsschemata für die Artikulation neuartiger Situationen. Auch

---

27 So der republikanische Senator Albert J. Beveridge (Indiana) in einer Rede vor dem US-Senat am 9. Januar 1900 (Congressional Record: 56th Congress, session I), zitiert nach Ernest Lee Tuveson: *Redeemer Nation: The Idea of America's Millennial Role*. Chicago 1968, S. VII.

die nachachsenzeitliche Religionsgeschichte ist damit eine der Selbstsakralisierungen.

Der Stachel aber bleibt. Durch die achsenzeitlichen Innovationen kommt ein Potential zur Entsakralisierung politischer Macht in die Welt, das nie wieder völlig verstummte oder verschwand. Damit stellt sich die Geschichte des Verhältnisses von Religion und Politik nach der Achsenzeit als eine Geschichte ständiger Spannungen dar – von Spannungen, die wir angesichts des universalistischen Potentials aller achsenzeitlichen Traditionen, aber auch angesichts der jeweiligen partikularistischen Einschränkungen bei all diesen Entwicklungen vorurteilsfrei rekonstruieren und bilanzieren müssen. Falsch ist es, die religiösen Lehren der Weltreligionen abstrakt miteinander zu vergleichen und sie damit von der jeweils gelebten Praxis zu isolieren. Verbreitet ist die Neigung, bei der eigenen Tradition mehr das universalistische Potential, bei den anderen mehr die partikularistischen Einschränkungen zu sehen. Ebendamit aber wird die Grenze überschritten, von der ab das universalistische Pathos erneut nur Mittel im Kampf um die Durchsetzung partikularer Zwecke wird. Anders auch als Charles Taylor (in seinem monumentalen Werk *A Secular Age*)[28] kann ich nicht sehen, daß sich etwa die periodischen Reformanstrengungen in der Kirchengeschichte des lateinischen Christentums wirklich zu einem «Vektor», wie er sagt, aufaddieren lassen, einem Vektor der religiösen Entsakralisierung politischer Macht. Dazu sind die Zusammenhänge etwa von mittelalterlicher Klosterreform und dem Geist der Kreuzzüge, von Reformation und frühneuzeitlicher Staatsbildung, von radikaler Reformation und dem Geist kapitalistischen Wirtschaftens und seiner politischen Institutionalisierung zu eng.

---

28 Deutsche Übersetzung: *Ein säkulares Zeitalter*. Frankfurt/Main 2009. Meine Einwände sind etwas ausführlicher entwickelt in *Die säkulare Option. Ihr Aufstieg und ihre Folgen*, in: Deutsche Zeitschrift für Philosophie 57 (2009), S. 293–300.

Weder stabiler kultureller Besitz also noch immerhin in eine Richtung zielender Vektor, aber doch auch nicht beliebiges konjunkturelles Auf und Ab von Sakralisierung und Entsakralisierung politischer Macht. Wie sollen wir uns das Verhältnis der achsenzeitlich entstandenen Universalismen zu den Kulturen, in die sie eingebettet sind, genauer vorstellen? In kritischer Auseinandersetzung vor allem mit Ernst Troeltsch hat der amerikanische protestantische Theologe H. Richard Niebuhr äußerst hilfreiche begriffliche Unterscheidungen und Typologien entwickelt, die den Zweck haben, das Spannungsverhältnis dieses Universalismus mit seinen notwendig partikularen kulturellen und sozialen Gestalten aufzuschlüsseln.[29] Ihm zufolge ist in unserer Zeit neben den Auseinandersetzungen zwischen Religion und Areligiösität ein anderer Glaubenskonflikt von höchster Bedeutung, den er als den Konflikt zwischen der anspruchsvollen Vorstellung vom Monotheismus in seinem Sinn «und jenen anderen Formen des menschlichen Glaubens: dem Polytheismus und dem Henotheismus in ihrer modernen, unmythologischen Gestalt»[30] bezeichnet. Mit der Rede von einer unmythologischen Gestalt des Polytheismus zielt Niebuhr darauf, daß Menschen häufig «ihre Zuflucht zu einer Mehrheit von Wertezentren (nehmen) und ihre Loyalitätsgefühle auf viele Objekte (richten)».[31] Das ist historisch nichts Neues; neu ist höchstens die unmythologische Gestalt. Mit dem Begriff «Henotheismus» dagegen, der seit den Forschungen des Indologen Max Müller in der Religionswissenschaft verbreitet war, zielte Niebuhr auf einen für das Verständnis achsenzeitlich geprägter Kulturen entscheidenden Sachverhalt. In seiner ursprünglichen Bedeutung bezeichnete dieser Begriff – wie der der «Monolatrie» – religiöse Praktiken, in denen nur ein Gott

---

29 Vgl. H. Richard Niebuhr: *Radikaler Monotheismus. Theologie des Glaubens in einer pluralistischen Welt* (1960). Gütersloh 1965; ders.: *Christ and Culture*. New York 1951.

30 Niebuhr: *Radikaler Monotheismus*, S. 7.

31 Ebd., S. 22.

verehrt wird, ohne daß dabei die Existenz anderer Götter bestritten oder deren Verehrung strikt verboten wird. Niebuhr
aber verwendet den Begriff für die Selbstsakralisierung von
Kollektiven; in ihr sieht er die eigentliche Gefahr für den Monotheismus: «Der Hauptrivale des Monotheismus ist der Henotheismus: jener Glaube, der eine fest umrissene kulturelle
oder religiöse Gemeinschaft zum Gegenstand des Vertrauens
und der Loyalität macht.»[32] Der Nationalismus ist natürlich
das charakteristische Beispiel für solchen Henotheismus, aber
Niebuhr zeigt in seinen Analysen, daß subnationale Einheiten
wie Stämme oder Regionen ebenso «den Mittelpunkt der
Werte und das Objekt der Loyalität darstellen»[33] können wie
supranationale, etwa eine ganze Zivilisation oder Kultur. Er interpretiert den Marxismus als eine nicht-nationalistische Form
des Henotheismus und distanziert sich auch von säkularen
Universalismen, wenn in diesen einfach die Menschheit (und
nicht die Schöpfung insgesamt) den höchsten Bezugspunkt
darstellt. Auch ein offizielles monotheistisches Bekenntnis
schützt davor nicht; Gott kann ein bloßer Name sein, «der dem
Prinzip der religiösen Gruppe als einer geschlossenen Gesellschaft gegeben wird».[34] Gemeint ist eine Selbstsakralisierung
sowohl der Kirchen wie politischer Ordnungen, in deren Legi-
timitätsanspruch ein monotheistisches Bekenntnis zentral ist.

Die Unterscheidung von «Henotheismus» und «radikalem
Monotheismus»[35] ist die Grundlage dafür, eine Typologie der

32 Ebd., S. 7.
33 Ebd., S. 18.
34 Ebd., S. 21.
35 Die Begriffswahl «radikaler Monotheismus» ist meines Erachtens aus
   mehreren Gründen nicht ganz glücklich. Sie geht auf die Betonung des
   Prophetischen zurück und lehnt sich an Rudolf Bultmanns Rede vom
   «radikalen Gehorsam» Jesu an, klingt aber einerseits so, als sei sie gegen trinitarisches Denken gerichtet, andererseits wie eine Abwertung
   nicht-monotheistischer Formen eines «radikalen» achsenzeitlichen
   Transzendenzverständnisses. Beides entspräche nicht Niebuhrs Inten-
   tionen.

Spannungsverhältnisse zwischen achsenzeitlichem Potential und kultureller Wirklichkeit aufzustellen. Es gibt in diesem Sinne überhaupt keine rein achsenzeitliche Kultur. In Niebuhrs Sprache ist die Rede vom Verhältnis zwischen Christus und Kultur. Er unterscheidet in seiner Typologie,[36] die eine Weiterentwicklung der Überlegungen von Ernst Troeltsch und Max Weber zu den sozialen Ordnungsformen des Christentums darstellt, zwischen fünf Möglichkeiten: der Weltflucht, einem paradoxen Dualismus, synthetisierender Harmonie, vollständiger Assimilation und schließlich einer immer erneuten Transformation der Kultur. Nur die letztgenannte Variante unterstellt, daß eine definitive Lösung des Problems in der menschlichen Geschichte nicht gefunden werden kann. Sie nötigt zu heilsamer Bescheidenheit, was jede einzelne soziale und kulturelle Formation angeht, und zu ständiger Aufmerksamkeit, ob sich eine schleichende «henotheistische» Selbstsakralisierung unmerklich ereignet. Sie stellt aber nicht in Abrede, daß es die Möglichkeit gibt, das achsenzeitliche Potential stärker zu institutionalisieren als bisher.

Denn gewiß gibt es Lerngeschichten der Religionen, die Entdeckung der eigenen Verführbarkeit und den Versuch, auf der Ebene der Lehre, aber auch der Institutionen sich selbst zu binden und gegen diese Verführung abzusichern. Die Geschichte der religiösen Begründung der Religionsfreiheit – also nicht einer nur pragmatisch oder aus Indifferenz gegenüber der Religion gewährten, sondern eines aus dem eigenen Glaubensverständnis genährten Einsatzes für die Glaubensfreiheit Andersgläubiger – diese Geschichte ist für mich ein Musterbeispiel einer solchen Lerngeschichte. Diese Lerngeschichte spielt in der Vorgeschichte der Menschenrechtserklärungen

---

36 Vgl. neben Niebuhr: *Christ and Culture* auch die gute Zusammenfassung bei Richard Crouter: *Reinhold und H. Richard Niebuhr*, in: Friedrich Wilhelm Graf (Hg.): *Klassiker der Theologie.* Bd. 2. München 2005, S. 258–288, hier S. 275 f.

des achtzehnten Jahrhunderts eine große Rolle.[37] Auch die Geschichte der Menschenrechte ist eine Geschichte von Sakralisierung und Entsakralisierung. Wenn ich mit der Behauptung Recht habe, daß sich in ihr eine Sakralisierung der «Person» abspielt, d. h. jedes Menschen unabhängig von Verdiensten und Vergehen, dann erfordert diese unbedingte Hochschätzung der Person und ihres Eigenwerts eine relative Entsakralisierung von Staat, Nation, Herrscher oder Gemeinschaft. Sie erfordert nicht, wie von Säkularisten oft angenommen wird, die Säkularisierung, den Verzicht auf die Vorstellung der Heiligkeit Gottes, da ja in dieser Vorstellung gerade das Gegengewicht gegen die Sakralisierung irdischer politischer Macht liegen kann. Doch wird auch die Sakralisierung der Person nicht sicherer kultureller Besitz und ist auch die Geschichte der Menschenrechte nicht im Sinne eines Vektors, eines eindeutigen Richtungssinns zunehmender Sakralisierung, zu beschreiben.

In der Geschichte der Menschenrechte sehe ich nach dem achsenzeitlichen Durchbruch und der Entstehung der Weltreligionen den zweiten großen historischen Schub einer radikalen Entsakralisierung politischer Macht und Herrschaft. Doch wie beim ersten Schub stellen sich die Gefahren der Repartikularisierung auch hier ein. Die französische Nation konnte sich selbst zur «Nation der Menschenrechte» erklären und ihrem Nationalismus damit immer wieder ein universalistisches Mäntelchen umhängen. Wie wenig es sich dabei um eine Gefahr handelt, die vor allem aus der Religion als solcher folgt, zeigen die Formen eines höchst säkularen messianischen Interventionismus seit den französischen Revolutionskriegen.[38] Für

---

37 Vgl. Joas: *Sakralität*, S. 23–62.

38 Eindrucksvolle Beispiele für die französischen Vorstellungen von der eigenen «mission civilisatrice» aus Schriften von Victor Hugo, Jules Michelet und Victor Schoelcher bei Daniel Bogner: *Das Recht des Politischen. Erfahrungszeugnisse zum Algerienkrieg und ein neuer Begriff der Menschenrechte.* Münster 2012 (unveröffentlichte Habilitations-

die amerikanische, stärker religiöse Variante wurde schon ein Beispiel gegeben. In der Geschichte des deutschen Nationalismus konnte wiederum aus dem Widerstand gegen den «westlichen» Universalismus eine nationale Mission begründet werden, und dies in eher religiösen oder eher säkularen Varianten. Erneut ist zu betonen, daß ich damit nicht auf geistesgeschichtliche Traditionen ziele, sondern auf innere Dynamiken kollektiver Selbstsakralisierung unter den Bedingungen achsenzeitlicher Religion oder ihrer menschenrechtlichen Steigerung oder auch ihrer nationalistischen und rassistischen Verabschiedung.

Die Säkularisierung hat – als Schwächung der Religion verstanden – dieses Problem gewiß nicht gelöst. In den Totalitarismen des zwanzigsten Jahrhunderts, von denen in der Einleitung die Rede war, finden sich Formen der Selbstsakralisierung des Staates und der politischen Führer, die in ihrer Wucht an den archaischen Staat erinnern, aber immens gesteigert durch die technischen Mittel, die jetzt zur Verfügung stehen. Diese Totalitarismen erinnern an den archaischen Staat, stellen aber keine Rückkehr zu ihm dar, weshalb man in ihrem Fall von einer Sakralisierung der Politik im Unterschied zu einer Sakralisierung der Macht gesprochen hat.[39]

Leicht ist es, vor den Gefahren bei anderen zu warnen, die Totalitarismen und den alten deutschen Nationalismus zu verurteilen, sich von theokratischen Tendenzen im Iran oder meinetwegen vom missionarischen Geist amerikanischer Außenpolitik zu distanzieren. Zeitdiagnostische Schärfe gewinnen die hier vorgetragenen Gedanken aber nur, wenn sie auch aufs Eigene angewendet werden. Dem soll eine abschließende Be-

---

schrift, Katholisch-Theologische Fakultät), v. a. S. 158 ff. Umfassend zum Thema Boris Barth/Jürgen Osterhammel (Hg.): *Zivilisierungsmissionen. Imperiale Weltverbesserung seit dem 18. Jahrhundert*. Konstanz 2005.

39 Emilio Gentile: *Die Sakralisierung der Politik*, in: Hans Maier (Hg.): *Wege in die Gewalt*, S. 166–182.

merkung dienen. Sie zielt auf die Tendenzen zur Idealisierung
Europas, seiner Kultur und Vergangenheit, die nur bei ober-
flächlicher Wahrnehmung antinationalistisch klingen, aber die
Struktur kollektiver Selbstsakralisierung auf neuer, post-natio-
naler Ebene wiederholen. Es gibt sie in säkularen und in religiösen Varianten. Europa wird in ihnen zum Kontinent der Aufklärung erklärt oder zum Kontinent des Christentums oder
der jüdisch-christlichen Tradition oder der gelungenen Synthese von Griechentum und Christentum. Es gibt auch Versuche, beide Varianten – die aufklärerische und die «religiöse» –
zu verknüpfen, indem etwa der Aufklärung ein christlicher
Ursprung zugeschrieben und behauptet wird, sie sei «nicht
ohne Grund gerade und nur im Raum des christlichen Glaubens entstanden.»[40] Bei allem Respekt vor den Motiven einer
solchen Aussage und bei allem Bewußtsein von den empirisch-
historischen Fragen, die sich in der Tat stellen, wenn die simple
Alternative Aufklärung versus Christentum überwunden ist,
sehe ich hier eine problematische «Kulturalisierung» der Religion am Werk, eine Kulturalisierung, die gerade den transzen-
denzbezogenen, universalistischen Religionen nicht angemessen ist. Es werden Besonderheiten der europäischen Kultur
und die bestimmenden Züge des Christentums zu nahe aneinander gerückt oder sogar miteinander identifiziert, und dies in
einer Weise, die gleichzeitig dem universalistischen Potential
anderer religiöser und kultureller Traditionen oder Konstella-
tionen nicht gerecht wird. Eine solche Kulturalisierung ist aber
eine Steilvorlage für alle die, die unter Verweis auf ihre anderen kulturellen Traditionen die Menschenrechte gerne dan-
kend ablehnen wollen. Der chinesischen Staatsmacht etwa mit
ihrem heutigen Versuch, dem Konfuzianismus den achsenzeitlichen Religionscharakter abzusprechen und ihn auf einen

40 Dieses Zitat entstammt einem Aufruf Papst Benedikts XVI. zum Dialog der Kulturen. Benedikt XVI.: *Gott und die Vernunft*. Augsburg
 2007, S. 80 f.

Ausdruck chinesischer Kultur zu reduzieren, muß man auf diesem Gebiet entgegentreten und nicht mit christlich-europäischem Triumphalismus.[41] Gerade in einer Zeit, in der das Christentum global enorm expandiert – ganz gegen das europäische Untergangsgefühl –, wird es immer wichtiger, für europäische kulturelle Partikularismen in den christlichen Traditionen sensibel zu sein und nicht kulturelle Besonderheiten und universalistische Botschaft zu verwechseln. Besonders unplausibel sind solche Versuche natürlich dort, wo das Christliche an Europa als Ausschlußargument von denen verwendet wird, die mit der Botschaft des Evangeliums sonst nicht viel im Sinne haben.[42] Wichtig ist, daß man überhaupt nicht der christlichen oder auch einer anderen nachachsenzeitlich-religiös geprägten Kultur entstammen muß, um von dieser Botschaft oder vom Geist der Menschenrechte gepackt zu werden. Darin zeigt sich der großartige Appellcharakter dieser Botschaft und dieses Geistes. Ich plädiere damit nicht für das Programm eines sich von aller Kultur lösenden Universalismus, da ich diesen für unrealisierbar halte, sondern ich plädiere für die nur im Konkreten zu leistende Reflexion auf die Notwendigkeit einer Entsakralisierung der jeweiligen politischen Macht und auf die immer erneute Verführung zu ihrer immer erneuten Sakralisierung.

41 Vgl. etwa das Buch von Heiner Roetz: *Die chinesische Ethik der Achsenzeit. Eine Rekonstruktion unter dem Aspekt des Durchbruchs zu postkonventionellem Denken.* Frankfurt a. M. 1992; und seinen Beitrag in Bellah/Joas (Hg.): *The Axial Age*, S. 248–273.
42 Dazu empfehlenswert Ute Schneider: *Von Juden und Türken. Zum gegenwärtigen Diskurs über Religion, kulturelle Identität und Modernisierung*, in: Zeitschrift für Geschichtswissenschaft 52 (2004), S. 426–440.

JÜRGEN HABERMAS

Politik und Religion

Heinrich Meier hat die instruktive Vortragsreihe auf Fragen
der politischen Spannungen zwischen Religion und Politik zugespitzt. Das Programm verrät einen durch «9/11» geschärf-
ten Blick auf das den Weltreligionen innewohnende Gewaltpotential. Schon aus Gründen meiner fachlichen Beschränkung
möchte ich den Blick auf uns selber lenken. Und statt des Bro-
tes nahrhafter historischer Darstellungen biete ich nur die
Steine trockener konzeptueller Überlegungen an. Aus der Sicht
der zeitgenössischen politischen Theorie werde ich zunächst
einige Stichworte zu den immer noch strittigen liberalen Vorstellungen von der Rolle der Religionsgemeinschaften im demokratischen Rechtsstaat sammeln (I) und dann, freilich nur
in Thesenform, daran erinnern, wie die westliche Philosophie,
die heute als selbstbewußter Interpret und Anwalt der politischen Aufklärung auftritt, selber in diese spezifisch westliche
Konstellation verwickelt ist (II).

I. Religiöse Bürger im säkularen Staat

Nach der Wahl des ersten demokratisch gewählten Präsidenten Ägyptens hieß die Schlagzeile: «Mohammed Mursi verhilft
dem politischen Islam zu seinem größten Triumph – westliche
Werte lehnt er ab.» (Süddeutsche Zeitung vom 26. Juni 2012)
Aus welcher Perspektive ist hier von «westlichen Werten» die
Rede? Die eine Kultur bringt Werte wie Freiheit und Frieden,
Gleichheit und Gottesfurcht in eine andere Rangordnung als
die andere Kultur. Ob Mursi die harte Linie der Muslimbrüder
verfolgen oder tatsächlich ein Präsident aller Ägypter, also

auch der Schiiten, Kopten und säkularen Bürger sein wird, hängt unter anderem davon ab, ob er Religionsfreiheit und andere Grundrechte einer liberalen Verfassung bloß für Werte oder für *Prinzipien* hält. Denn vernünftig begründete Prinzipien bedürfen zwar einer kontextempfindlichen Anwendung; aber sie gelten ihrem Anspruch nach für alle und stehen nicht schon *prima facie* in einem Spannungsverhältnis zu den «Werten» anderer Kulturen.

Auch im Westen waren die naturrechtlichen Legitimationsgrundlagen der politischen Herrschaft zunächst mit Vorstellungen vom Aufbau des Kosmos und der Polis, dann mit Offenbarungen eines Erlösergottes oder mit den in der Schöpfung objektivierten Gedanken Gottes verwoben. Erst das moderne Vernunftrecht hat jene Prinzipien, die in den Verfassungsrevolutionen des 18. Jahrhunderts positive Geltung erlangt haben, von den erheblichen metaphysischen und religiösen Begründungslasten solcher «umfassenden» Konzeptionen abgelöst. Aus dieser anthropozentrisch eingeschränkten Sicht bilden Demokratie und Menschenrechte für moderne Gesellschaften die beiden miteinander verschränkten Legitimationssäulen politischer Herrschaft.

Auf die vernunftrechtlichen Begründungsversuche kann ich nicht eingehen – erwähnen will ich aber die Art der Begründung. Diese kann sich vom Kontext umfassender Weltbilder lösen, sobald wir zwischen der Idee der Gerechtigkeit und der eines höchsten Gutes differenzieren und die eine nicht länger von der anderen abhängig machen. Die gerechte Ordnung orientiert sich dann nicht mehr an einer exemplarischen Lebensform, die im Kosmos oder in der Heilsgeschichte fest verankert ist. Statt dessen wird die einst am konkreten Guten haftende Perspektive der Gerechtigkeit vom abstrakten Gedanken der zwanglosen Inklusion von freien und gleichen Individuen, die Ja und Nein sagen können, abgelöst.

Entscheidend ist die Wendung von einer inhaltlichen Vorstellung des ontologisch ausgezeichneten guten Lebens zur Idee eines Beratungsverfahrens, nach der die Beteiligten selber

eine gerechte Ordnung konstruieren. Freie und gleiche Personen müssen im Zuge einer fortschreitenden Dezentrierung
ihres je eigenen Selbst- und Weltverständnisses herausfinden,
was gleichermaßen gut für jeden von ihnen ist. Diese begriffliche Entkoppelung des Gerechten vom Guten hat den Legiti-
mitätsglauben von heilsgeschichtlichen und kosmologischen
Weltbildern unabhängig gemacht und damit den Gedanken
einer säkularisierten Staatsgewalt erst ermöglicht. Im Westen
ist eine entsprechende institutionelle Trennung von Staat und
Religion in Gestalt sehr verschiedener kirchenrechtlicher Ar-
rangements mehr oder weniger verwirklicht worden.

Aber die Säkularisierung der Staatsgewalt bedeutet nicht
schon eine Säkularisierung der Bürgergesellschaft – in den
USA hatte sie diese Intention von Anfang an nicht. Aus diesem
Umstand ergibt sich insbesondere für religiöse Bürger eine paradoxe Lage. Liberale Verfassungen gewährleisten zwar allen
Religionsgemeinschaften (unter Berücksichtigung der negativen Religionsfreiheit) den gleichen Freiraum, schirmen aber
gleichzeitig die staatlichen Körperschaften, die kollektiv verbindliche Beschlüsse fassen, gegen die politische Einflußnahme
von seiten einzelner mächtiger Religionsgemeinschaften ab.
Daraus folgt, daß sich dieselben Personen, die ausdrücklich
dazu ermächtigt werden, ihre Religion zu praktizieren und ein
frommes Leben zu führen, in ihrer Rolle als Staatsbürger an
einem demokratischen Prozeß beteiligen sollen, dessen Ergebnis von allen religiösen Beimengungen freigehalten wird.

Die Antwort, die der Laizismus auf diese Art von *double-
bind* gibt, ist unbefriedigend. Die Religionsgemeinschaften
dürfen, solange sie in der Bürgergesellschaft eine vitale Rolle
spielen, nicht aus der politischen Öffentlichkeit in die Privatsphäre verbannt werden, weil eine deliberative Politik vom
öffentlichen Vernunftgebrauch ebenso der religiösen wie der
nicht-religiösen Bürger abhängt. Wenn die schrille Polyphonie
aufrichtiger Meinungen nicht unterdrückt werden soll, dürfen
die religiösen Beiträge zu moralisch komplexen Fragen wie
Abtreibung, Sterbehilfe, vorgeburtlichen Eingriffen in das Erb-

gut usw. nicht schon an der Wurzel der demokratischen Willensbildung abgeschnitten werden. Religiösen Bürgern und Religionsgemeinschaften muß es freistehen, sich auch in der Öffentlichkeit religiös darzustellen, sich einer religiösen Sprache und entsprechender Argumente zu bedienen.

In einem säkularen Staat müssen religiöse Bürger freilich auch akzeptieren, daß der politisch relevante Gehalt ihrer Beiträge in einen allgemein zugänglichen, von Glaubensautoritäten unabhängigen Diskurs übersetzt werden muß, bevor er in die Agenden staatlicher Entscheidungsorgane Eingang finden kann. Es muß gewissermaßen ein Filter zwischen die wilden Kommunikationsströme der Öffentlichkeit einerseits und die formalen Beratungen, die zu kollektiv bindenden Entscheidungen führen, andererseits eingezogen werden. Denn staatlich sanktionierte Entscheidungen müssen in einer allen Bürgern gleichermaßen zugänglichen Sprache formuliert *und gerechtfertigt* werden können.

Dann stellt sich allerdings die Frage, unter welchen Bedingungen religiöse Bürger, deren normative Einsichten letztlich in fundamentalen Glaubensüberzeugungen wurzeln, die Konsequenz eines solchen Übersetzungsvorbehalts überhaupt akzeptieren können. Gerade in vitalen Religionen schlummert oft ein Gewaltpotential; dieses darf sich nicht an den Funken einer Weltanschauungs-Konkurrenz entzünden, die in der Zivilgesellschaft unter dem Schutz der Verfassung freigesetzt wird. Wenn die liberale Verfassungsordnung über einen bloßen *modus vivendi* hinaus Legitimität beanspruchen können soll, müssen sich grundsätzlich alle Bürger, auch die religiösen, von der Vernünftigkeit der Verfassungsprinzipien überzeugen können. Religionskonflikte werden diese gemeinsame Basis nur dann nicht angreifen, wenn die Glaubensüberzeugungen mit der Loyalität zu Verfassungsgrundsätzen nicht in Widerspruch geraten.

Nach John Rawls muß deshalb der liberale Staat seinen religiösen Bürgern zumuten, daß sie die säkularen, ihrem Anspruch nach allein auf Vernunft gestützten Grundsätze von

Demokratie und Rechtsstaat jeweils aus ihrem Glauben heraus begründen und diese «wie ein Modul» in den Kontext dieser Hintergrundüberzeugungen einsetzen. Die katholische Kirche hat beispielsweise eine solche dogmatische Anpassung auf dem Zweiten Vatikanischen Konzil, also erst in den 60er Jahren des vergangenen Jahrhunderts vollzogen. Das Bild des Moduls veranschaulicht, wie religiöse Bürger den *objektiven Vorrang*, den politische Entscheidungen im Einzelfall gegenüber religiösen Grundüberzeugungen behaupten, mit dem *subjektiven Vorrang* ihrer existentiellen, für sie selbst letztlich ausschlaggebenden Glaubensüberzeugungen in Einklang bringen können.

Der liberale Staat ist mit religiösem Fundamentalismus unvereinbar. In diesem Konflikt tritt eine Gestalt der Moderne einer anderen, als Reaktion auf entwurzelnde Modernisierungsprozesse entstandenen Gestalt der Moderne entgegen. Der liberale Staat kann seinen Bürgern gleiche Religionsfreiheiten – und ganz allgemein gleiche kulturelle Rechte – nur unter der Bedingung garantieren, daß diese gewissermaßen aus den integralen Lebenswelten ihrer Religionsgemeinschaften und Subkulturen ins Offene der gemeinsamen Zivilgesellschaft heraustreten. Andererseits darf die Mehrheitskultur ihre Mitglieder nicht wiederum in der bornierten Vorstellung einer «Leitkultur» gefangenhalten, die sich eine *ausschließende* Definitionsgewalt über die politische Kultur des Landes anmaßt. In seinem Urteil über die Zulässigkeit der Beschneidungspraxis von Muslimen (und Juden) verkennt das Kölner Landgericht, daß inzwischen, gewissermaßen auf dem Rücken der Einbürgerung von Muslimen, «auch der Islam» in unsere politische Kultur eingebürgert worden ist und insofern «zu Deutschland gehört».

In der Rolle von demokratischen Mitgesetzgebern gewähren sich alle *Staatsbürger* gegenseitig den grundrechtlichen Schutz, unter dem sie als *Gesellschaftsbürger* ihre kulturelle und weltanschauliche Identität wahren und öffentlich zum Ausdruck bringen können. Dieses Verhältnis von demokratischem Staat,

Zivilgesellschaft und subkultureller Eigenständigkeit ist der Schlüssel zum Verständnis der beiden einander ergänzenden Motive, die Säkularisten und radikale Multikulturalisten fälschlich für unvereinbar halten. Das *universalistische Anliegen* der politischen Aufklärung erfüllt sich erst in der fairen Anerkennung der *partikularistischen* Selbstbehauptungsansprüche religiöser und kultureller Minderheiten.

Mit diesem Selbstverständnis des säkularen Staates unterscheidet sich der Westen von anderen Regionen der Welt. Inzwischen nötigen uns die postkoloniale Situation und die Verschiebung der weltpolitischen Machtverhältnisse dazu, die Blicke, die andere Kulturen auf uns richten, ernst zu nehmen. Diese bringen dem Westen die provinziellen Züge eurozentrischer Verallgemeinerungen zu Bewußtsein, indem sie uns an die imperialistischen Eroberungen und kolonialen Greuel, an die Verbrechen erinnern, die im Namen unserer hehren Normen auch begangen worden sind. Aus unserem europäischen Entstehungskontext begreifen wir beispielsweise die Säkularisierung der Staatsgewalt als die Frieden schaffende Antwort auf die religiöse Gewalt der Konfessionskriege. Aber in anderen Weltteilen hat umgekehrt erst die Nationalstaatsbildung eine Konfessionalisierung, d. h. die wechselseitige Exklusion und Unterdrückung der bis dahin mehr oder weniger friedlich, jedenfalls schiedlich nebeneinander lebenden Religionsgemeinschaften hervorgebracht. Im übrigen können uns die obskuren Mischformen und zweifelhaften Symbiosen von staatlicher und religiöser Gewalt, die wir andernorts beklagen, an die zähe Gegenwehr unserer christlichen Kirchen gegen den liberalen Staat erinnern, auch an den lang anhaltenden Kampf um die Emanzipation der öffentlichen Schulbildung und des Familienrechts vom kirchlichen Zugriff.

Andererseits ist Relativismus die falsche Konsequenz aus der gebotenen Selbstkritik. Nicht zufällig bedienen sich heute Dissidenten in aller Welt der Sprache von Demokratie und Menschenrechten. Als Teilnehmer an interkulturellen Diskursen bildet der Westen gewiß nur eine unter mehreren Parteien.

In dieser Rolle müssen wir uns an einen undogmatischen und lernbereiten Umgang mit Zivilisationen gewöhnen, die auf *ganz anderen* Entwicklungspfaden zu Zeitgenossen einer von *multiple modernities* geprägten Weltgesellschaft geworden sind. Aber nur auf der Grundlage einer selbstbewußten Verteidigung universalistischer Ansprüche können wir uns von den Argumenten der anderen über unsere blinden Flecken im Verständnis und in der Anwendung der eigenen Prinzipien belehren lassen.

II. Die Versprachlichung des Sakralen

Zu diesen blinden Flecken gehört nach meiner Auffassung jene einäugig-säkularistische Lesart der säkularisierten Staatsgewalt, die falsche Fronten aufbaut. Der liberale Staat muß religiöse Stimmen in der politischen Öffentlichkeit willkommen heißen, soweit diese als Beitrag zur demokratischen Meinungs- und Willensbildung zählen können. Er muß daher auch den säkularen Bürgern zumuten, religiöse Mitbürger, die ihnen in der politischen Öffentlichkeit begegnen, nicht nur als Personen zu achten, sondern als Teilnehmer an der *gemeinsamen* Praxis des öffentlichen Vernunftgebrauchs von Staatsbürgern ernst zu nehmen. Die Zumutung besteht darin, daß säkulare Bürger sich nicht der Möglichkeit verschließen sollen, in der artikulierten Sprache religiöser Stellungnahmen und Äußerungen gegebenenfalls Resonanzen eigener verdrängter Intuitionen wiederzuerkennen, darin also potentielle Wahrheitsgehalte zu entdecken, die in eine öffentliche, religiös ungebundene Argumentation eingebracht werden können.

Gerade in der Gestalt eines nachmetaphysischen Denkens kann die Philosophie zum Sinneswandel eines säkularistisch verhärteten Selbstverständnisses der säkularen Staatsgewalt beitragen. Sie selbst ist nämlich in die okzidentale Entstehungsgeschichte des säkularen Staates verstrickt. Im gegebenen Rahmen kann ich diese Verstrickung nur mit *drei über-*

verallgemeinernden Thesen andeuten. In der gebotenen Kürze können sie bestenfalls zur Diskussion anregen.

Erste These: *Die Erinnerung an die sozialintegrative Rolle des sakralen Komplexes macht verständlich, warum die im Westen vollzogene Säkularisierung der Staatsgewalt eine immer noch beunruhigende Zäsur bedeutet.*

Rituelle Praktiken haben die von Desintegration bedrohten Lebensformen unserer Spezies anscheinend von Anfang an mit der knappen Ressource gesellschaftlicher Solidarität versorgt. Die in diesen Praktiken noch versiegelten, d. h. nur performativ ausgedrückten Bedeutungen sind dann von Mythen entschlüsselt oder kommentiert worden. Aus beidem, *Riten und Mythen,* hat sich ein sakraler Komplex herausgebildet, der in reflexiv verwandelten Gestalten bis heute fortbesteht. Die Anthropologie hat uns darüber belehrt, wie in den rituell verwurzelten Weltbildern der *vorhochkulturellen Gesellschaften* das angesammelte Weltwissen mithilfe der intuitiv vertrauten Verwandtschaftsbegriffe jeweils zu einer identitätsstabilisierenden Selbstdeutung des Kollektivs verarbeitet worden ist. Auf diese Weise diente der sakrale Umgang mit Mächten des Heils und Unheils (Martin Riesebrodt) dem sozialen Zusammenhalt und behielt diese Funktion auch noch, als um die Wende zum 3. Jahrtausend v. Chr. *staatlich organisierte Gesellschaften* entstanden sind.

Es ist nicht trivial, daß in diesen frühhochkulturellen Königreichen einer für alle handelt. Daher trat gleichzeitig mit politischer Herrschaft jener neue Legitimationsbedarf auf, der zunächst durch mythische Herrschergenealogien und Staatsriten gedeckt worden ist. Die Inanspruchnahme des sakralen Komplexes für Zwecke der politischen Integration hat die Art symbolischer Fusion von Staat und Religion erzeugt, die wir bis heute mit dem vagen Begriff «des» Politischen belegen. Diese Symbiose von Heil und Herrschaft (Jan Assmann) löste sich um die Mitte des ersten vorchristlichen Jahrtausends mit der

Stiftung der bekannten Weltreligionen nur insoweit auf, als die Herrscher nun der *überirdischen* Autorität göttlicher bzw. kosmischer Gesetze, der sie ihre Legitimität verdankten, ihrerseits untergeordnet waren; sie selbst konnten fortan nach Maßgabe dieser Gesetze kritisiert werden.

Erst die Verfassungsrevolutionen des 18. Jahrhunderts haben – in Frankreich radikaler als in den USA – die jahrtausendealte Klammer um Heil und Herrschaft aufgebrochen. Sie erst haben die legitimierende Autorität von Gott auf die menschliche Vernunft umgepolt, so daß der Appell an ein natürliches, allen Menschen gemeinsames Vermögen genügen konnte, um auch ein konfessionell gespaltenes oder pluralistisches Gemeinwesen über die Grenzen einzelner Religionsgemeinschaften hinweg politisch zusammenzuhalten. Die Erschütterung über die Abkoppelung der bis dahin im kollektiven Handeln staatlicher Akteure zusammenlaufenden Integration des Gemeinwesens vom sakralen Komplex wirkt bis heute nach und findet in den Präambeln vieler Verfassungen ein verhaltenes Echo.

Zweite These: *Dieser Bruch mit sakralen Formen der Herrschaftslegitimation erklärt sich aus der abendländischen Polarisierung von Glauben und Wissen.*

Wie der Platonismus bilden auch die fernöstlichen Religionen – Konfuzianismus, Daoismus und Buddhismus – kosmologische Weltbilder, die Kontemplation, Bildung und Meditation als Heilswege auszeichnen und mit einem entsprechenden Ethos verbinden. Auf diesen *epistemischen Heilswegen* bilden Weisheit und Wissen noch eine Einheit. Diese Einheit spiegelt sich soziologisch in der Beziehung von Schülern zu weisen Lehrern. Demgegenüber verbinden sich mit dem moralisch gesetzgebenden und in die Geschichte eingreifenden Gott Israels, der mit seinem Volk einen rettenden Bund schließt, *ein kommunikativer*, über Offenbarung und Gebet führender *Heilsweg* sowie ein Ethos der gesetzestreuen Lebensführung.

Im römischen Kaiserreich befand sich das paulinische Christentum in einer Lage, die die frühen Theologen dazu nötigte, gleichzeitig eine reflexive Einstellung zu zwei gegensätzlich konstruierten achsenzeitlichen Weltbildern – zum Judentum und zur hellenistischen Bildungsreligion der römischen Oberschicht – einzunehmen. Die platonisierenden Kirchenväter verstanden sich als die besseren Philosophen und fanden Wege, ihren Glauben unter Beibehaltung des offenbarten Heilszieles an den epistemischen Heilsweg der Griechen zu assimilieren. In der komplexen Denkbewegung von Augustin bis Thomas gelingt es freilich nur auf der Grundlage einer klaren *Differenzierung* zwischen Inhalten des Glaubens und des Wissens die beiden großen Vorgängertraditionen zu einer überzeugenden Synthese zusammenzufügen. Darüber büßt das dem Glauben untergeordnete Wissen den Charakter der Weisheit und damit den eines Heilsweges ein.

Erst in der Folge der «nominalistischen Revolution» entstand freilich die uns vertraute, in keiner anderen Kultur so schroff ausgebildete *Polarisierung* zwischen Glauben und Wissen. Das drückte sich innertheologisch in der Entwicklung zur Reformation aus. Gleichzeitig mit der Preisgabe der teleologischen Struktur der entwerteten aristotelischen Metaphysik verloren die modernen Naturwissenschaften den internen Anschluß an die christliche Heilslehre. Und die moderne Philosophie zog sich in der arbeitsteiligen Allianz mit diesen neuen Wissenschaften auf Erkenntnistheorie, Vernunftrecht und Vernunftmoral als den Kernbestand nachmetaphysischen Denkens zurück. Ausgehend von der Verfassung des menschlichen Geistes, bahnte schließlich die praktische Philosophie den Weg zu einer von Religion unabhängigen Legitimationsgrundlage für die Ausübung politischer Herrschaft.

Dritte These: *Aus der Sicht einer solchen grob angedeuteten Genealogie nachmetaphysischen Denkens ergeben sich verschiedene Verwandtschaftsverhältnisse im Hinblick auf die monotheistische Überlieferung einerseits und die griechische Metaphysik andererseits.*

Die Philosophie bleibt auch in ihrer nachmetaphysischen Gestalt «nicht-festgestelltes Denken»; sie ist keine wissenschaftliche Disziplin, die sich über eine feststehende Methode oder einen festgelegten Objektbereich definiert. Aber sie teilt mit den Wissenschaften das fallibilistische und nicht-skeptische Bewußtsein, daß wahre Aussagen einer *uneingeschränkten* diskursiven Prüfung standhalten müssen. Das bedeutet die Entwertung von intuitiven Gewißheiten und unmittelbaren Evidenzen, die sich entweder auf das Zeugnis offenbarter Wahrheiten oder auf Meditation, Wesensschau, intellektuelle Anschauung usw. berufen, also in der einen oder anderen Weise den Fluß der Argumente zum Stillstand bringen. Auf der anderen Seite teilt die Philosophie mit den religiösen und metaphysischen Lehren jenen markanten Bezug auf uns selbst, der verloren geht, sobald sich die Philosophie nur noch als Zuliefererbetrieb für die Kognitionswissenschaften versteht. Während die Wissenschaften ihre Aufmerksamkeit exklusiv auf einen Gegenstandsbereich richten, ist die Philosophie nicht nur an Erkenntnis, sondern auch an Aufklärung interessiert – also an dem, was ein neu erworbenes Stück Weltwissen *für uns bedeutet.* Sie überläßt sich einer Interaktion zwischen Welt- und Selbstverständnis.[1]

Dieses nachmetaphysische Denken knüpft an die griechische Metaphysik an, wenn sie beispielsweise das performative Wissen erkennender, sprechender und handelnder Subjekte – also das Wissen, wie man Urteile bildet und begründet, wie

---

1 Der Szientismus, der im Namen einer wissenschaftlichen Philosophie nur naturwissenschaftliche Aussagen gelten läßt, ist ein paradoxes Unterfangen. Er muß nämlich die reflexive Einstellung, die die Philosophie von den Wissenschaften unterscheidet, in Anspruch nehmen, um diese Differenz zu verleugnen und das Selbstverständnis vom Weltverständnis konsumieren zu lassen.

man intentional Ziele verfolgt und realisiert, wie man sprachliche Ausdrücke bildet und kommunikativ verwendet – zum
Thema macht und rational rekonstruiert. Auf der anderen
genealogischen Linie sind die Spuren weniger offensichtlich.
Begriffsgeschichtlich war die Hellenisierung des Christentums
ein zweischneidiger Prozeß. Die Versuche, Theologumena wie
den Kreuzestod Jesu, die Dreieinigkeit von Vater, Sohn und
Heiligem Geist oder die Rechtfertigung des unvertretbaren
Individuums im Angesichte Gottes in Begriffen der griechischen Metaphysik auszudrücken, hatten Rückwirkungen auf
die Philosophie selbst. Indem die Theologen seit Augustin auf
einer nicht-assimilierenden Begriffsklärung der anstößigsten
Glaubensinhalte insistierten, haben sie unter der Hand eine
ganz ungriechische Sensibilität für die Eigenart jener selbstre-
flexiv und im Vollzug erschlossenen praktischen, geschichtlichen und kommunikativen Erfahrungen geweckt, die sich den
ontologischen Begriffen einer Substanzmetaphysik entziehen.

Die Theologie hat mit begrifflichen Mitteln jenen Prozeß
einer Versprachlichung des Sakralen, der mit dem Mythos
begonnen hatte, fortgesetzt. Zunächst war die Philosophie nur
stille Teilhaberin, aber seit dem 18. Jahrhundert saugt sie in
eigener Regie Gehalte der Theologie in Grundbegriffen der
Ethik und Geschichtsphilosophie auf. Kant und Hegel wollten
noch den Wahrheitsgehalt der religiösen Überlieferung philo-
sophisch auf den Begriff bringen. In den Krisen- und Entfrem-
dungsdiagnosen der Junghegelianer setzte sich dieser Überset-
zungsprozeß eher unbeabsichtigt fort. Auch in dem Perspekti-
venwechsel, den Existenzphilosophie und Pragmatismus vom
Was der Objekte auf das Wie des performativ zu leistenden
Umgangs mit der Welt und uns selbst vornehmen, verrät sich
eine ähnliche semantische Osmose. Die gemeinsamen Seminare von Heidegger und Bultmann oder die religiösen Erfahrungen eines William James sind dafür symptomatisch. Seit
Kierkegaard haben gewissermaßen vom anderen Ufer aus religiöse Schriftsteller wie Josiah Royce, der frühe Ernst Bloch,
Walter Benjamin, Emmanuel Levinas oder Martin Buber Ge-

halte konfessioneller Überlieferungen durch einen philosophischen Begriffsfilter getrieben. Diese philosophischen Schriftsteller wollten den religiösen Gehalten die Exklusivität ihrer Herkunft aus einer bestimmten Religionsgemeinschaft abstreifen, um sie der allgemeinen Öffentlichkeit zuzuführen.

Der Rückblick auf solche Erbschaftsverhältnisse könnte das Selbstverständnis der Philosophie in ihrem gegenwärtigen Verhältnis zu Wissenschaft und Religion verändern. Daraus ergibt sich keine These, aber eine Empfehlung:

Die Philosophie sollte den Faden einer dialogischen Beziehung zur Religion nicht abreißen lassen. Denn wir können nicht wissen, ob sich der bis heute – bis zu Jacques Derridas Begriffsschöpfungen – andauernde Prozeß einer Übersetzung unabgegoltener religiöser Bedeutungspotentiale in die Begrifflichkeit nachmetaphysischen Denkens schon erschöpft hat.

Die Empfehlung einer *dialogischen* Beziehung schließt ein funktionalistisches Verständnis der Religion aus. Denn eine mögliche Fortsetzung jener semantischen Osmose, die ich aus der Sicht der Philosophie angedeutet habe, setzt ja weder voraus, daß dieser Dialog ein Nullsummenspiel ist, noch folgt daraus, daß sich das philosophische Denken auf diesem Wege von Religion abhängig macht. Ich exponiere lediglich die Frage, ob sich vielleicht im Zuge einer *weitergehenden philosophischen Versprachlichung des Sakralen* die beiden folgenden Defizite, die ich als Mängel nachmetaphysischen Denkens empfinde, ausgleichen lassen.

Im Hinblick auf die überkomplexen Herausforderungen der im Entstehen begriffenen Weltgesellschaft empfinde ich es erstens als ungewiß, ob die Ressourcen einer *unverlierbaren* (!), aber nur schwach motivierenden Vernunftmoral, auf die sich auch die verfassungsrechtliche Integration weitgehend säkularisierter Gesellschaften in letzter Instanz stützen muß, ausreichen. Diese Moral darf zwar – und das ist ihre Stärke – mit universalistischem Anspruch auftreten; aber zu solidarischem

Handeln kann sie uns nur noch indirekt – in der Erwartung eines kumulativen Zusammentreffens individueller Entscheidungen – durch den Appell an das Gewissen eines jeden einzelnen Individuums verpflichten. Kants «Reich der Zwecke» ist intelligibler Natur und vereinigt seine Mitglieder nicht mehr – wie die universale Gemeinde der Gläubigen – im Vollzug gemeinsamer Praktiken.

Zweitens bin ich im Hinblick auf die vielfältigen lebensweltlichen Symptome eines sich zum Universum abschließenden und versiegelnden Kapitalismus, der die Politik entwaffnet und die Kultur einebnet, von der Frage beunruhigt, ob der in der Philosophie selbst brütende Defätismus der Vernunft deren Kraft zu einer Transzendenz von innen vollends aufzehrt und die Spannkraft eines über den jeweiligen Status quo hinauszielenden normativen Bewußtseins zermürbt.

HEINRICH MEIER

Epilog

Politik, Religion und Philosophie

Politik und Religion ist wieder ein zentraler Gegenstand der öffentlichen Debatte. Ihr Zu- und Gegeneinander findet heute ungleich mehr Aufmerksamkeit als, sagen wir, Anfang der 1970er Jahre. Damals sah kaum jemand vorher, daß zwei oder drei Jahrzehnte später europäische Intellektuelle unterschiedlichster Provenienz und Orientierung mit politischen Positionen befaßt sein würden, die unübersehbar religiöse Konnotationen aufweisen oder theologische Grundlagen für sich in Anspruch nehmen. Und nicht allzu viele Beobachter hätten erwartet, daß eine eingehende Erörterung der Frage in Gang käme, welche normative Kraft und praktische Unterstützung dem Staat aus den religiösen Gemeinschaften und durch die Glaubensüberzeugungen der Bürger auf längere Sicht zuteil zu werden vermag. Was hat sich verändert?

Friedrich Wilhelm Graf konstatiert eine «Wiederkehr der Götter», die mit einer «Kirchendämmerung» einhergeht, eine Belebung des globalen «Religionsmarktes» bei abnehmender Bindung an die großen Kirchen hierzulande. Wenn wir Zeugen zunehmender religiöser Sehnsüchte und Suchbewegungen werden, ergibt sich daraus noch keine breitere Verankerung in gelebter Religiosität. Der Widerhall der Papstbesuche oder der Zulauf zu den Kirchentagen sind wenig geeignet, die wachsende Bedeutung der Religion zu belegen. Die Zahlen fallen eher ernüchternd aus. Die Erhebung «Beliefs about God across Time and Countries» des International Social Survey Program (ISSP), die auf seit 1991 zweimal jährlich durchgeführten Befragungen beruht, kommt zu dem Befund, daß der Glaube an

Gott in den christlich geprägten Ländern von 1991 bis 2008
insgesamt rückläufig war, mit Ausnahme von Rußland und
Slowenien. In Westdeutschland gaben 54,2 Prozent der Befragten an, daß sie an Gott glauben, in Ostdeutschland waren es
13,2 Prozent. Bei der Frage nach dem Glauben an einen persönlichen Gott, der sich um jeden Menschen kümmere, laute-
ten die Resultate in Westdeutschland 32 und in Ostdeutschland 8,2 Prozent. Zum Vergleich: in den USA lagen die Werte
zur selben Zeit bei 80,8 bzw. 67,5 Prozent. Auch dort, wo
ein deutlicher Zuwachs des religiösen Bekenntnisses auffällt,
in Rußland, ist der gemessene Zuwachs mit Vorsicht zu betrachten, was die bestimmende Kraft des Glaubens und die
Vitalität der religiösen Gemeinden angeht. Denn das religiöse
Bekenntnis zur Russischen Orthodoxie ist offenbar in hohem
Maße Ausdruck einer politischen Identifikation. Gleichwohl
bleibt festzuhalten, daß die Russisch-Orthodoxe Kirche die
Unterdrückungsversuche eines 70 Jahre währenden religions-
feindlichen Regimes überstanden hat. Was noch bemerkenswerter ist: nach mehreren aufeinanderfolgenden Generationen, die eine allgemeine Schulbildung genossen und einer
atheistischen Indoktrination ausgesetzt waren, blüht in Rußland ein staunenerregender Wunderglaube, und die Religion
scheint, wenngleich sie das Leben nur in einem sehr eingeschränkten Sinn durch Riten formt, vermöge magischer Zu-
schreibungen eine nicht unerhebliche Anziehungskraft zu besitzen. In Mitteleuropa war in den letzten 40 Jahren dagegen
kein religiöser Schub zu verzeichnen, der sich in Zahlen nieder-
geschlagen hätte.

Was also hat sich in Rücksicht auf *Politik und Religion* geändert? Beginnen wir bei der Rede von der «postsäkularen»
Situation, die seit der Jahrtausendwende aufgekommen ist.
Jürgen Habermas versteht die Bezeichnung «postsäkular» als
«soziologisches Prädikat» zur Beschreibung moderner Gesellschaften, «die mit dem Fortbestehen religiöser Gemeinschaften und der fortbestehenden Relevanz der verschiedenen religiösen Überlieferungen rechnen müssen, auch wenn sie selbst

weitgehend säkularisiert sind».[1] Mit einer solchen Relevanz
hatten viele Gesellschaftstheoretiker nicht mehr gerechnet.
Nach einer verbreiteten Meinung sollte der weltweit voran-
schreitende Prozeß der Modernisierung einen unaufhaltsamen
Bedeutungsverlust der Religion zur Folge haben. Geschichts-
philosophische Annahmen unterschiedlicher Art nährten die
Erwartung, die Durchsetzung einer auf Vernunft gestellten Ge-
sellschaftsordnung oder die Aufrichtung des «Reichs der Freiheit» werde die Religion obsolet machen und endlich zu deren
Absterben führen. Wenn wir heute über den Glauben eines
solchen «Säkularismus» sprechen, sprechen wir über die Vergangenheit einer Illusion.

Was sich geändert hat, ist die allgemeine Wahrnehmung der
Religion, die Einschätzung ihrer politischen Potenz in den
Sozialwissenschaften und das Interesse, mit dem ihr Intellektuelle außerhalb der traditionellen religiösen Milieus begegnen. «Interesse» ist eine zurückhaltende Formulierung. «Faszination» trifft die Sache in vielen Fällen besser. Daß der Einfluß der traditionellen Milieus seit Jahrzehnten schwindet und
in Europa die Verwechslung mit einer Mehrheitsmeinung sehr
viel weniger naheliegt als etwa in den USA, hat der Faszination gewiß keinen Abbruch getan. Das neue Interesse, die ge-
wandelte Einschätzung und die veränderte Wahrnehmung der
Religion wurden durch politische Ereignisse und politische
Entwicklungen der letzten 40 Jahre entscheidend befördert
und maßgeblich beeinflußt. An erster Stelle gilt das für den
Zusammenbruch des Sowjetimperiums, wobei ich die einschlägigen Fragen, die in unserem Zusammenhang zu den aus-
lösenden oder beschleunigenden Faktoren gestellt werden
könnten, unerörtert lasse: welchen Anteil etwa der Papst aus
Polen und die Glaubensstärke der Bürger in den unmittelbar
betroffenen Ländern gehabt oder welche Rolle die Niederlage

1 Jürgen Habermas: *Nachmetaphysisches Denken II. Aufsätze und Repliken.* Berlin 2012, S. 101.

gegen die islamischen Mudschahedin in Afghanistan gespielt
haben mag. Die Erosion der marxistischen Hoffnungen, die
dem Zusammenbruch in den 70er und 80er Jahren weltweit
vorausging, und der schließliche Abschied von einer, wenn
auch bloß imaginierten, mehr virtuellen denn realen, Alternative inspirierten vielerorts die Suche nach einer anderen Glau-
bensgewißheit. Die Offenbarungsreligionen versprechen nicht
nur eine Sicherheit, an die keine der verblaßten Ideologien des
20. Jahrhunderts heranreicht. Sie scheinen in ihren strengglau-
bigen Ausprägungen auch einen Gegenhalt zu der im globalen
Maßstab wirksamen Verbindung von Liberalismus und Kapitalismus zu bieten und die Aussicht auf eine Gerechtigkeit zu
eröffnen, die über die Gerechtigkeit eines verallgemeinerungs-
fähigen Verfahrens hinausgeht. Das Gewicht, das beiden Momenten im politisch-religiösen Radikalismus antiwestlicher
Stoßrichtung zukommt, ist offenkundig. Es ist auch in der geistigen Lage Europas nicht zu unterschätzen.

Im Wiedererstarken der religiösen Orthodoxien wie in den
frei flottierenden Sehnsüchten westlicher Intellektueller nach
neuer Verbindlichkeit, nach dem ganz Anderen oder nach der
Unterbrechung eines als kompaktes Verhängnis wahrgenom-
menen Prozesses begegnen uns Manifestationen eines Unbeha-
gens in der Moderne. Wir können ihnen eine Ahnung ablesen
von dem, was fehlt. Ein tiefes, ratloses Ungenügen. Hierher
scheinen mir etwa die diffusen Erwartungen zu gehören, die
im breiten Strom der Postmoderne um «das Ereignis» kreisen,
das, so es eintritt, der «Wüstenwanderung» ein Ende setzen
wird, jedoch, wenn es sich unverstellt in seiner Andersheit zeigen soll, nicht zum Gegenstand des vorstellenden, unterschei-
denden, mithin auf Herrschaft zielenden Denkens gemacht
werden darf. Giorgio Agambens gelehrtes Unterfangen, die
theologische und die philosophische Feinmechanik der «bipo-
laren Maschine» der Oikonomia, der alles erfassenden Welt-
verwaltung, auseinanderzulegen und in einer Archäologie des
Gebots zwei Ontologien, die Ontologie des Esti und die Ontologie des Esto, des Seins und des Sein-Sollens, gegeneinander-

zustellen, folgt einer verwandten Spur. Wenn er das Sein aus
der Unterordnung unter das Gebot zu lösen beabsichtigt und
wenn er gegen die Emphase der Moderne auf Produktivität
und Arbeit der Politik die Aktivität zuweist, die menschlichen
und göttlichen Werke unwirksam zu machen, geschieht dies
unter Berufung auf die *zoē aiōnios,* im Namen des *ewigen Lebens.* Das Ziel, Moral und Politik «ganz von den Begriffen der
Pflicht und des Willens zu befreien», gehorcht einem messianischen Impuls.[2] Manches andere wäre zu nennen, bis zu der
Heidegger-Sentenz «Nur noch ein Gott kann uns retten», die,
1976 im *Spiegel* publiziert, untergründig fortwirkt und teilhat
an der Signatur der Zeit.

Die Folgen, die der Niedergang des Sowjetregimes für die
intellektuelle Neujustierung von *Politik und Religion* zeitigte,
nehmen sich eher subtil aus, wenn sie gegen die massiven Auswirkungen gehalten werden, die der Aufstieg des Islamismus
für die allgemeine Wahrnehmung von *Politik und Religion*
hatte. Daß das Verhältnis von Politik und Religion zu Beginn
des 21. Jahrhunderts wieder ins Zentrum der Debatte rückt,
ist wesentlich der Herausforderung des politisch-religiösen
Radikalismus geschuldet, der die Öffentlichkeit von New York
bis Bali, von Nigeria bis Dänemark, von Bamiyan in Afghanistan bis Timbuktu in Mali in Atem hält, der Gläubige wie
Ungläubige in großen Teilen der Welt verstört und die Nachdenklichen mit seiner buchstäblich explosiven Verbindung
politischer und religiöser Ansprüche zu einer grundsätzlichen
Besinnung zwingt. Der politisch-religiöse Radikalismus, der
eine solche Besinnung dringlich macht – eine Besinnung, für
die es, wohlverstanden, auch ohne die Gewalt seiner Gegenwart gute Gründe gäbe –, ist zuallererst islamischer Herkunft.
Andere Religionen sind von ihm indes keineswegs ausgenom-

2 Giorgio Agamben: *Opus Dei. Archeologia dell'ufficio.* Turin 2012,
S. 147. Cf. S. 135 ff. und 144 ff., ferner *Herrschaft und Herrlichkeit.
Zur theologischen Genealogie von Ökonomie und Regierung.* Berlin
2010, S. 13, 76, 173, 199–200, 294–301, 309.

men oder gegen ihn gefeit. Ihn einzig mit dem Islam in Verbindung zu bringen, hieße die Herausforderung des politisch-religiösen Radikalismus zu verkennen. Ganz ebenso wie man
sie verkleinerte, wollte man den Islamismus vom Islam als eine
Art Randerscheinung abtrennen. Gerade darin hat sich die
öffentliche Wahrnehmung der Religion geändert, daß der politische Sprengstoff, den die Religion in sich birgt, deutlicher
vor Augen steht, als das über weite Strecken des 20. Jahrhunderts der Fall war.

Die Kommentatoren, die nach den Anschlägen des 11. September 2001 davon sprachen, bei den Attentätern habe es sich
um «Nihilisten» gehandelt, verfehlten das Ungeheure des An-
griffs. Wenn wir die Berufung auf den allmächtigen Gott, der
die Welt aus dem Nichts erschuf und kein Teil von ihr ist, nicht
als Nihilismus begreifen, waren die Attentäter keine «Nihilisten», weder nach ihrem eigenen Verständnis noch im gemeinen Verstande des Begriffs. Ebendarin, daß es sich um keine
«Nihilisten» im gewöhnlichen Sinn, sondern um «Gotteskrie-
ger» handelte, die für ihre Taten ein höheres, ein göttliches
Recht und ein absolutes Gebot in Anspruch nahmen, ebendarin liegt das für Gläubige und Ungläubige Verstörende. Im
«11. September» hat die Herausforderung des politisch-religiösen Radikalismus der Gegenwart ihren emblematischen Ausdruck gefunden, der seine Gewalt in die Städte und Dörfer der
Andersgläubigen trägt. Die Gewalt, die Selbstmordattentäter
tagtäglich in der Welt üben, wird befeuert durch den Glauben
an einen Lohn, der nicht von dieser Welt ist und anders als das
Leben, das geopfert wird, ewig währen soll. Die religiöse Auslegung ist die Basis für die massenhafte Nachahmung der
Selbstmordanschläge und macht diese zu einem wirksamen
Mittel der Kriegsführung.

Der politische Sprengstoff der Religion tritt nicht nur in der
Gewalt zutage, die unter Berufung auf Islam, Christentum,
Judentum oder Hinduismus von militanten Gruppen und Einzelnen in den verschiedensten Himmelsstrichen geübt wird. Er
ist nicht weniger augenfällig in der staatlichen Zwangsgewalt,

die nach Maßgabe des göttlichen Gesetzes geordnet und im
göttlichen Auftrag eingesetzt werden soll. Mit der Aufrichtung
des Mullahregimes nach der Islamischen Revolution von 1979
in Iran und dem Aufstieg der Muslim-Bruderschaft zur bestimmenden politischen Kraft in Ägypten nach dem arabischen Aufstand von 2011 ist die Vorstellung der Gottesherrschaft auf die
Bühne der Weltpolitik zurückgekehrt. Da diese Rückkehr vor
dem Hintergrund einer mehr als zwei Jahrtausende übergrei-
fenden konfliktreichen Tradition in Islam, Christentum und
Judentum statthat, steht zu erwarten, daß die Konzeption der
Theokratie mit ihren unterschiedlichen theoretischen und praktischen Erscheinungsformen ein Kristallisationskern der künf-
tigen politisch-theologischen Auseinandersetzung sein wird.
Die Bewegung der Umkehr in einer der drei Offenbarungsreligionen gibt nach aller Erfahrung ähnlichen Bewegungen in den
beiden anderen Auftrieb. Das Erstarken der Orthodoxie hier
führt zum Erstarken der Orthodoxie dort. Der Anspruch des
einen politisch-religiösen Radikalismus dient den mit ihm konkurrierenden Radikalismen als Beispiel und setzt sie unter Zug-
zwang. Das liegt in der Logik der politischen Berufung auf die
Souveräne Autorität Gottes. Daß der Begriff der Politischen
Theologie, der der Öffentlichkeit Ende der 80er, Anfang der
90er Jahre kaum vom Hörensagen bekannt war, inzwischen
von Europa über Amerika bis Ostasien geläufig ist, kann gleichfalls als Anzeichen der veränderten Wahrnehmung von *Politik
und Religion* gelten. Der Begriff *Politische Theologie* ist in der
internationalen Debatte aktuell, weil die durch ihn bezeichnete
Sache – eine politische Theorie oder politische Doktrin, die für
sich beansprucht, in letzter Instanz auf göttliche Offenbarung
gegründet zu sein – als akut und für das Verständnis der geistigen Lage der Gegenwart signifikant eingeschätzt wird.[3]

---

3 Dasselbe gilt für die internationale Debatte über Carl Schmitt, der seinen Namen wie kein anderer mit dem Begriff *Politische Theologie* verband. Sie konzentriert sich seit einem Vierteljahrhundert auf *Politik und
  Religion*. Allenfalls von einigen Juristen und Historikern in Deutschland

Eine weitere politische Entwicklung der letzten Jahrzehnte
hat zu der neuen Aufmerksamkeit für *Politik und Religion*
erheblich beigetragen: die Zuwanderung und Einbürgerung
von religiös stark gebundenen Menschen. Im Hinblick auf
diese Entwicklung erscheinen die Anstrengungen im buchstäb-
lichen Sinn zeitgemäß, die Jürgen Habermas seit mehr als einer
Dekade unternimmt, den säkularen Staat zu stärken, indem er
die befriedende und integrierende Kapazität der religiös neutralen Verfassungsordnung herausstellt und indem er die Religionsgemeinschaften ermutigt, ihre Stimmen in der politisch-
moralischen Deliberation vernehmbar zu machen, und ihnen
zugleich ansinnt, die Unterstützung des säkularen Staats im
Zusammenhang ihres Glaubens mit Gründen zu rechtfertigen.
Das Ansinnen an die Religionsgemeinschaften, die Grundsätze
der Demokratie und der religiös neutralen Verfassungsordnung aus dem eigenen Glauben zu begründen, sie mithin nicht
nur vorläufig, gezwungenermaßen, faute de mieux zu akzeptieren, ist nicht trivial. Die zentralen Forderungen, die der von
Habermas intendierte Dialog an die religiösen Bürger richtet,
sind durchaus weitreichend: sowohl die Forderung nach einem «reflektierten Glauben», der sich zu anderen Religionen
ins Verhältnis zu setzen, d. h. sich selbst zu relativieren hat, als
auch, und vor allem, die Forderung nach einem Glauben, der
die der Möglichkeit des Irrtums unterworfenen Erkenntnisse
der «institutionalisierten Wissenschaft» oder des «mundanen
Wissens» respektieren muß.

In jüngster Zeit beschäftigt Habermas darüber hinaus die
Frage, ob die «Legierung von Politik und Religion», die den
sogenannten «sakralen Komplex» des Staates ausmachte, sich
nicht wenigstens in einem Restbestand oder als Resonanz-
boden der funktional ausdifferenzierten Gesellschaft erhalten

wird Schmitt noch ohne Rücksicht auf das Zentrum seines Denkens und
ohne Bezugnahme auf die Sache erörtert, die das Interesse an Schmitt als
Theoretiker begründet und auf das sich die Auseinandersetzung außerhalb Deutschlands bezieht.

läßt, ob das in der Gesellschaft, im Unterschied zum Staat,
verortete Politische durch einen mittelbaren Bezug zur Religion den «normativen Eigensinn» des öffentlichen Vernunftgebrauchs gegen den vermeintlichen Sachzwang zu verteidigen
vermag.[4] Die integrative, solidarisches Handeln befördernde
Kraft einer solchen Verbindung von Politik und Religion innerhalb der «Bürgergesellschaft» würde freilich durch starke He-
terogenität eingeschränkt und durch offene Konflikte zwischen
den Religionsgemeinschaften konterkariert. Habermas hält
dafür, daß der liberale Staat «religiösen Fundamentalismus
nicht zulassen kann». Damit ist eine politische Grenze gezogen. Allerdings bin ich nicht der Ansicht, daß der «Fundamentalismus» schlicht der Zuständigkeit der Politik subsumiert
oder auf eine Angelegenheit der Polizei reduziert werden kann
oder sollte. Der politisch-religiöse Radikalismus ist eine Herausforderung nicht nur für die Sicherheitskräfte und die robu-
sten Institutionen der politischen Ordnung, sondern insglei-
chen für die Vernunft, die die Prinzipien dieser Ordnung begründet. Daß der politisch-religiöse Radikalismus der Polizei
überantwortet werden könne und eine substantielle Auseinandersetzung mit ihm nicht notwendig sei, da er der menschlichen Vernunft widerspricht und sich deren Urteil nicht fügt, ist
ein Irrtum der postsäkularen Ära, in dem der Irrtum des säkularen Intermezzos fortwirkt, die Auseinandersetzung mit dem
Offenbarungsglauben sei entbehrlich, da die Entsorgung der
Religion getrost der Geschichte überlassen werden könne.
Wenn der Politiker oder der Sozialwissenschaftler sich bei der
Meinung der großen Mehrheit der Bürger beruhigt, die den religiös neutralen Verfassungsstaat heute als vernünftig bewertet
und unterstützt, muß der Philosoph darauf bestehen, daß die
Auseinandersetzung im Ernst geführt werde, eben weil der po-

---

4 *«Das Politische» – Der vernünftige Sinn eines zweifelhaften Erbstücks
der Politischen Theologie*, in: *Nachmetaphysisches Denken II*, S. 238–
256.

litisch-religiöse Radikalismus die Ausrichtung an der menschlichen Vernunft grundsätzlich in Frage stellt. Eine substantielle Auseinandersetzung erfordert, daß der Anspruch der anderen Seite aufgenommen, daß die Position, die sie verficht, *gedacht* wird. Diese Aufgabe obliegt der Philosophie.

Die Philosophie, die sich selbst begreift, ist niemandes Magd. Sie läßt sich weder von der Politik noch von den Sozialwissenschaften zu Hilfsdiensten heranziehen und Aufträge erteilen, an denen sie nicht aus eigenem Grund und Antrieb Interesse nimmt. Erst recht wird sie sich nicht zu etwas verstehen, das ihrer raison d'être widerspricht. So wird sie sich nicht mit einem Dialog zufriedengeben, in dem ihr die Rolle zugewiesen wird, die moralischen Gehalte der religiösen Rede zu übersetzen und in den Stand der politisch erwünschten Verallgemeinerbarkeit zu erheben, ohne daß der Wahrheitsanspruch der religiösen Rede, der den moralischen Aufstellungen und Hoffnungen zugrunde liegt, Gegenstand des Dialogs sein soll, in dem, mit anderen Worten, das dem Selbstverständnis des Gläubigen wie der Sache nach Wichtigste ausgeklammert bleibt. Die Philosophie macht sich indes nichts und niemandem dienstbar, sie folgt ihrem eigensten Interesse, wenn sie die Aufgabe übernimmt, sich mit dem politisch-religiösen Radikalismus substantiell auseinanderzusetzen. Diese Aufgabe nötigt sie, ihre Aufmerksamkeit der Herausforderung des Offenbarungsglaubens zuzuwenden, die sie zu ihrem eigenen Schaden im Rücken behält, solange sie sie nicht denkt. Der Wahrheitsanspruch und die Gehorsamsforderung der Offenbarungsreligionen widerstreiten dem Recht und der Notwendigkeit der Philosophie, die ihre raison d'être darin hat, daß sie auf rückhaltloses Fragen gegründet ist und sich bei keiner Antwort beruhigt, die ihre Beglaubigung einer Autorität schuldet. Die Philosophie, die sich nicht als Disziplin unter Disziplinen, sondern als distinkte Lebensweise begreift, hat allen Grund, die Position aufzusuchen und zu prüfen, die die Philosophie prinzipiell und existentiell in Frage zu stellen vermag. Wenn der politisch-religiöse Radikalismus der Gegenwart dazu beiträgt, daß die Philosophie der theologischen und politischen Herausforderung gewahr wird und den Dialog mit dem Offenbarungsglauben wieder aufnimmt, dann kann man dies dem «Guten im Bösen» zurechnen. Wenn der Dialog nicht in ein diffuses Gespräch abgleiten, wenn er beide Seiten über die Versicherung ihrer guten Absichten hinaus zu größerer Klarheit führen soll, sind Unterscheidungen unerläßlich. (1) Das gilt zunächst für die scharfe Konturierung der Positionen, die aufeinandertreffen. Das Werk der Weichzeichner, das den Positionen ihre Anstößigkeit nahm und ihre Widerstrebigkeit unkenntlich machte, hat nur die Illusion allseitiger Verträglichkeit befördert und die Auseinandersetzung als obsolet erscheinen lassen. (2) Es gilt ebenso für prägnante Begriffe, die geeignet sind, den Streit in der Sache zu artikulieren. Etwa für die erwähnten Bestimmungen der Politischen Theologie und der Theokratie. Es macht einen Unterschied, ob *Politische Theologie* zu einer wissenssoziologischen Hypothese verharmlost, auf das in der zweiten Hälfte des 20. Jahrhunderts vielerörterte «Säkularisierungs-Theorem» eingeschränkt oder aber zur Markierung eines umfassenden Anspruchs verwendet wird, der auf einen prinzipiellen Begründungszusammenhang verweist und eine existentielle Forderung enthält. Und es ist nicht gleichgültig, ob *Theokratie* als Synonym für «Priesterherrschaft» gebraucht wird oder ob der Begriff mit dem ganzen Sinngehalt im Dialog präsent ist, mit dem Flavius Josephus ihn ausstattete und in die Literatur einführte. (3) Schließlich gilt es für die historischen Perspektiven, an denen sich der Dialog ausrichtet. Wählt man für das, was verhandelt werden soll, die Überschrift «Glauben und Wissen», knüpft man an eine Diskussion des christlichen Mittelalters an, in der der grundlegende Streit bereits beschwichtigt ist, da die Philosophie ihres Kerns verlustig gegangen, als selbständige Lebensweise neutralisiert, theologisch und politisch domestiziert war. Entsprechend rücken Fragen der Kognition, der Hierarchisierung und des möglichen Ausgleichs ins Zentrum, während *Politik und Religion* als Thema am

Rande erscheint. Ein anderes Gewicht erhält *Politik und Religion*, wenn man sich dagegen auf das jüdische oder das islamische Mittelalter bezieht, das den Dualismus als «Gesetz und Philosophie» faßte, oder wenn wir bis zum vorkonstantinischen Kirchenlehrer Tertullian zurückgehen, der Jerusalem gegen Athen stellte und die alles entscheidende Alternative so mit den Namen zweier Gemeinwesen verband: eines religiösen, das für das Göttliche Gesetz, den Heiligen Gott, den Gehorsam des Glaubens einsteht, und eines politischen, das die menschliche Weisheit oder Torheit vertritt, in dem die Philosophie zur Entfaltung und, nach der Hinrichtung des Sokrates, zu hohem Ansehen kam, das vom Bewußtsein der Freiheit seiner Bürger getragen wurde. Tertullians Unterscheidung, in der zuzeiten alle drei Offenbarungsreligionen den für sie grundlegenden Streit wiederzuerkennen vermochten, hat überdauert. Im 20. Jahrhundert wählten der religiöse Schriftsteller Leo Schestow und der politische Philosoph Leo Strauss die Überschrift «Athen und Jerusalem» bzw. «Jerusalem und Athen» für ihre – höchst unterschiedliche – Wiederaufnahme des Dialogs zwischen Offenbarungsglaube und Philosophie.[5]

Der Dialog wird verkürzt, der Auseinandersetzung die Spitze genommen, wenn man die Philosophie, die der historischen Begegnung mit den Offenbarungsreligionen vorausgeht, der Religion assimiliert, wenn man auf den Heilsweg abhebt, den sie Nichtphilosophen in Aussicht stellt, wenn man sie entwicklungsgeschichtlich unter die Produzenten kosmologischer Weltbilder einordnet und von der Kritik absieht, die ihr wesentlich ist.[6] Die Philosophie steht und fällt mit der Kritik von Politik und Religion. Die zentrale Frage der philosophischen Kritik, die Frage *ti esti theos, quid est deus, was ist ein Gott?*

5 Tertullian: *De praescriptione haereticorum* VII, 9–13; cf. *Apologeticum* XLVI, 18; *De anima* I, 4 und III, 1. Leo Schestow: *Athen und Jerusalem. Versuch einer religiösen Philosophie.* Graz 1938. Leo Strauss: *Jerusalem and Athens. Some Preliminary Reflections.* New York 1967.

6 Cf. *Nachmetaphysisches Denken II*, S. 105–106.

ist mit der Philosophie gleichen Ursprungs. Lange vor und unabhängig von der historischen Begegnung mit den Offenbarungsreligionen ist die Philosophie aus Gründen der Selbstverständigung im Dialog mit der Theologie, der sie selbst den Namen gegeben hat.[7] Umgekehrt bezeugen die Autoren des Buches *Genesis* eine prägnante Vorstellung von der Alternative, wenn sie die Position der Philosophie avant la lettre als das wahre Gegenüber des Offenbarungsglaubens ins Auge fassen. Die Auseinandersetzung ist vor dem tatsächlichen Aufeinandertreffen in vollem Gange. Die Dialektik, die den Dialog von Philosophie und Theologie von Anfang an bestimmt, die Besonderheiten, die «Jerusalem und Athen» trennen und aufeinander verweisen, die Tiefe und die Gegenwart des Streites geraten aus der Vogelperspektive der universalgeschichtlichen Betrachtung aus dem Blick. Im weiten, Ost und West umspannenden Panorama der «Achsenzeit» kommt Sokrates unter den Religionsstiftern zu stehen.

Politik und Religion ist der Ausgangspunkt des Dialogs, den die Philosophie mit der Theologie zu führen hat. Die ihn führen, tun dies aus Gründen der Selbsterkenntnis. Die ihm folgen, gewinnen größere Klarheit über die geistige Lage der Gegenwart. Der Dialog wird ihre Einsicht fördern, wenn er den politischen und den theologischen Spannungen zwischen Politik und Religion auf den Grund geht. Er wird ihrer Umsicht zugute kommen, wenn er ihnen in Erinnerung ruft, daß eine Ahnung von dem, was fehlt, nichts darüber aussagt, ob dem Mangel politisch abgeholfen werden kann, und wenn er sie darin bestärkt, auch einem lebhaft empfundenen Ungenügen besser zu widerstehen, als sich im Denken von ihm bestimmen zu lassen.

---

7 Zur Bedeutung der Frage «Was ist ein Gott?» für die Auseinandersetzung zwischen Philosophie und Offenbarungsglaube siehe meine Schrift *Politische Philosophie und die Herausforderung der Offenbarungsreligion.* München 2013, S. 83–88 mit Anm. 72.

Über die Autoren

GIORGIO AGAMBEN, geboren 1942 in Rom, Italien, schloß sein Jurastudium mit einer Arbeit über das politische Denken Simone Weils ab. In den Jahren 1966 und 1968 nahm er an den Seminaren teil, die Martin Heidegger auf Einladung René Chars in Le Thor abhielt. Von 1986 bis 1993 war er Directeur de programme am Pariser Collège internationale de philosophie. Von 1988 bis 2009 lehrte er an den Universitäten Macerata, Verona und Venedig und war Gastprofessor in Berkeley, Princeton, Los Angeles und Chicago. Ehrendoktor der Universitäten Freiburg (Schweiz), Buenos Aires und Rio de la Plata sowie Albertus-Magnus-Professor der Universität zu Köln. Er wurde mit dem Leopold-Lucas-Preis des Jahres 2013 ausgezeichnet. Ausgewählte Buchveröffentlichungen: *Stanzen. Das Wort und das Phantasma in der abendländischen Kultur.* Zürich–Berlin 2005 (Original: 1977). *Die Idee der Prosa.* Frankfurt a. M. 1987 (1985). *Homo Sacer. Die souveräne Macht und das nackte Leben.* Frankfurt a. M. 2002 (1995). *Was von Auschwitz bleibt. Das Archiv und der Zeuge.* Frankfurt a. M. 2003 (1998). *Die Zeit, die bleibt. Ein Kommentar zum Römerbrief.* Frankfurt a. M. 2006 (2000). *Das Offene. Der Mensch und das Tier.* Frankfurt a. M. 2003 (2002). *Ausnahmezustand.* Frankfurt a. M. 2004 (2003). *Profanierungen.* Frankfurt a. M. 2005 (2005). *Herrschaft und Herrlichkeit. Zur theologischen Genealogie von Ökonomie und Regierung.* Berlin 2010 (2007). *Das Sakrament der Sprache. Eine Archäologie des Eides.* Berlin 2010 (2008). *Höchste Armut. Ordensregeln und Lebensform.* Frankfurt a. M. 2012 (2011). *Opus Dei. Archäologie des Amts.* Frankfurt a. M. 2013 (2012). Er ist Herausgeber der italienischen Ausgabe der Schriften Walter Benjamins.

ROBERT C. BARTLETT, geboren 1964 in Edmonton, Kanada, studierte Philosophie und Politische Wissenschaft an der University of Toronto (B.A., 1986) und am Boston College (M.A. 1991 und Ph.D. 1992). Er lehrte am Rhodes College (1996–1999) und an der Emory University (1999–2010). Seit 2010 ist er The Behrakis Professor of Hellenic Political Studies im Department of Political Science am Boston College. Er veröffentlichte *The Idea of Enlightenment: A Postmortem Study.* Toronto 2001, sowie zahlreiche Aufsätze zur antiken Philosophie. Er ist der Herausgeber und Übersetzer von Pierre Bayle: *Various Thoughts on the Occasion of a Comet.* Albany 2000, Plato: *Protagoras and Meno.* Ithaca 2004, Xenophon: *The Shorter Socratic Writings.* Ithaca 2006 und (mit Susan D. Collins) Aristotle: *Nicomachean Ethics.* Chicago 2011. Mit Susan D. Collins edierte er außerdem *Action and Contemplation: Studies in the Moral and Political Thought of Aristotle.* Albany 1999. Derzeit arbeitet er an einem Buch mit dem Titel *Sophistry as a Way of Life: On Plato's Presentation of Protagoras.*

HILLEL FRADKIN, geboren 1947 in New York City, studierte Judaistik und Islamwissenschaften an der Cornell University und der University of Chicago. 1978 Promotion. Von 1977 bis 1979 lehrte er an der Yale University, von 1979 bis 1986 am Barnard College und der Columbia University und von 1986 bis 1998 am Committee on Social Thought der University of Chicago. Er war Vizepräsident der Lynde and Harry Bradley Foundation (1988–1998), Mitglied des National Council on the Humanities (1988–1994), W. H. Brady, Jr. Fellow in Religion and Politics am American Enterprise Institute (1998–2001) und Präsident des Ethics and Public Policy Center (2001–2004). Seit 2004 ist er Senior Fellow am Hudson Institute und Direktor am dortigen Center on Islam, Democracy and the Future of the Muslim World. 2005 gründete er die Zeitschrift *Current Trends in Islamist Ideol-*

ogy, in der er selbst eine Reihe von Aufsätzen veröffentlicht hat. Zu seinen Veröffentlichungen zählen u. a. die Studien *America in Islam* (2004), *Questions Contemporaines et Anciennes Narratives: Le Cas de Ibn Tufayl* (2008), *The «Greater» Middle East* (2009), *Abrahamism* (2012) und zuletzt *Playing Cards in Syria* (mit Lewis Libby, 2012), *The Rise and Fall of Erdogan's Turkey* (mit Lewis Libby, 2013), *Arab Democracy or Islamist Revolution: Debating the Arab Transformation* (mit Olivier Roy, 2013). Er arbeitet an einem Buch zum *Pentateuch*.

GREGORY L. FREEZE, geboren 1945 in Dayton, Ohio, studierte Geschichte an der Columbia University. Seit 1972 lehrt er an der Brandeis University in Waltham, Massachusetts, und ist seit 1992 dort Beinfield Professor of History. Er lehrte als Gastprofessor u. a. in Berkeley, Tübingen, Göttingen und Heidelberg. Seit 1991 leitet er das Russian Archive Project. Zahlreiche Zeitschriftenaufsätze zur Geschichte der Russisch-Orthodoxen Kirche, in jüngerer Zeit besonders zur Alltagsgeschichte der Religion und der Gläubigen. Ausgewählte Buchveröffentlichungen: *The Russian Levites: Parish Clergy in the Eighteenth Century*. Cambridge 1978. *Parish Clergy in Nineteenth-Century Russia: Crisis, Reform, Counter-Reform*. Princeton 1984. Mit Sergej Mironenko: *Gosudarstvennyj archiv Rossijskoj Federacii: Putevoditel'*. Moskau 1994. Er ist Herausgeber von *A Description of the Clergy in Rural Russia: The Memoir of a Nineteenth-Century Parish Priest I. S. Belliustin*. Ithaca 1986. *From Supplication to Revolution: A Documentary Social History of Imperial Russia*. Oxford 1988. *Russia: A History*. Revised and Expanded Edition. Oxford 2009. Zusammen mit Igor Smolitsch: *Geschichte der russischen Kirche*. Berlin 1991. Mit Boris Mironov: *The Standard of Living and Revolutions in Imperial Russia 1700–1917*. London 2012.

FRIEDRICH WILHELM GRAF, geboren 1948 in Wuppertal, studierte Evangelische Theologie, Philosophie und Geschichte in Wuppertal, Tübingen und München. 1978 Promotion. 1986 Habilitation. Von 1988 bis 1999 war er Professor für Systematische Theologie und neuere Theologiegeschichte an der Universität Augsburg. Seit 1999 ist er Ordinarius für Systematische Theologie und Ethik an der Ludwig-Maximilians-Universität München. Er lehrt regelmäßig als Visiting Professor an der Seigakuin Universität, Tokio, ist Research Fellow der University of Pretoria, war Fellow des Max-Weber-Kollegs der Universität Erfurt, Stipendiat des Historischen Kollegs (München) und erhielt 1999 den Leibniz-Preis der Deutschen Forschungsgemeinschaft. Seit 2001 ist er Mitglied der Bayerischen Akademie der Wissenschaften. Buchveröffentlichungen: *Theonomie. Fallstudien zum Integrationsanspruch neuzeitlicher Theologie.* Gütersloh 1987. *Die Wiederkehr der Götter. Religion in der modernen Kultur.* München 2004, 3. Aufl. 2005, erw. Ausgabe in der Beck'schen Reihe 2007. *Moses Vermächtnis. Über göttliche und menschliche Gesetze.* München 2006. *Der Protestantismus. Geschichte und Gegenwart.* München 2006, 2., überarb. Aufl. 2010. *Missbrauchte Götter. Zum Menschenbilderstreit in der Moderne.* München 2009. *Kirchendämmerung. Wie die Kirchen unser Vertrauen verspielen.* München 2011, 3. Aufl. 2013. *Der heilige Zeitgeist. Studien zur Ideengeschichte der protestantischen Theologie in der Weimarer Republik.* Tübingen 2011. Als Herausgeber u. a.: *Die Flucht in den Begriff. Materialien zu Hegels Religionsphilosophie.* Stuttgart 1982 (mit Falk Wagner). *Profile des neuzeitlichen Protestantismus,* 3 Bde. Gütersloh 1990–1993. *Liberale Theologie. Eine Ortsbestimmung.* Gütersloh 1993. *Ernst Troeltsch in Nachrufen.* Gütersloh 2002, 2. Aufl. 2003. *Ernst Troeltschs «Historismus».* Gütersloh 2002, 2. Aufl. 2003. (Zusammen mit Heinrich Meier) *Der Tod im Leben.* München 2004, 3. Aufl. 2009. Mitherausgeber der *Zeitschrift für Neuere Theologiegeschichte/ Journal for the History of Modern Theology* und der *Kritischen Gesamtausgabe* der Werke Ernst Troeltschs.

Hans Ulrich Gumbrecht, geboren 1948 in Würzburg, studierte Romanistik, Germanistik, Philosophie und Soziologie in München, Regensburg, Salamanca und Pavia. 1971 Promotion und 1974 Habilitation in Konstanz. Er lehrte an der Ruhr-Universität Bochum (1975–1982), an der Universität-Gesamthochschule Siegen (1983–1989) und u. a. in Berkeley, Princeton, Yale sowie an der École des Hautes Études en Sciences Sociales in Paris. Seit 1989 ist er Albert Guérard Professor in Literature an der Stanford University, seit 1998 Fellow der American Academy of Arts and Sciences, seit 2004 Professeur attaché au Collège de France, seit 2008 ständiger Gastprofessor an der Zeppelin Universität in Friedrichshafen und seit 2011 Catedrático Visitante permanente an der Universität Lissabon. Er erhielt neun Ehrendoktorate in sechs Ländern. 2009/2010 war er Fellow der Carl Friedrich von Siemens Stiftung und 2012 für drei Monate Fellow des Wissenschaftskollegs zu Berlin. Ausgewählte Buchveröffentlichungen: *Eine Geschichte der spanischen Literatur*. Frankfurt a. M. 1990. *Funktionen parlamentarischer Rhetorik in der französischen Revolution*. München 1991 (portugiesisch). *In 1926: Living at the Edge of Time*. Cambridge, Mass. 1997 (deutsch, portugiesisch, spanisch, russisch und ungarisch). *Vom Leben und Sterben der großen Romanisten*. München 2002. *Powers of Philology: Hidden Dynamics of Textual Scholarship*. Chicago 2003 (deutsch, koreanisch und spanisch). *Production of Presence: What Meaning Cannot Convey*. Stanford 2003 (deutsch, französisch, portugiesisch, russisch und ungarisch). *In Praise of Athletic Beauty*. Cambridge, Mass. 2006 (deutsch, französisch, spanisch, kantonesisch, russisch, niederländisch, portugiesisch, koreanisch, dänisch, ukrainisch). *Unsere breite Gegenwart*. Berlin 2011 (spanisch und englisch). *Stimmungen lesen*. München 2011 (englisch, portugiesisch und spanisch). *Nach 1945. Latenz als Ursprung der Gegenwart*. Berlin 2012 (amerikanisches Original: Stanford 2013; portugiesisch, russisch, spanisch).

Jürgen Habermas, geboren 1929 in Düsseldorf, aufgewachsen in Gummersbach, studierte Philosophie, Geschichte, Deutsche Literatur und Psychologie in Göttingen, Zürich und Bonn (1949–1954). 1954 Promotion an der Universität Bonn. 1961 Habilitation an der Universität Marburg. Er lehrte in Heidelberg (1961–1964) und Frankfurt a. M. (1964–1971, 1983–1994) sowie als Gastprofessor u. a. an der University of California, Berkeley, an der Northwestern University, Evanston, und an der New York University, New York. Von 1971 bis 1983 war er Direktor am Starnberger Max-Planck-Institut zur Erforschung der Lebensbedingungen der wissenschaftlich-technischen Welt. Er erhielt zahlreiche Ehrendoktorate, u. a. von der New School for Social Research, New York; der Hebräischen Universität, Jerusalem; der Harvard University sowie der University of Cambridge, und wurde vielfach ausgezeichnet, u. a. mit dem Friedenspreis des Deutschen Buchhandels (2001), dem Kyoto Preis für Philosophie (2004), dem Holberg-Preis (2005) und dem Heinrich-Heine-Preis (2012). Ausgewählte Buchveröffentlichungen: *Strukturwandel der Öffentlichkeit*. Neuwied-Berlin 1962. *Theorie und Praxis*. Neuwied-Berlin 1963. *Erkenntnis und Interesse*. Frankfurt a. M. 1968. *Philosophisch-politische Profile*. Frankfurt a. M. 1971. *Legitimationsprobleme im Spätkapitalismus*. Frankfurt a. M. 1973. *Theorie des kommunikativen Handelns*. Frankfurt a. M. 1982. *Der philosophische Diskurs der Moderne*. Frankfurt a. M. 1985. *Nachmetaphysisches Denken*. Frankfurt a. M. 1988. *Faktizität und Geltung*. Frankfurt a. M. 1992. *Die Einbeziehung des Anderen*. Frankfurt a. M. 1996. *Wahrheit und Rechtfertigung*. Frankfurt a. M. 1999. *Glauben und Wissen*. Frankfurt a. M. 2001. *Der gespaltene Westen*. Frankfurt a. M. 2004. *Die Zukunft der menschlichen Natur. Auf dem Weg zu einer liberalen Eugenik?* Frankfurt a. M. 2005. *Zwischen Naturalismus und Religion*. Frankfurt a. M. 2005. *Philosophische Texte. Studienausgabe in fünf Bänden*. Frankfurt a. M. 2009. *Zur Verfassung Europas*. Berlin 2011. *Nachmetaphysisches Denken II*. Berlin 2012.

HANS JOAS, geboren 1948 in München, studierte Soziologie, Geschichte, Philosophie und Germanistik in München und Berlin. Promotion 1979. Habilitation 1981. Er war Professor für Soziologie an der Universität Erlangen-Nürnberg (1987–1990), Professor am John F. Kennedy-Institut für Nordamerikastudien und am Institut für Soziologie der Freien Universität Berlin (1990–2002) und Max-Weber-Professor an der Universität Erfurt und Leiter des Max-Weber-Kollegs für kultur- und sozialwissenschaftliche Studien (2002–2011). Seit 2000 ist er Professor an der University of Chicago und Mitglied des Committee on Social Thought und seit 2011 Permanent Fellow am Freiburg Institute for Advanced Studies. Als Gastprofessor lehrte er u. a. in Toronto, Madison, New York und Wien. Von den Universitäten Tübingen und Uppsala erhielt er Ehrendoktorate. Er ist Ordentliches Mitglied der Berlin-Brandenburgischen Akademie der Wissenschaften, Korrespondierendes Mitglied der Österreichischen Akademie der Wissenschaften und Mitglied der Academia europaea. Ausgewählte Buchveröffentlichungen: *Praktische Intersubjektivität. Die Entwicklung des Werkes von George Herbert Mead.* Frankfurt a. M. 1980 (englisch 1985, französisch 2007). *Soziales Handeln und menschliche Natur. Anthropologische Grundlagen der Sozialwissenschaften.* Frankfurt a. M. 1980 (mit Axel Honneth, englisch 1988). *Pragmatismus und Gesellschaftstheorie.* Frankfurt a. M. 1992 (englisch 1993, spanisch 1998). *Die Kreativität des Handelns.* Frankfurt a. M. 1992 (englisch 1996, französisch 1999, koreanisch 2002, russisch 2005). *Die Entstehung der Werte.* Frankfurt a. M. 1997 (englisch 2000, polnisch 2009). *Kriege und Werte. Studien zur Gewaltgeschichte des 20. Jahrhunderts.* Weilerswist 2000 (englisch 2003, spanisch 2005). *Sozialtheorie. Zwanzig einführende Vorlesungen.* Frankfurt a. M. 2004 (mit Wolfgang Knöbl, englisch 2009, russisch 2011). *Braucht der Mensch Religion? Über Erfahrungen der Selbsttranszendenz.* Freiburg i. Br. 2004 (englisch 2008, italienisch 2010). *Kriegsverdrängung. Ein Problem in der Geschichte der Sozialtheorie.* Frankfurt a. M. 2008 (mit Wolfgang

Knöbl, englisch 2013). *Die Sakralität der Person. Eine neue Genealogie der Menschenrechte.* Berlin 2011 (portugiesisch 2012, englisch 2013). *Glaube als Option. Zukunftsmöglichkeiten des Christentums.* Freiburg 2012.

HEINRICH MEIER, geboren 1953 in Freiburg i.Br., studierte Philosophie, Politische Wissenschaft und Soziologie in Freiburg i.Br. Promotion 1985. Seit demselben Jahr leitet er die Carl Friedrich von Siemens Stiftung in München. Seit 1999 lehrt er als Honorarprofessor für Philosophie an der Ludwig-Maximilians-Universität München und seit 2008 als ständiger Visiting Professor am Committee on Social Thought der University of Chicago. Er war Georges Lurcy Professor der University of Chicago (2000) und Gastprofessor am Boston College (2003). 2005 wurde er mit der Leibniz-Medaille der Berlin-Brandenburgischen Akademie der Wissenschaften ausgezeichnet und 2011 zum Ehrensenator der Humboldt-Universität zu Berlin ernannt. Buchveröffentlichungen: Jean-Jacques Rousseau: *Discours sur l'inégalité/Diskurs über die Ungleichheit.* Kritische Edition mit deutscher Übersetzung und ausführlichem Kommentar. Paderborn 1984, 6. Aufl. 2008. *Carl Schmitt, Leo Strauss und «Der Begriff des Politischen». Zu einem Dialog unter Abwesenden.* Stuttgart 1988, 3., durchgesehene und erweiterte Aufl. 2013 (französisch 1990, japanisch 1993, amerikanisch 1995, chinesisch 2002, spanisch 2008, italienisch 2011, russisch 2012). *Die Lehre Carl Schmitts. Vier Kapitel zur Unterscheidung Politischer Theologie und Politischer Philosophie.* Stuttgart–Weimar 1994, 4., durchgesehene Aufl. 2012 (amerikanisch 1998, chinesisch 2004, italienisch 2013). *Die Denkbewegung von Leo Strauss. Die Geschichte der Philosophie und die Intention des Philosophen.* Stuttgart–Weimar 1996 (chinesisch 2002, amerikanisch 2006, französisch 2006, spanisch 2006). *Warum Politische Philosophie?* Stuttgart–Weimar 2000, 2. Aufl. 2001 (chinesisch 2001, amerikanisch 2002, französisch 2006, spanisch 2006, japanisch 2010). *Das theolo-*

gisch-politische Problem. Zum Thema von Leo Strauss. Stuttgart–Weimar 2003 (chinesisch 2004, französisch 2006, spanisch 2006, japanisch 2010). *«Les rêveries du Promeneur Soli-
taire».* *Rousseau über das philosophische Leben.* München
2005, 2. Aufl. 2008 (chinesisch 2006, japanisch 2008, amerikanisch 2010, französisch 2010). *Was ist Politische Theologie? – What is Political Theology?* München 2006 (italienisch
2000, chinesisch 2002, polnisch 2003, französisch 2008, spanisch 2008). *Leo Strauss and the Theologico-Political Problem.*
Cambridge, Mass. 2006, 7. Aufl. 2008. *Über das Glück des
philosophischen Lebens. Reflexionen zu Rousseaus «Rêveries»
in zwei Büchern.* München 2011 (chinesisch 2013). *Politische
Philosophie und die Herausforderung der Offenbarungsreligion.* München 2013 (chinesisch 2014). Herausgeber der *Ge-
sammelten Schriften* von Leo Strauss.

PETER SCHÄFER, geboren 1943 in Hückeswagen, studierte
Theologie, Philosophie, Semitistik und Judaistik in Bonn, Jerusalem und Freiburg i. Br. 1968 Promotion. 1973 Habilitation in Frankfurt a. M. Er lehrte Judaistik an der Universität
Köln (1974–1983) und als Gastprofessor in Oxford, Jerusalem, Yale, New York und Princeton. Von 1983 bis 2008 war
er Professor für Judaistik und Direktor des Instituts für Judaistik an der Freien Universität Berlin. Seit 1998 ist er Perelman
Professor for Jewish Studies und Professor of Religion an der
Princeton University, seit 2005 Direktor des Princeton Program in Judaic Studies. Ehrendoktor der Universitäten Utrecht
und Tel Aviv. Er erhielt den Leibniz-Preis (1994), den Andrew
W. Mellon Distinguished Achievement Award (2006) und den
Ruhr-Preis für Kunst und Wissenschaften der Stadt Mülheim-
Ruhr (2008). Er ist u. a. korrespondierendes Mitglied der Brit-
ish Academy, ordentliches Mitglied der Berlin-Brandenburgischen Akademie der Wissenschaften und ordentliches Mitglied
der American Philosophical Society. Ausgewählte Buchveröffentlichungen: *Die Vorstellung vom Heiligen Geist in der rab-*

binischen Literatur. München 1972. *Rivalität zwischen Engeln und Menschen. Untersuchungen zur rabbinischen Engelvorstellung.* Berlin/New York 1975. *Studien zur Geschichte und Theologie des rabbinischen Judentums.* Leiden 1978. *Der Bar Kokhba-Aufstand. Studien zum zweiten jüdischen Krieg gegen Rom.* Tübingen 1981. *Geschichte der Juden in der Antike. Die Juden Palästinas von Alexander dem Großen bis zur arabischen Eroberung.* Stuttgart-Neukirchen 1983, 2. Aufl. 2010 (französisch 1989, englisch 1995 und 2003, tschechisch 2003). *Hekhalot-Studien.* Tübingen 1988. *Der verborgene und offenbare Gott. Hauptthemen der frühen jüdischen Mystik.* Tübingen 1991 (amerikanisch 1992, französisch 1993, spanisch 1995). *Judeophobia: Attitudes toward the Jews in the Ancient World.* Cambridge, Mass./London 1997 (italienisch 1999, französisch 2003, deutsch 2010, hebräisch 2010). *Mirror of his Beauty: Feminine Images of God from the Bible to the Early Kabbalah.* Princeton 2002 (deutsch 2008). *Der Triumph der reinen Geistigkeit. Sigmund Freuds «Der Mann Moses und die monotheistische Religion».* Berlin/Wien 2003. *Jesus in the Talmud.* Princeton 2007 (deutsch 2007, 2. Aufl. 2010, japanisch 2010). *The Origins of Jewish Mysticism.* Tübingen 2009 (deutsch 2011). *Die Geburt des Judentums aus dem Geist des Christentums. Fünf Vorlesungen.* Tübingen 2010. *The Jewish Jesus: How Judaism and Christianity Shaped Each Other.* Princeton/Oxford 2012.

Aus dem Verlagsprogramm

FRIEDRICH WILHELM GRAF

MOSES
VERMÄCHTNIS
Über göttliche und menschliche Gesetze

C.H.BECK

99 Seiten mit 22 Abbildungen. Klappenbroschur

Friedrich Wilhelm Graf erläutert in seinem eleganten
Essay, wie die Vorstellungen vom göttlichen Gesetz entstanden sind, welche Ausprägung sie in den verschiedenen
Religionen erfahren haben und warum sie bis heute so
machtvoll sind, daß sie immer wieder – und in letzter Zeit
verstärkt – zu gewaltsamen Konflikten führen.
Die Vorstellung vom «Gesetz Gottes» entfaltet trotz Aufklärung und Säkularisierung eine nahezu ungebrochene
Suggestivkraft. Diese geht für manche religiöse Gruppen
wieder so weit, daß sie das göttliche Recht dem staatlichen
Recht vorordnen. Friedrich Wilhelm Graf bringt daher
auch die Strategien zur Konfliktvermeidung und
Beschränkung des göttlichen Gesetzes zur Sprache, die
die Religionen selbst entwickelt haben.

Heinrich Meier

POLITISCHE PHILOSOPHIE

und die Herausforderung der Offenbarungs- religion

C.H.BECK

238 Seiten. Gebunden mit Fadenheftung

Die Offenbarungsreligion fordert die Philosophie theolo- gisch und politisch heraus. Ihr Wahrheitsanspruch und ihre Gehorsamsforderung widerstreiten dem Recht und der Notwendigkeit der Philosophie, die auf freies, rückhaltloses Fragen gegründet ist. Heinrich Meier, einer der besten Kenner von Jean-Jacques Rousseau und Leo Strauss, entfaltet den Streit, von dem dieses Buch handelt, in exemplarischen Auslegungen zweier Meisterwerke der Politischen Philosophie: Im Dialog mit *Gedanken über Machiavelli*, dem komplexesten und kontroversesten Traktat von Strauss, und in einer neuen Deutung der berühmtesten Schrift Rousseaus, *Vom gesellschaftlichen Vertrag*, des modernen Gegenentwurfs zur Theokratie in allen ihren Erscheinungsformen.